A Princesa na balada
+
A Princesa no limite

Obras da autora publicadas pela Editora Record:

Avalon High
Avalon High – A coroação: a profecia de Merlin
Cabeça de vento
Sendo Nikki
Como ser popular
Ela foi até o fim
A garota americana
Quase pronta
O garoto da casa ao lado
Garoto encontra garota
Todo garoto tem
Ídolo teen
Pegando fogo!
A rainha da fofoca
A rainha da fofoca em Nova York
A rainha da fofoca: fisgada
Sorte ou azar?
Liberte meu coração
Insaciável
Mordida
Sem julgamentos

Série O Diário da Princesa
O diário da princesa
A princesa sob os holofotes
A princesa apaixonada
A princesa à espera
A princesa de rosa-shocking
A princesa em treinamento
A princesa na balada
A princesa no limite
Princesa Mia
Princesa para sempre
Lições de princesa
O presente da princesa
O casamento da princesa

Série Heather Wells
Tamanho 42 não é gorda
Tamanho 44 também não é gorda
Tamanho não importa
Tamanho 42 e pronta para arrasar
A noiva é tamanho 42

Série A Mediadora
A terra das sombras
O arcano nove
Reunião
A hora mais sombria
Assombrado
Crepúsculo
Lembrança

Série As leis de Allie Finkle para meninas
Dia da mudança
A garota nova
Melhores amigas para sempre?
Medo de palco
Garotas, glitter e a grande fraude
De volta ao presente

Série Desaparecidos
Quando cai o raio
Codinome Cassandra
Esconderijo perfeito
Santuário

Série Abandono
Abandono
Inferno
Despertar

Série Diário de uma Princesa Improvável
Diário de uma princesa improvável
Desastre no casamento real

A Princesa na balada
+
A Princesa no limite

Tradução
Ana Ban

2ª edição

— Galera —

RIO DE JANEIRO

2025

REVISÃO
Jorge Luz

CAPA
Isadora Zeferino

TÍTULO ORIGINAL
Party princess
Princess on the brink

CIP-BRASIL. CATALOGAÇÃO NA PUBLICAÇÃO
SINDICATO NACIONAL DOS EDITORES DE LIVROS, RJ

C116p   Cabot, Meg, 1967-
      Princesa na balada ; Princesa no limite / Meg Cabot ; tradução Ana Ban. – 2. ed. – Rio de Janeiro : Galera Record, 2025.
      (O diário da princesa ; 7 , 8)

      Tradução de: Party Princess; Princess on the Brink
      ISBN 978-65-5981-144-1

      1. Ficção. 2. Literatura infantojuvenil americana. I. Ban, Ana. II. Título: Princesa no limite. III. Título. IV. Série.

22-76804   CDD: 808.899282
                              CDU: 82-93(73)

Gabriela Faray Ferreira Lopes – Bibliotecária – CRB-7/6643

Copyright © 2022 Meg Cabot, LLC.

Todos os direitos reservados.
Proibida a reprodução, no todo ou em parte, através de quaisquer meios.
Os direitos morais da autora foram assegurados.

Texto revisado segundo o novo Acordo Ortográfico da Língua Portuguesa.

Direitos exclusivos de publicação em língua portuguesa somente para o Brasil adquiridos pela
EDITORA RECORD LTDA.
Rua Argentina, 171 - Rio de Janeiro, RJ - 20921-380 - Tel.: (21) 2585-2000,
que se reserva a propriedade literária desta tradução.

Impresso no Brasil

ISBN 978-65-5981-144-1

Seja um leitor preferencial Record.
Cadastre-se e receba informações sobre nossos
lançamentos e nossas promoções.

Atendimento e venda direta ao leitor:
sac@record.com.br

A Princesa na balada

*Para a minha sobrinha
Riley Sueham Cabot,
outra princesa em
treinamento.*

Agradecimentos

Muito obrigada a Beth Ader, Jennifer Brown, Barbara Cabot, Lexa Hillyer, Michele Jaffe, Laura Langlie, Janey Lee e Abigail McAden. Agradecimento especial a Benjamin Egnatz, que escreveu muitas das canções e dos poemas deste livro, e que também me alimentou enquanto eu escrevia.

"O espírito e o ímpeto de qualquer criança seriam totalmente diminuídos e despedaçados pelas mudanças a que ela precisou ser submetida. Mas, quando digo alguma coisa, ela parece tão pouco submissa, como se... como se fosse uma princesa."

A PRINCESINHA
FRANCES HODGSON BURNETT

Do Gabinete de
Vossa Majestade Real

Princesa Amelia Mignonette Grimaldi Thermopolis Renaldo

Caro Dr. Carl Jung,

Eu sei muito bem que o senhor nunca vai ler esta carta, principalmente porque já morreu.

Mas estou com vontade de escrever mesmo assim, porque há alguns meses, durante um período especialmente difícil da minha vida, uma enfermeira me disse que eu precisava ser mais verbal em relação aos meus sentimentos.

Sei que escrever uma carta para uma pessoa morta não é exatamente ser verbal, mas a minha situação é tal que existem poucas pessoas com quem posso falar de verdade sobre os meus problemas. Sobretudo porque são exatamente essas pessoas que estão causando os meus problemas.

A verdade, dr. Jung, é que eu luto há quinze anos e nove meses para alcançar a minha autorrealização. O senhor se lembra da autorrealização, certo? Quer dizer, devia lembrar: afinal, foi o senhor mesmo quem a inventou.

O negócio é o seguinte: cada vez que imagino ter avistado a autorrealização no horizonte, alguma coisa acontece e bagunça tudo. Tipo esse negócio todo de ser princesa. Quer dizer, logo quando achei que não tinha como ficar mais esquisita, BAM! Eu descubro que também sou princesa.

O que, eu sei, não parece ser um problema de verdade para muita gente. Mas eu bem que gostaria de saber como ESSA GENTE reagiria se cada instante da vida DELAS fosse tomado por lições da avó com pálpebras tatuadas a respeito de como ser uma integrante da realeza; ser perseguida por paparazzi; ou participar de eventos chatos em que as pessoas nunca nem sequer ouviram falar de O.C.: *Um estranho no paraíso*, imagina se fazem alguma ideia do que está acontecendo com o namoro de vaivém de Seth e Summer.

Mas o negócio de princesa não é o único obstáculo entre mim e minha busca pela autorrealização. Também não ajuda muito o fato de eu ser a única pessoa que cuida do meu irmãozinho — que parece estar sofrendo de graves problemas de desenvolvimento, porque, com dez meses, ainda não aprendeu a andar sem se segurar em alguém (geralmente eu; mas também é verdade que ele demonstra habilidades verbais bastante avançadas para a idade: ele conhece duas palavras, mião — caminhão — e ato — gato —, e as usa de maneira indiscriminada para todos os objetos, não apenas caminhões e gatos).

Mas não é só isso. O que o senhor acha de eu ter sido eleita presidente do conselho estudantil da minha escola... e mesmo assim continuar sendo uma das pessoas menos populares da dita escola?

Ou de eu finalmente ter descoberto que tenho mesmo um talento de verdade (que é escrever — para o caso de o senhor não ter percebido nesta carta), mas que também não vou poder seguir carreira na profissão escolhida porque estarei ocupada demais, governando um principado europeu? Não que algum dia eu vá conseguir publicar alguma coisa ou possa conseguir um emprego de roteirista-assistente em um seriado de comédia.

Ou que finalmente conquistei o amor do homem dos meus sonhos, só que agora ele está tão ocupado com a História da Ficção Científica Distópica no Cinema que a gente mal se vê.

Está percebendo o que eu quero dizer com tudo isso? Cada vez que a autorrealização parece estar ao alcance dos meus dedos, ela é arrancada de mim com toda a crueldade pelo destino. Ou pela minha avó.

Não estou reclamando... só estou dizendo... bom, o que um ser humano precisa suportar antes de poder se considerar autorrealizado?

Porque eu realmente estou achando que não vai dar mais para aguentar.

Será que o senhor tem alguma dica para me dar, para que eu consiga alcançar a transcendência antes de completar 16 anos? Porque eu queria mesmo saber.

Obrigada.

Sua amiga,
Mia Thermopolis

P.S.: Ah, é. Eu tinha esquecido. O senhor morreu. Desculpe. Não se preocupe com a parte da dica. Acho que vou procurar alguma coisa na biblioteca.

Terça, 2 de março, depois da escola, Superdotados & Talentosos

REUNIÃO QUINZENAL DOS REPRESENTANTES DO CONSELHO ESTUDANTIL DA EAE

Ata da reunião

Lista de presença

Presentes:
Mia Thermopolis, presidente
Lilly Moscovitz, vice-presidente
Ling Su Wong, tesoureira
Sra. Hill, conselheira
Lars van der Hooten, guarda-costas pessoal de V.A.R. M. Thermopolis

Ausente:
Tina Hakim Baba, secretária, por causa da consulta de emergência no ortodontista, porque seu irmãozinho jogou o aparelho dela na privada.

(E é por isso, aliás, que eu estou redigindo a minuta. Ling Su não pode fazer isso porque tem letra de "artista", que é bem parecida com letra de "médico", e isto significa que na verdade é indecifrável ao olho humano. E Lilly disse que está com síndrome do túnel do carpo de tanto digitar aqueles contos que enviou para o concurso anual de contos de ficção da revista *Sixteen*.

Ou, devo dizer, os CINCO contos que ela enviou para o concurso anual de contos de ficção da revista *Sixteen*.

Não sei como ela encontrou tempo para escrever CINCO contos. Eu mal tive tempo para escrever UM.

Mesmo assim, acho que o meu conto, "Chega de milho!", é bem bom. Quer dizer, tem tudo o que um conto DEVE conter: romance. *Páthos*. Suicídio. Milho. Quem pode querer mais do que isso?)

Moção para aprovar a minuta da reunião de 15 de fevereiro: APROVADA

RELATÓRIO DA PRESIDENTE: Meu pedido para que a biblioteca da escola permaneça aberta nos fins de semana para o uso de grupos de estudo foi recebido com resistência considerável pela diretoria da escola. As questões levantadas foram as seguintes: custo das horas extras dos bibliotecários, assim como o custo das horas extras do vigia na porta da escola para conferir as carteirinhas e se assegurar de que as pessoas que entram são de fato alunos da EAE, e não simplesmente qualquer sem-teto da rua.

RESPOSTA DA VICE-PRESIDENTE: O ginásio fica aberto nos fins de semana para a prática de esportes. O vigia com certeza poderia conferir a carteirinha tanto dos alunos atletas quanto dos alunos que de fato se preocupam com as notas. Além do mais, vocês não acham que até mesmo um vigia com inteligência moderada poderia diferenciar qualquer sem-teto da rua e os alunos da EAE?

RESPOSTA DA PRESIDENTE À VICE-PRESIDENTE: Eu sei. Já disse isso. Daí a diretora Gupta me lembrou de que o orçamento atlético foi definido há algum tempo, e que não existe orçamento de fim de semana para a biblioteca. E que os vigias são contratados principalmente por causa do tamanho, não da inteligência.

RESPOSTA DA VICE-PRESIDENTE À RESPOSTA DA PRESIDENTE: Bom, então, talvez, a diretora Gupta precise ser lembrada de que a ampla maioria dos alunos da Escola Albert Einstein não está envolvida em esportes e precisa de mais tempo na biblioteca, e esse orçamento precisa ser revisto. E que tamanho não é tudo.

RESPOSTA DA PRESIDENTE À RESPOSTA DA VICE-PRESIDENTE EM RESPOSTA À MINHA DECLARAÇÃO ANTERIOR: Dããã, Lilly, foi o que eu disse. Ela respondeu que vai pensar sobre o assunto.

(Por que a Lilly sempre tem que ser tão do contra nessas reuniões? Fica parecendo para a Sra. Hill que eu não tenho autoridade nenhuma.

Achei mesmo que ela havia superado toda aquela história de eu não renunciar ao cargo para que ELA pudesse ser presidente. Quer dizer, isso faz MESES, e parecia que ela havia me perdoado depois que eu consegui fazer o meu pai ir ao programa de TV dela para dar uma entrevista a respeito das políticas de imigração da Europa.

E, tudo bem, isso não fez a audiência dela crescer tanto quanto ela esperava.

Mas *Lilly manda a real* continua sendo o programa de maior audiência da TV a cabo de Manhattan, depois daquele com um motoqueiro Hell's Angel que ensina a cozinhar embaixo de um cano de descarga, quer dizer (apesar de aqueles produtores que estão de olho no programa dela não terem conseguido vender para nenhuma grande rede de TV).

RELATÓRIO DA VICE-PRESIDENTE: Os cestos de lixo reciclável chegaram e foram colocados ao lado de todos os cestos de lixo comum da escola. São cestos especiais, com três divisões: papel, vidro e lata, com um esmagador mecânico embutido na parte das latas. Os alunos têm usado bastante o equipamento. No entanto, há um pequeno problema com os adesivos.

RESPOSTA DA PRESIDENTE: Que adesivos?

R. DA VICE-PRESIDENTE À R. DA PRESIDENTE: Aqueles em cima da tampa dos cestos que dizem "Papel, Vidro e Bala".

R. DA PRESIDENTE À R. DA VP: Está escrito "Papel, Vidro e LATA", não "Bala".

VICE-PRESIDENTE: Não, não está. Olhe aqui.

PRESIDENTE: Certo. Quem revisou os adesivos?

VICE-PRESIDENTE: Foi a secretária. Que não está aqui.

TESOUREIRA: Mas não é culpa da Tina, porque ela anda completamente estressada com as provas bimestrais.

PRESIDENTE: Precisamos encomendar adesivos novos. "Papel, Vidro e Bala" é inaceitável.

TESOUREIRA: Não temos dinheiro para encomendar adesivos novos.

PRESIDENTE: Entre em contato com o fornecedor dos adesivos e informe que cometeram um erro que precisa ser retificado imediatamente e que, como o erro foi deles, não podem cobrar nada.

VICE-PRESIDENTE: Dá licença, Mia, mas você está escrevendo a minuta da reunião no seu DIÁRIO?

PRESIDENTE: Estou. E daí?

VICE-PRESIDENTE: Então você não tem um caderno especial para o conselho estudantil?

PRESIDENTE: Tenho sim. Mas eu meio que perdi. Não se preocupe, vou transcrever as minutas para o computador assim que chegar em casa. Dou cópias impressas para vocês amanhã.

VICE-PRESIDENTE: Você PERDEU seu caderno do conselho estudantil?

PRESIDENTE: Bom, não exatamente. Quer dizer, eu sei direitinho onde ele está. Só que ele não está acessível neste momento.

VICE-PRESIDENTE: E por quê?

PRESIDENTE: Porque o deixei no quarto do alojamento do seu irmão.

VICE-PRESIDENTE: O que você estava fazendo com o caderno do conselho estudantil no quarto do alojamento do meu irmão?

PRESIDENTE: Eu só fui fazer uma visita, certo?

vice-presidente: Você só foi fazer isso? Uma visita?

presidente: É. Senhora tesoureira, estamos prontas para o seu relatório agora.

(Certo, é sério. Que história foi aquela de *Você só foi fazer isso?* Você sabe muito bem que ela estava falando de S-E-X-O. E, ainda por cima, na frente da Sra. Hill! Até parece que a Lilly não sabe muito bem qual é a minha posição e a do Michael em relação a esse assunto!

Será que isso é porque ela está preocupada com que "Chega de milho!" seja melhor do que qualquer um dos contos dela? Não, isso não é possível. Quer dizer, "Chega de milho!" fala sobre um jovem solitário e sensível que se sente tão incomodado com a alienação em uma escola de ensino médio na região nobre do Upper East Side, em Manhattan, onde os pais dele o matricularam, e também com a insistência da cantina da escola de colocar milho no chili, ignorando os pedidos frequentes dele para que não façam isto, que acaba pulando na frente de um metrô da linha F.

Mas será que esse enredo é mesmo melhor do que qualquer um dos contos da Lilly, que são todos a respeito de moças e rapazes que se entendem com sua sexualidade? Não sei.

O que eu sei é que a revista *Sixteen* não costuma publicar contos com cenas de sexo explícito. Quer dizer, ela faz artigos sobre métodos anticoncepcionais e apresenta depoimentos de meninas que pegaram DSTs ou que engravidaram sem querer ou que foram vendidas como escravizadas ou sei lá o quê.

Mas nunca escolhe histórias com coisas assim nos concursos de ficção.

Porém, quando eu comentei isso com a Lilly, ela disse que eles provavelmente fariam uma exceção se o conto fosse bom de verdade, e os dela são com toda certeza — de acordo com ela, pelo menos.

Só espero que as expectativas da Lilly não sejam irreais demais. Porque, tudo bem, uma das primeiras regras da ficção é escrever sobre aquilo que você conhece, e eu nunca fui menino, nem detestei milho, nem me joguei na frente do metrô da linha F.

Mas a Lilly nunca transou com ninguém, e todos os cinco contos dela têm sexo. Em um deles, a heroína transa como um professor. A gente sabe que ela não escreveu isso a partir de nenhuma experiência pessoal. Quer dizer, tirando o técnico Wheeton, que agora está noivo de Mademoiselle Klein e nunca nem sequer OLHARIA para alguma aluna, não existe nem um único professor nesta escola que qualquer pessoa pudesse ser capaz de considerar interessante, nem de longe.

Bom, qualquer pessoa, exceto a minha mãe, parece, que aparentemente achou a gostosura — ECA — do Sr. G irresistível.)

RELATÓRIO DA TESOUREIRA: A gente não tem mais dinheiro.

(Espera aí. O QUE FOI QUE A LING SU DISSE???????)

Terça, 2 de março, hotel Plaza, aula de princesa

Bom, então é isso. O conselho estudantil da Escola Albert Einstein está falido.
Quebrado.
Sem fundos.
Duro.
Somos o primeiro governo na história da Escola Albert Einstein que gastou todo o orçamento em apenas sete meses, sendo que ainda faltam mais três para o ano letivo acabar.

O primeiro da história que não tem dinheiro para alugar o salão Alice Tully, no Lincoln Center, para a cerimônia de entrega de diplomas do último ano.

E parece que a culpa é toda minha, por ter nomeado uma artista como tesoureira.

"Eu disse que não sou boa com dinheiro!" foi a única coisa que a Ling Su ficou repetindo sem parar. "Eu disse que não era para você me nomear tesoureira! Eu disse para você nomear o Boris como tesoureiro! Mas você queria que fosse esse negócio de Girl Power. Bom, esta garota aqui também é artista. E artistas não sabem nada a respeito de saldo bancário, nem de dividendos! A gente tem coisas mais importantes na cabeça. Tipo fazer *arte* para estimular a mente e os sentidos."

"Eu sabia que a gente devia ter nomeado a Shameeka para tesoureira", Lilly resmungou. Várias vezes. Apesar de eu ter lembrado a ela, várias vezes, que o pai da Shameeka disse para ela que só pode fazer uma atividade extracurricular por semestre, e que ela já havia escolhido ser líder de torcida, em vez de participar do conselho estudantil, uma decisão que com toda a certeza vai assombrá-la em sua luta para se tornar a primeira mulher afro-americana indicada como ministra da Suprema Corte.

Mas o negócio é que a culpa não é da Ling Su. Quer dizer, *eu* é que sou a presidente. Se tem uma coisa que aprendi com esse negócio de princesa é que junto com a soberania vem a responsabilidade: você pode delegar o quanto quiser, mas no fim é VOCÊ quem vai pagar o preço se alguma coisa der errado.

Eu devia ter prestado atenção. Eu devia ter controlado as coisas mais de perto.

Eu devia ter vetado aqueles cestos de lixo caríssimos. Eu devia ter simplesmente encomendado aqueles normais, azuis. Foi ideia minha escolher os que têm amassador de lata embutido.

ONDE É QUE EU ESTAVA COM A CABEÇA??? Por que ninguém tentou me deter????

Ai, meu Deus. Já sei o que é!

É a minha própria Baía dos Porcos presidencial.

Falando sério. Aprendemos tudo sobre a Baía dos Porcos na aula de Civilizações mundiais — em que um grupo de estrategistas militares, lá dos anos 1960, fez um plano para invadir Cuba e depor Fidel Castro, e convenceram o presidente Kennedy a adotar o plano. Só que eles chegaram lá e descobriram que havia muito mais soldados cubanos e que também ninguém havia checado para ver se as montanhas para onde eles deviam fugir por segurança ficavam mesmo daquele lado da ilha (não ficavam).

Muitos historiadores e sociólogos atribuíram o problema da Baía dos Porcos ao "pensamento em grupo", fenômeno que ocorre quando um grupo tem tanta vontade de chegar a uma conclusão unânime que eles preferem não conferir os fatos — tipo quando a Nasa se recusou a ouvir os alertas dos engenheiros a respeito do ônibus espacial *Challenger* porque estavam com a ideia fixa de lançá-lo em uma certa data.

E isso é EXATAMENTE o que aconteceu com os cestos de lixo reciclável.

E a Sra. Hill — pensando bem — pode ser chamada de habilitadora do pensamento em grupo... Quer dizer, ela não fez lá muita coisa para tentar nos deter. Aliás, pode-se dizer a mesma coisa a respeito do Lars — apesar de ele ter parado de prestar atenção às aulas desde que arrumou um celular novo com internet. A Sra. Hill se recusou a oferecer qualquer solução possível para a situação, tal como fazer um empréstimo dos cinco mil que estão faltando para a gente.

O que, se quer saber a minha opinião, é uma traição, porque, no papel de nossa conselheira, a Sra. Hill é pelo menos um pouco responsável por esse desastre. Quer dizer, é lógico que a presidente sou eu e, em última instância, a responsabilidade é minha.

Mesmo assim, existe uma *razão* por que nós temos uma conselheira. Eu só tenho 15 anos e 10 meses de idade. Eu não devia ter que carregar sozinha nos ombros a culpa por TUDO isso. Quer dizer, a Sra. Hill deveria assumir PARTE da responsabilidade. Onde é que ela estava quando a gente torrou o orçamento anual inteiro em cestos de lixo reciclável da melhor qualidade com esmagadores embutidos?

Vou dizer onde: alimentando seu vício em suéteres bordados com a bandeira do Estados Unidos, comprados por meio do canal de compras na sala dos professores, e não prestando atenção nenhuma às nossas reuniões.

Ah, que maravilha. Grandmère acabou de gritar comigo:

"Amelia, você está ouvindo alguma palavra do que estou dizendo ou será que estou falando sozinha?"

"Sim, Grandmère, estou ouvindo."

O que eu preciso *de verdade* é começar a prestar mais atenção à aula de economia. Daí, quem sabe, eu vou aprender a como gastar melhor o meu dinheiro.

"Sei", Grandmère disse. "O que foi que eu disse, então?"

"Hm. Esqueci."

"John Paul Reynolds-Abernathy IV. Você já ouviu falar dele?"

Ai, meu Deus. Isso de novo não. Sabe qual é a nova mania de Grandmère? Ela está comprando uma propriedade de frente para o mar.

Só que, obviamente, Grandmère não se contentaria com uma *simples* casa na praia. Por isso, está comprando uma ilha.

É isso aí. Uma ilha só para ela.

A ilha de Genovia, para ser mais exata.

A Genovia verdadeira não é uma ilha, mas a que Grandmère está comprando é. Quer dizer, uma ilha. Fica próxima ao litoral de Dubai, onde uma empresa de construção fez um monte de ilhas pertinho umas das outras, formando desenhos que podem ser vistos do espaço. Tipo fizeram uns aglomerados de ilhas em forma de palmeira, que se chamam A Palmeira.

Agora estão fazendo um que se chama O Mundo. Há ilhas no formato da França, da África do Sul e da Índia, e até de Nova Jersey, que, quando vistas do céu, vão formar os contornos do mundo.

*O Mundo em Dubai
por Mia Thermopolis*

Legenda:
— ilha com mansão, piscina etc.
— praia de areia ao redor da ilha.
≈ = ondas do oceano.
= baleia (desenhada fora de escala)

Obviamente, as ilhas não são construídas em escala. Porque daí a ilha de Genovia seria do tamanho do meu banheiro. E a Índia seria do tamanho do estado da Pensilvânia, nos EUA. Todas as ilhas são basicamente do mesmo tamanho — com área suficiente para construir alguma casa descomunal com algumas casas de hóspedes e uma piscina — para que gente como Grandmère possa comprar uma ilha no formato do estado ou do país de sua escolha, e daí ficar morando lá, igual o Tom Hanks fez naquele filme, *Náufrago*.

Só que ele não escolheu isso.

Além do mais, a ilha dele não tinha uma mansão de quase cinco mil metros quadrados com sistema de segurança de alta tecnologia, ar-condicionado central e uma piscina com cachoeira, como a de Grandmère vai ter.

Só tem um problema com a ilha de Grandmère: ela não foi a única pessoa a fazer uma oferta.

"John Paul Reynolds-Abernathy IV", ela disse, mais uma vez, cheia de preocupação na voz. "Não me diga que você não conhece. Ele estuda na sua escola!"

"Um cara que estuda na minha escola quer comprar a ilha da falsa Genovia?" Isto me pareceu meio difícil de acreditar. Quer dizer, eu sei que tenho a menor mesada entre todo mundo da EAE, já que o meu pai não quer que eu me transforme em alguém como a Lana Weinberger, que gasta todo o dinheiro que tem para subornar seguranças e entrar em casas noturnas que ela ainda não tem idade para frequentar (pelo raciocínio dela, se a Lindsay Lohan faz isso, por que ela não pode fazer?). Além do mais, Lana tem seu próprio cartão American Express, que ela usa para comprar tudo — desde café com leite na Ho's Deli até calcinhas fio-dental na Agent Provocateur — e o pai dela simplesmente paga a conta todo mês. A Lana tem a MAIOR SORTE.

Mas mesmo assim. Será que alguém ganha uma mesada tão grande que dá para comprar uma ILHA?

"Não o garoto que estuda na sua escola. O PAI dele." As pálpebras de Grandmère, com o risco de lápis tatuado, estavam bem apertadinhas, o que sempre é mau sinal. "John Paul Reynolds-Abernathy III está disputando a ilha comigo. O FILHO dele estuda na sua escola. Ele está um ano na sua frente. Você deve conhecê-lo com certeza. Aparentemente, ele tem ambições teatrais — bem parecido com o pai, que é um produtor de teatro que vive com um charuto na boca e só fala palavrão."

"Sinto muito, Grandmère. Mas eu não conheço nenhum John Paul Reynolds-Abernathy IV. E, para falar a verdade, tenho algo mais importante com que me preocupar do que se você vai ou não conseguir a sua ilha", informei a ela. "O negócio é que eu estou falida."

Grandmère se iluminou. Ela adora falar de dinheiro. Porque isto quase sempre leva a falar de compras, que é o passatempo preferido dela, além de beber Sidecars e fumar. Grandmère fica mais feliz quando pode fazer as três coisas juntas. Infelizmente para ela, com o que ela considera uma nova regulamentação fascista em relação ao fumo em Nova York, o único lugar em que ela pode fumar, beber e comprar ao mesmo tempo é em casa, pela internet.

"Há alguma coisa que você quer comprar, Amelia? Algo um pouco mais na moda do que esses coturnos pavorosos que você continua usando, apesar de eu já ter dito mil vezes que não ajudam em nada com o formato das suas panturrilhas? Que tal aquele sapatinho lindo de pele de cobra de Ferragamo que mostrei para você outro dia?"

"Não estou falida PESSOALMENTE, Grandmère", respondi. Apesar de, na verdade, eu estar sim, porque só recebo vinte dólares por semana e com isto tenho que pagar por todas as minhas necessidades de entretenimento, de modo que todo o meu dinheiro de uma semana pode acabar com uma simples ida ao cinema, se eu me der ao luxo de gastar em bolinhos de *gingko biloba* E um refrigerante. E Deus me proteja se o meu pai algum dia tiver a ideia de ME oferecer um cartão de crédito American Express.

Só que, a julgar pelo que aconteceu com os cestos de lixo reciclável, acho que ele tem razão de não colocar na minha mão uma linha de crédito ilimitado.

"Estou dizendo que o conselho da Escola Albert Einstein está falido", expliquei. "Gastamos todo o nosso orçamento em sete meses, em vez de dez. Agora estamos encrencados porque não vamos ter dinheiro para pagar o aluguel do salão Alice Tully, no Lincoln Center, para a cerimônia de entrega de diplomas do último ano, em junho. Só que não vai dar, porque a gente não tem dinheiro nenhum. E isto significa que a Amber Cheeseman, a oradora deste ano, vai me matar, provavelmente de alguma maneira bem lenta e dolorosa."

Ao confidenciar isso a Grandmère, eu sabia que estava correndo certo risco. Porque o fato de estarmos falidos é um segredo enorme. É sério. Lilly, Ling Su, Sra. Hill, Lars e eu juramos pela nossa vida que não iríamos contar para ninguém a verdade a respeito dos cofres vazios do conselho estudantil, até que fosse absolutamente imprescindível. A última coisa de que eu preciso agora é um processo de impeachment.

E todas nós sabemos que a Lana Weinberger se agarraria a qualquer chance de se livrar de mim no cargo de presidente estudantil. O pai da LANA daria cinco mil na mão dela sem pestanejar se achasse que isto ajudaria a filhinha querida dele.

Os MEUS parentes? Nem tanto.

Mas sempre existe a possibilidade — remota, eu sei — de que Grandmère possa me ajudar de alguma maneira. Ela já fez isso. Quer dizer, até onde eu sei, vai ver que ela e Alice Tully foram as melhores amigas da faculdade. Talvez Grandmère só precise dar um telefonema e eu possa alugar o salão Alice Tully DE GRAÇA!!!!

Só que Grandmère não estava com cara de quem estava a fim de dar algum telefonema para me ajudar. Principalmente quando começou a fazer barulhinhos de desaprovação com a língua.

"Aposto que vocês gastaram todo o dinheiro com parvoíces e toleimas", ela disse em tom não completamente de desaprovação.

"Se com parvoíces e toleimas", eu respondi — fiquei imaginando se estas eram palavras de verdade ou se ela de repente tinha começado a falar em outra língua e, se tivesse, será que eu devia chamar a camareira? —, "você quer dizer 25 cestos de lixo reciclável de alta tecnologia com compartimentos independentes para papel, vidro e lata, com um mecanismo esmagador na parte das latas, sem falar em trezentos kits de eletroforese para o laboratório de biologia, que não podem ser devolvidos porque, pode acreditar, eu já perguntei, então a resposta é sim."

Parece que Grandmère ficou muito decepcionada comigo. Dava para ver que ela considerava cestos de lixo reciclável o maior desperdício de dinheiro.

E eu nem COMENTEI sobre a coisa dos adesivos de "Vidro e Bala".

"De quanto você precisa?", ela perguntou com um tom dissimulado de quem não quer nada.

Espere aí. Será que Grandmère estava prestes a fazer algo inimaginável — oferecer um empréstimo para mim?

Não. Não é possível.

"Não é muito", respondi, achando que isto era bom DEMAIS para ser verdade. "Só cinco mil." Na verdade, cinco mil, setecentos e vinte e oito dólares, que é quanto o Lincoln Center cobra das escolas para usar o salão Alice Tully, que acomoda mil pessoas. Mas eu não queria exagerar. Se Grandmère estivesse disposta a me arrumar os cinco mil, eu conseguiria arrecadar os setecentos e vinte e oito de algum jeito.

Mas que pena. Era *mesmo* bom demais para ser verdade.

"Bom, e o que as escolas fazem quando precisam levantar fundos com rapidez?", Grandmère quis saber.

"Não sei", respondi. Eu não conseguia parar de me achar a maior derrotada. Além do mais, eu estava mentindo (e qual é a novidade?), porque eu sabia muito bem o que as escolas na nossa situação faziam. Já havíamos discutido o assunto longamente, durante a reunião do conselho estudantil, depois que a Ling Su fez a revelação chocante a respeito da situação da nossa conta bancária. A Sra. Hill não estava disposta a nos fazer um empréstimo (e também duvido de que ela *tenha* cinco mil guardados em algum lugar. Juro que nunca a vi usando nenhuma roupa repetida. E isto significa muitos vestidos-bata da Quacker Factory para um salário de professora), mas estava mais do que disposta a nos mostrar alguns catálogos de velas que estavam jogados por ali.

Falando sério. Esta foi a grande sugestão dela: que a gente devia vender umas velas.

Lilly só ficou olhando para ela e falou assim: "A senhora está sugerindo que a gente deve se abrir a uma batalha niilista entre os que têm muito e os que têm mais ainda, ao estilo da *Guerra do chocolate*, de Robert Cormier, Sra. Hill? Porque todas nós lemos isso na aula de inglês, e a gente sabe muito bem o que acontece quando alguém ousa incomodar o universo."

Mas a Sra. Hill, com ar de quem foi insultada, disse que a gente podia organizar um concurso para ver quem vendia mais velas, sem passar por um colapso total das convenções sociais, nem por nenhum niilismo.

Mas quando eu dei uma olhada no catálogo de velas e vi todos os aromas — Morango com Chantili! Algodão-Doce! Biscoito Doce! — e as cores disponíveis para comprar, experimentei um niilismo secreto próprio.

Porque, sinceramente, eu preferiria que o último ano fizesse comigo o que o Obi-Wan Kenobi fez com o Anakin Skywalker em *A vingança dos Sith* (quer dizer, cortar as minhas pernas com um sabre de luz e me deixar para queimar na beirada de um poço de lava) do que bater na porta da minha vizinha Ronnie e perguntar se ela estaria interessada em comprar uma vela com aroma de Morango com Chantili, feita *no formato verdadeiro de um morango*, por US$ 9,95.

E pode acreditar, o último ano é CAPAZ de fazer comigo o que o Obi-Wan fez com o Anakin. Principalmente a Amber Cheeseman, que é a oradora da turma deste ano e que, apesar de ser bem mais baixinha do que eu, é faixa marrom em *hapkido* e poderia desfigurar o meu rosto com muita facilidade.

Quer dizer, se ela subisse em uma cadeira, ou se alguém a erguesse para que ela pudesse me alcançar.

Foi nesse ponto da reunião do conselho estudantil que fui obrigada a dizer, meio sem jeito, "Moção para terminar a reunião", coisa que felizmente foi aprovada por unanimidade por todos os presentes.

"Nossa conselheira sugeriu que a gente vendesse velas de porta em porta", eu disse a Grandmère, na esperança de que ela achasse a ideia de a própria neta sair batendo na porta de desconhecidos para oferecer cera em forma de fruta tão repulsiva que logo abriria o talão de cheques e me entregaria um de cinco mil ali mesmo.

"Velas?" Grandmère de fato pareceu ter ficado meio preocupada.

Mas pela razão errada.

"Eu acho que *doce* seria bem mais fácil de oferecer nas hordas de escritórios típicos dos pais dos alunos da Escola Albert Einstein", ela disse.

Ela estava certa, óbvio — mas a palavra operante é TÍPICO, porque não dá pra imaginar meu pai, que está em Genovia no momento, porque o Parlamento está em sessão, distribuindo um formulário de venda de velas e falando assim: "Bom, pessoal, isto aqui é para levantar dinheiro para a escola da minha filha. Quem comprar mais velas vai ganhar automaticamente o direito a ser condecorado cavaleiro."

"Vou me lembrar disso", respondi. "Obrigada, Grandmère."

Daí ela voltou ao John Paul Reynolds-Abernathy III, e que ela está planejando um enorme evento beneficente na quarta-feira da outra semana para arrecadar fundos para os cultivadores de azeitonas de Genovia (que estão em greve para protestar contra as novas regulamentações da União Europeia, que permitem aos supermercados influenciar demais o preço do produto), para impressionar os criadores de O Mundo, assim como as outras pessoas que querem comprar ilhas, com a tremenda generosidade dela (quem ela acha que é? A Angelina Jolie de Genovia?).

Grandmère afirma que isso vai fazer com que todo mundo fique IMPLORANDO para que ela vá morar na ilha da falsa Genovia, deixando o coitado do John Paul Reynolds-Abernathy III ao relento, blá-blá-blá.

O que é uma beleza para Grandmère. Quer dizer, em breve ela vai ter uma ilha só dela para onde fugir. Mas onde é que *eu* vou me esconder da ira de Amber Cheeseman quando ela descobrir que vai fazer o discurso dela não de cima de um púlpito no palco do salão Alice Tully, mas na frente do bufê de saladas do Outback na West Street 23?

Terça, 2 de março, em casa

Bem, quando eu achei que o meu dia não tinha como piorar, minha mãe me entregou a correspondência, assim que eu entrei em casa.

Normalmente, eu gosto de receber correspondência. Porque, normalmente, eu recebo coisas divertidas pelo correio, como a última edição da *Psychology Today*, uma revista de psicologia, para ver qual é o novo distúrbio psiquiátrico de que eu posso sofrer. Assim eu tenho alguma coisa além do livro que estivermos lendo na aula de inglês (neste mês, *O Pioneers!*, de Willa Carter. Bocejo.) para ler na banheira, antes de ir para a cama.

Mas o que a minha mãe me deu quando entrei em casa nesta noite não foi nada divertido NEM para ler na banheira. Porque era curto demais.

— Você recebeu uma carta da revista *Sixteen*, Mia! — a minha mãe disse, toda animada. — Deve ser sobre o concurso!

Só que eu já percebi de cara que não tinha motivo para animação ali. Quer dizer, era *óbvio* que aquele envelope continha más notícias. Estava na cara que aquele envelope só trazia uma folha de papel. Se eu tivesse vencido, com certeza teriam mandado um contrato, isto sem falar do dinheiro do prêmio, certo? Quando o conto de T. J. Burk a respeito de Dex, amigo dele que morreu em uma avalanche, foi publicado pela revista *Powder* em "Aspen Extreme", ele recebeu a revista IMPRESSA com o nome dele na capa. Foi assim que ele descobriu que o texto dele havia sido publicado.

O envelope que a minha mãe me entregou com toda a certeza não continha um exemplar da revista *Sixteen* com o meu nome na capa, porque era fino demais.

"Obrigada", eu disse, e peguei o envelope da minha mãe e torci para ela não perceber que eu estava quase chorando.

"O que diz na carta?", o Sr. Gianini quis saber. Ele estava à mesa de jantar, dando ao filho pedacinhos de hambúrguer, apesar de Rocky só ter dois dentes, um em cima e um embaixo, sendo que nenhum dos dois é molar.

Mas parece que não faz a menor diferença para ninguém na minha família o fato de o Rocky ainda não ser capaz de mastigar alimentos sólidos. Ele se recusa a comer comida de bebê — ele só quer comer as coisas que nós ou o Fat Louie comemos —, e por isso come o que a minha mãe e o Sr. G comem no jantar, que geralmente é alguma coisa com carne, e isto provavelmente explica por que o Rocky está no limite de peso das crianças em sua faixa etária. Apesar dos meus apelos, a minha mãe e o Sr. G insistem em dar ao Rocky uma dieta irrestrita de coisas como frango à milanesa bem temperado e lasanha à bolonhesa, simplesmente porque ele GOSTA.

Como se já não bastasse o fato de o Fat Louie só comer ração Fancy Feast de frango ou de atum, o meu irmãozinho também está se transformando em um carnívoro.

E, um dia, ele sem dúvida vai crescer até ficar do tamanho do Shaquille O'Neal por causa de todos os antibióticos nocivos que a indústria da carne injeta nos animais antes de matá-los.

Mas eu também temo que o Rocky vá ter o intelecto do Piu-Piu, porque, apesar de todos os vídeos Baby Einstein que eu coloquei para ele, e das muitas, muitas horas que passei lendo em voz alta para ele clássicos como *As aventuras de Pedro Coelho*, de Beatrix Potter, e *Ovos verdes com presunto*, do dr. Seuss, Rocky não demonstra o menor sinal de interesse em nada além de jogar a chupeta com toda a força na parede, andar batendo os pés de um lado para o outro em casa (com a ajuda de um par de mãos — geralmente meu — para segurá-lo em pé pelas costas do macacãozinho... prática, aliás, que está começando a me dar muita dor nas costas) e gritar "Mião!" e "Ato!" com o tom de voz mais alto possível.

Claro que esses só podem ser considerados sinais de problemas de relacionamento. Ou de síndrome de Asperger.

A minha mãe, no entanto, afirma que Rocky está se desenvolvendo normalmente para uma criança de quase um ano, e que eu devia me acalmar e parar de ser tão babona de bebê (a minha própria mãe adotou o termo que a Lilly inventou para mim).

Apesar dessa traição, no entanto, eu continuo totalmente alerta para detectar sinais de qualquer problema. Cuidado nunca é demais.

"Bom, o que diz aí, Mia?", minha mãe quis saber sobre a minha carta. "Eu fiquei com vontade de abrir e ligar lá para o hotel da sua avó para dar a notícia, mas Frank não deixou. Ele disse que eu preciso respeitar os seus limites pessoais e não abrir a sua correspondência."

Lancei um olhar agradecido para o Sr. G — o que é bem difícil fazer quando se está segurando o choro — e disse:

"Obrigada."

"Ah, faça-me o favor — minha mãe disse. — Fui eu que te dei à luz. Eu amamentei você durante seis meses. Eu devia poder ler a sua correspondência. O que diz?"

Então, com dedos trêmulos, rasguei o envelope, já sabendo o que eu iria encontrar lá dentro.

Não foi surpresa nenhuma. A única folha de papel dizia o seguinte:

Revista *Sixteen*
1.440 Broadway
Nova York, NY 10.018

Cara escritora:
    Agradecemos a sua inscrição no concurso da revista *Sixteen*. Apesar de termos decidido não publicar o seu texto, agradecemos pelo interesse em nossa publicação.

                                      Atenciosamente,
                                      Shonda Yost
                                    Editora de Ficção

Cara escritora! Podiam ter se dado o trabalho de digitar o meu nome! Não tinha nenhuma prova de que alguém tinha LIDO "Chega de milho!", quanto mais que o texto tinha sido avaliado com atenção!

Acho que a minha mãe e o Sr. G perceberam logo que eu não estava gostando nada do que estava lendo, já que o Sr. G disse:

"Caramba, que dureza. Mas você consegue da próxima vez, garota."

"Mião!" foi tudo o que Rocky tinha a dizer sobre o assunto, ao mesmo tempo que jogava um pedaço de hambúrguer na parede.

E a minha mãe falou assim:

"Eu sempre achei que a revista *Sixteen* estava humilhando as meninas, cheia de imagens de modelos impossivelmente magras e bonitas que só podem servir para legitimar as inseguranças das garotas em relação ao próprio corpo. E, além disto, os artigos que publica não são exatamente o que eu chamaria de informativos. Quer dizer, quem se IMPORTA com o tipo de jeans que fica melhor no seu tipo de corpo, cintura baixa ou cintura ultrabaixa? E que tal ensinar coisas úteis às garotas, como mesmo que você transe de pé pode ficar grávida?"

Emocionada pela preocupação dos meus pais — e do meu irmão —, eu disse:

"Tudo bem. Eu posso tentar de novo no ano que vem."

Só que eu duvido que algum dia vá escrever um conto melhor do que "Chega de milho!". Foi tipo, total, uma coisa única, inspirada pela visão comovente do Cara que Detesta Quando Colocam Milho no Chilli sentado na cantina da EAE, tirando grão por grão, com o olhar mais tristonho que eu já vi no rosto de um ser humano. Nunca mais vou presenciar algo tão comovente quanto aquilo. Tirando talvez a cara que Tina Hakim Baba fez quando soube que iam cancelar *Joan of Arcadia*.

Eu não sei quem escreveu sei lá o que que a *Sixteen* considera o texto vencedor, e eu sinceramente não quero me exibir, mas a história dessa pessoa NÃO PODE ser tão interessante nem prender tanto a atenção quanto "Chega de milho!".

E ela NÃO PODE adorar tanto escrever quanto eu.

Ah, sim, talvez ela escreva *melhor*. Mas será que escrever é tão importante quanto RESPIRAR para ela, como é para mim? Eu sinceramente duvido. Ela deve estar em casa agora, e a mãe dela deve estar falando assim: "Ah, Lauren, chegou isto aqui pelo correio hoje para você", e ela abre uma carta PERSONA-LIZADA da revista *Sixteen* e examina o contrato dela, falando assim: "Ah, mas que coisa. Mais um conto meu vai ser publicado. Até parece que faz diferença. Eu só quero *mesmo* ser escolhida para a equipe de líderes de torcida para o Brian me convidar para sair."

Sabe, eu me importo MAIS com os meus textos do que com a equipe de animadoras de torcida. Ou com o Brian.

Bom, tudo bem, não é mais do que eu me importo com o Michael. Ou com o Fat Louie. Mas está perto.

Então, agora a idiota da Lauren que gosta do Brian está por aí toda assim: "La-la-lá, eu acabei de vencer o concurso de ficção da revista *Sixteen*, o que será que está passando na TV hoje à noite?", e nem vai ligar para o fato de que o conto dela está prestes a ser lido por um milhão de pessoas, isto sem falar que ela vai poder passar um dia inteiro acompanhando um editor de verdade para ver como são as coisas no mundo corrido, apressado e atarefado do jornalismo adolescente...

A menos que Lilly tenha vencido.

AI, MEU DEUS. E SE A LILLY VENCEU??????????????????????

Ai, meu Deus do céu. Por favor, permita que Lilly não tenha vencido o concurso de ficção da revista *Sixteen*. Eu sei que é errado rezar por uma coisa dessa, mas estou implorando, Senhor, se o Senhor existir, o que eu não tenho certeza, porque deixou cancelarem *Joan of Arcadia* e deixou enviarem aquela carta de rejeição maldosa para mim, NÃO PERMITA QUE LILLY TENHA VENCIDO O CONCURSO DE FICÇÃO DA REVISTA SIXTEEN!!!!!!!

Ai, meu Deus. A Lilly está on-line. Ela está me mandando mensagem!

WomynRule: Oi, PDG, você recebeu notícias da *Sixteen* hoje?

Ai, meu Deus.

FtLouie: Hmm. Recebi. E você?

WomynRule: Recebi sim. A carta de rejeição mais ridícula do mundo. CIN-CO cartas, para ser exata. Dá para ver que nem LERAM as minhas coisas.

Muito obrigada, Deus. Agora eu acredito em você. Acredito, acredito, acredito. Nunca mais vou dormir no meio da missa na Capela Real de Genovia, juro. Apesar de eu não concordar com você em relação àquela coisa toda de Pecado Original, porque NÃO foi culpa da Eva, aquela cobra falante a enganou e, ah, sim, eu acho que as mulheres deviam poder ser padres, e os padres deviam poder se casar e ter filhos porque, acorda!, eles seriam pais muito melhores do que muita gente, como aquela mulher que deixou o bebê dela na frente da loja de conveniência com o motor ligado enquanto ela jogava videopôquer e alguém roubou o carro e jogou o bebê pela janela (o bebê ficou bem porque estava em uma cadeirinha protetora que não quebrou, e foi por isso que fiz minha mãe e o Sr. G comprarem uma daquela marca para o Rocky, apesar de ele berrar como se a pele dele estivesse pegando fogo quando tentam colocá-lo naquele negócio).

Mesmo assim. Eu acredito. Eu acredito. Eu acredito.

FtLouie: Aqui foi a mesma coisa. Bom, quer dizer, eu recebi só uma carta. Mas a minha também foi de rejeição.

WomynRule: Bom, não leve tão a sério, PDG. Essa é provavelmente a primeira das muitas rejeições que você vai receber ao longo dos anos. Quer dizer, se você quiser mesmo ser escritora. Não se esqueça de que quase todos os Grandes Livros que existem hoje foram rejeitados por algum editor em algum lugar. Tirando, talvez, a Bíblia. Bom, mas eu queria saber quem ganhou.

FtLouie: Deve ter sido alguma menina idiota chamada Lauren que preferiria estar na equipe de animadoras de torcida ou ser convidada para sair por um cara chamado Brian e que não está nem aí para o fato de que em breve terá um texto publicado.

WomynRule: Hmm... certo. Está tudo bem com você, Mia? Você não está levando esse negócio de rejeição a sério demais, está? Quer dizer, é só a revista *Sixteen*, não é a *New Yorker*.

FtLouie: Está tudo bem. Mas eu devo ter razão. Sobre a Lauren. Você não acha?

WomynRule: Hm, é, acho que sim. Mas, olha, essa coisa toda me deu uma ótima ideia, total.

Tudo bem. Quando Lilly diz que tem uma ideia ótima, tipo nunca é. Uma ótima ideia, quer dizer. A última ideia ótima dela foi que eu deveria concorrer ao cargo de presidente do conselho estudantil, e olha só no que deu. E nem vou falar da vez em que a gente estava na primeira série e ela jogou a minha boneca Moranguinho no telhado da casa de campo dos Moscovitz, perto de Albany, para ver se os esquilos seriam atraídos pelo cheirinho dela e se iam comer a cara de plástico dela.

WomynRule: Você ainda está aí?

FtLouie: Estou aqui. Qual é a sua ideia? E não, você não vai jogar o Rocky em cima de telhado nenhum, por mais interessada que esteja em saber o que os esquilos podem fazer com ele.

WomynRule: Do que você está falando? Por que eu ia querer jogar o Rocky em cima de um telhado? A minha ideia é que a gente faça uma revista SÓ NOSSA.

FtLouie: O quê?

WomynRule: É sério. Vamos nós mesmas fazer uma revista. Não uma revista idiota sobre beijo de língua e os músculos do Hayden Christensen, como a *Sixteen*, mas uma revista *literária*, igual à *Saloon.com*. Só que não vai ser on-line. E para adolescentes. Isso vai matar dois coelhos com uma cajadada só. Um, nós duas podemos ter textos publicados. Dois, a gente pode vender os exemplares e conseguir levantar os cinco mil de que precisamos para alugar o salão Alice Tully e impedir que a Amber Cheeseman nos mate.

FtLouie: Mas, Lilly, para fazer uma revista, a gente precisa de dinheiro. Sabe como é. Para pagar a impressão e tal. E não temos dinheiro nenhum. Esse é o problema. Está lembrada?

Caramba. Eu posso até tirar C menos em economia, mas até *eu* sei que para fazer uma revista é preciso ter algum capital. Quer dizer, eu já assisti a *O aprendiz*, pelo amor de Deus.

Além do mais, eu meio que gosto de ver os músculos do Hayden Christensen na *Sixteen* todo mês. Quer dizer, isso faz a minha assinatura valer a pena.

> **WomynRule:** Não se a gente conseguir a Srta. Martinez para ser nossa conselheira e ela deixar a gente usar a fotocopiadora da escola.

A Srta. M! Não acredito que Lilly tem coragem de falar o nome dela na minha frente. A Srta. Martinez, minha professora de inglês, com quem eu NÃO concordo em relação ao que diz respeito à minha carreira de escritora. Quer dizer, ela afrouxou um pouco desde o problema todo no início do ano, quando ela me deu B.

Mas não muito.

Eu sei, por exemplo, que a Srta. M NÃO avaliaria "Chega de milho!" pelo estudo psicológico de caráter envolvente e pelo comentário social comovente que é. Ela provavelmente diria que é uma história melodramática e cheia de clichês.

E é por isso que eu não estava pensando em mostrar para ela antes de a *Sixteen* publicar. Só que, agora, acho que não vai mais acontecer.

> **FtLouie:** Lilly, eu não quero cortar o seu barato, mas duvido muito que a gente consiga arrecadar cinco mil vendendo uma revista literária adolescente. Quer dizer, nossos colegas mal têm tempo de ler as coisas *obrigatórias*, tipo *O Pioneers!*, imagina só uma coleção de contos e poemas escritos por alunos. Acho que precisamos de um método mais realista para gerar dinheiro do que depender das vendas de uma revista que ainda nem escrevemos.

> **WomynRule:** O que você sugere, então? Que a gente vá vender velas?

AAAAAAHHHHHHH! Porque, sabe como é, além da vela em forma de morango, há outras em forma de banana e abacaxi. Há também passarinhos. Os passarinhos de cada ESTADO norte-americano. Tipo, para Indiana, tem uma vela de cardeal, o passarinho que representa aquele estado.

Pior — e eu hesito até em escrever isto —, há uma verdadeira réplica da Arca de Noé, com um casal de cada animal (até mesmo unicórnios). Em forma de VELA.

Nem eu seria capaz de inventar algo tão asqueroso.

    FtLouie: Lógico que não. Só acho que a gente precisa pensar um pouco melhor sobre o assunto antes de...

    SkinnerBx: Ei, Thermopolis. Tudo bem aí?

MICHAEL!!!! MICHAEL está ME mandando mensagem!!!!!!!

    FtLouie: Desculpa, Lilly, preciso ir.

    WomynRule: Por quê? Meu irmão está mandando mensagem para você?

    FtLouie: Está...

    WomynRule: Ah, eu sei o que ELE quer.

    FtLouie: Lilly, eu já DISSE que a gente está ESPERANDO para transar...

    WomynRule: Não é disso que eu estou falando, sua louca. Eu queria dizer... ah, deixa pra lá. Mande um e-mail para mim depois que você terminar de falar com ele. Estou falando sério sobre esse negócio da revista, PDG. É a única maneira que você tem de ver o seu nome impresso — além das páginas de celebridades daqueles jornais ruins.

    FtLouie: Espera aí: você sabe por que o Michael está mandando mensagem para mim? Como é que você sabe? Pode falar, Lilly...

    WomynRule: Log off

    SkinnerBx: Mia? Você está aí?

    FtLouie: Michael! Estou aqui sim. Desculpa. É que o meu dia está péssimo. A minha administração está sem dinheiro e a *Sixteen* rejeitou "Chega de milho!".

> **SkinnerBx:** Espere... Genovia está sem dinheiro? Não vi nada sobre isso na internet. Como foi que ISSO aconteceu?

É por isso que o meu namorado é tão maravilhoso. Mesmo quando não entende absolutamente nada do que está acontecendo na minha vida, ele fica sempre, sabe como é, todo preocupado comigo.

> **FtLouie:** Estou falando do conselho estudantil. A gente está no vermelho em cinco mil. E a *Sixteen* me rejeitou.
>
> **SkinnerBx:** A *Sixteen* rejeitou "Chega de milho!"? Como assim? Aquela história é demais.

Está vendo? Está vendo por que eu amo o Michael?

> **FtLouie:** Obrigada. Mas acho que não foi tão demais para eles publicarem.
>
> **SkinnerBx:** Eles são uns tontos. E que história é essa de estar cinco mil no vermelho?

Expliquei para Michael em resumo o caso dos cestos de lixo que não podem ser devolvidos e o fato de que eu vou ser arrastada e esquartejada pela Amber Cheeseman assim que ela ficar sabendo que o discurso dela vai acontecer no bairro pobre de Hell's Kitchen, e não no Lincoln Center.

> **SkinnerBx:** Fala sério. Não pode ser assim *tão* ruim. Vocês ainda têm muito tempo para conseguir o dinheiro.

Normalmente, o meu namorado é o mais astuto dos homens. É por isso que ele estuda em uma universidade de primeira linha, que tem uma carga horária que representaria um desafio mental até para o Stephen Hawking, aquele gênio de cadeira de rodas que compreendeu os miniburacos negros — e também como fazer a enfermeira se apaixonar por ele —, imagina só para o universitário comum.

Mas às vezes...

Bom, às vezes ele simplesmente não ENTENDE.

FtLouie: Você já *viu* a Amber Cheeseman, Michael? Ela pode ter média 10 em tudo e parecer um esquilo quando fala, mas ela consegue jogar um homem de cem quilos por cima do ombro em uma fração de segundo, e os antebraços dela são do tamanho dos do gorila Koko.

SkinnerBx: Ei, já sei. Vocês podiam tentar vender velas. Em um ano, a gente vendeu o suficiente para levantar dinheiro para o Clube de Informática!

NÃÃÃÃÃÃÃÃÃÃÃÃÃÃÃÃO!!!!!!!!!!! VOCÊ TAMBÉM NÃO, MICHAEL!!!!!!!!!!

SkinnerBx: Eles fazem umas velas em forma de morango. Todo mundo nos grupos de terapia da minha mãe e do meu pai comprou uma. Elas têm cheiro de morango de verdade.

AAAAAAAAAAARRRRRRRRRRGGGGGGGGGGGHHHHHHHHHH!

FtLouie: Maravilha, valeu pela dica!

Mude de assunto. AGORA.

FtLouie: Então, como foi o SEU dia?

SkinnerBx: Nada mau. A gente assistiu a THX *1138* na aula e discutiu sua influência sobre os filmes distópicos posteriores da mesma era, como *Fuga nas estrelas*, em que, como em THX, um jovem tenta fugir do confinamento sufocante do único mundo que conhece. O que me faz lembrar de uma coisa: o que você vai fazer neste fim de semana?

Aaah, beleza! Um encontro! Exatamente o que eu precisava para me animar.

FtLouie: Vou sair com você.

SkinnerBx: Era isso mesmo que eu queria que você dissesse. Só que o que você acha de ficar em casa, em vez de sair? A minha mãe e o meu pai vão viajar para uma conferência, e a Maya precisa cuidar dos pés, então pediram para eu ir para casa no fim de semana e ficar com a Lilly — sabe como é, por causa do que aconteceu da última vez que ela ficou sozinha, lembra?

E como lembro. Porque da última vez que os Drs. Moscovitz deixaram Lilly solta, quando foram para a casa de campo deles em Albany para passar o fim de semana e a deixaram ficar sozinha no apartamento porque ela tinha que escrever um trabalho sobre o Alexander Hamilton e precisava de acesso à internet, coisa que não tem na casa de campo deles, e o Michael tinha prova, e a empregada dos Moscovitz, a Maya, teve que voltar para a República Dominicana para tirar o sobrinho da cadeia de novo. Então não tinha ninguém para ficar com ela, Lilly convidou o cara que a persegue, que tem fetiche pelos pés dela, o Norman, para ir até lá para ela o entrevistar para um bloco do *Lilly manda a real*, chamado "Por que só os esquisitos gostam de mim?".

Bom, Norman ficou ofendido de ter sido chamado de esquisito, apesar de ele ser mesmo. Ele afirmou que a apreciação saudável por pés é algo absolutamente normal. Daí, quando Lilly estava ocupada pegando umas Cocas na cozinha, ele entrou no quarto da mãe dela e roubou o par de sapatos Manolo Blahnik preferido dela!

Mas Lilly viu o salto agulha saindo do bolso do anoraque do Norman e fez com que ele devolvesse. Norman ficou tão bravo com a coisa toda que fez um site próprio, euodeiolillymoscovitz.com, que tem quadros de mensagens e outras coisas que todas as pessoas que odeiam Lilly e o programa dela podem acessar para escrever (e acontece que existe um número surpreendente de pessoas que odeiam Lilly e o programa de TV dela. Além do mais, tem um monte de gente que nem sabe quem é a Lilly, mas que fica mandando mensagens só porque odeia tudo).

Preciso dizer, no final das contas, que estou bem surpresa que os Drs. Moscovitz tenham coragem de deixá-la sozinha sem supervisão de um adulto, mesmo que Michael esteja lá.

FtLouie: Divertido! Vou lá sim, com certeza! O que a gente vai fazer? Assistir a uma maratona de filmes?

Só, por favor, que não seja um daqueles filmes pavorosos que ele tem que assistir para o curso de ficção científica que está fazendo. Ele já me obrigou a ver *Brazil — O filme*, um dos mais deprimentes de todos os tempos. Será que *Blade Runner — O caçador de androides*, outro filme chato de matar, fica muito atrás?

FtLouie: Aaah, que tal a gente assistir às temporadas de ensino médio de *Buffy — A caça-vampiros* no DVD? Eu simplesmente amo o episódio da formatura, quando ela pega aquela sombrinha brilhante...

SkinnerBx: Na verdade, eu estava meio que pensando em dar uma festa.

Espera. O quê? Ele disse... FESTA?

FtLouie: Uma festa?

SkinnerBx: É. Sabe como é. Uma festa. Uma oportunidade para as pessoas se reunirem para interação social e divertimento? A gente não pode exatamente dar festas aqui no alojamento, porque não cabe mais do que, digamos, umas oito pessoas em cada quarto. Mas cabe no apartamento dos meus pais três vezes isso. Então pensei: por que não?

Por que não? POR QUE NÃO? Porque nós não somos o tipo de gente que dá festa, Michael. A gente é do tipo que fica-em-casa-assistindo-a-vídeos. Ele não se lembra do que aconteceu na última vez que demos uma festa? Ou, mais precisamente, na última vez que *eu* dei uma festa?

E dava para ver que ele também não estava falando de Cheetos e Sete Minutos no Paraíso. Ele estava falando de uma festa de FACULDADE. Todo mundo sabe o que acontece em festas de FACULDADE. Quer dizer, eu assisti a *Clube dos cafajestes* (porque este, junto com *Clube dos pilantras*, é um dos filmes preferidos do Sr. G de todos os tempos, e toda vez que passa na TV ele *precisa* assistir, mesmo que seja em um daqueles canais em que cortam todas as cenas de sacanagem, e daí o filme fica praticamente sem enredo).

FtLouie: Eu não vou usar toga sob circunstância nenhuma.

SkinnerBx: Não é esse tipo de festa. É só uma festa normal, sabe como é, com música e comida. Na semana que vem vão ser as provas bimestrais, e todo mundo vai precisar relaxar um pouco antes disso. E o Doo Pak nunca foi convidado para uma festa americana de verdade, sabe.

Quando ouvi essa verdade tão dura a respeito do colega de quarto do Michael, até que o meu coraçãozinho duro que odeia festas derreteu um pouco. Nunca ter sido convidado para uma festa americana de verdade! Que coisa chocante! ÓBVIO que a gente tinha que dar uma festa, nem que fosse só para mostrar ao Doo Pak o que é a verdadeira hospitalidade americana. Talvez eu pudesse fazer um patê vegetariano para comer com salgadinho.

SkinnerBx: E lembra do Paul? Bom, ele está na cidade, e também o Felix e o Trevor, então eles também vão.

Meu coração parou de derreter. Não é que eu não goste do Paul, do Felix e do Trevor, todos integrantes da agora defunta banda do Michael, a Skinner Box. É que, por acaso, eu sei que o Paul, o tecladista, veio de Bennington, onde ele estuda, por causa do intervalo de primavera, mas o Felix, o baterista, acabou de voltar da desintoxicação (não que tenha algo de errado com isto, mesmo, fico feliz de ele ter conseguido ajuda, mas, hm, acorda, desintoxicação aos 18 anos? Assustador). E o Trevor, o guitarrista, voltou porque foi expulso da UCLA, em Los Angeles, por causa de alguma coisa tão escandalosa que ele nem conta o que foi.

Esses não são os tipos de amigos que, na minha opinião, a gente quer ter em casa quando os pais não estão. Porque eles podem botar fogo no lugar "por acidente". Só estou dizendo isso.

SkinnerBx: E eu achei que também podia convidar mais um monte de gente do alojamento.

Um monte de gente do alojamento?

O meu coração parou de derreter ainda mais. Porque eu sei o que isto significa: garotas.

Porque tem garotas no alojamento do Michael. Eu já vi montes delas pelos corredores quando fui lá para fazer visitas. Elas usam muita roupa preta, incluindo boinas — BOINAS! —, e citam frases de *Os monólogos da vagina* e nunca leem revistas de fofoca, como a US *Weekly*, nem quando estão no consultório médico. Eu sei porque uma vez mencionei que tinha visto a Jessica Simpson sem maquiagem em uma edição e elas só ficaram olhando para mim com cara de paisagem. Elas são iguaizinhas àquelas meninas de *Legalmente loira* que foram bem maldosas com a Elle quando ela chegou à faculdade de direito porque achavam que só por ser loira e gostar de roupa devia ser idiota.

Eu pessoalmente já me deparei com esse tipo de preconceito da parte dessas garotas porque, como sou loira e princesa, elas automaticamente concluem que sou idiota. Eu sei total o que a coitada da princesa Diana passava todos os dias.

Acho que eu não ia aguentar estar em uma festa com essas garotas. Porque essas garotas sabem se comportar em festas. Elas sabem fumar e beber cerveja.

Eu detesto fumar. E cerveja tem o mesmo cheiro do gambá em que o vovô bateu com a perua aquela vez que estávamos voltando da feira estadual de Indiana.

O que Michael está *pensando*? Quer dizer, uma *festa*. Isso não tem nada a ver com ele.

Mas, bom, a faculdade é um período de autoinvestigação e descoberta para ver quem você é de verdade e o que quer fazer com a sua vida.

Ai, meu Deus! E se ele virou um festeiro agora???? Fazer festa é uma grande parte da experiência da faculdade. Pelo menos de acordo com todos aqueles filmes no canal feminino Lifetime Channel, em que a Kellie Martin ou a Tiffany-Amber Thiessen fazem o papel de alunas que criam campanha para fechar a casa da fraternidade em que a amiga delas foi estuprada depois de sair com um cara e/ou morreu afogada no próprio vômito.

Mas esse não é o tipo de festa de que o Michael está falando. Certo?

Espere. Os pais do Michael não DEIXARIAM que ele desse uma festa assim. Mesmo que ele quisesse. E eu tenho certeza de que ele não quer. Porque o Michael não suporta fraternidades, já que diz que não consegue parar de desconfiar de qualquer homem heterossexual que pagaria para fazer parte de um clube a que mulheres não podem pertencer.

Falando dos Drs. Moscovitz:

FtLouie: Michael, os seus pais estão sabendo disso? Dessa festa, quer dizer.

SkinnerBx: Lógico que sim. Você acha que eu ia fazer isso sem pedir para eles? Os porteiros iam me dedurar total, sabe como é.

Ah, certo. Os porteiros. Os porteiros do prédio dos Moscovitz sabem tudo e veem tudo. Tipo o Yoda.

E eles não fecham a matraca, igual ao C3PO.

Mesmo assim. Os Drs. Moscovitz disseram que tudo bem? O Michael vai dar uma festa de faculdade no apartamento deles quando eles não estiverem em casa... com a *Lilly* lá?

Não é a cara deles.

Uau. Eu não consigo acreditar mesmo. Dar uma festa sem nenhum pai por perto... esse é um passo mesmo muito grande. É tipo... algo adulto.

SkinnerBx: Então você vai, certo? Os caras ficaram falando para mim que você não ia querer de jeito nenhum. Por causa de toda a coisa de princesa.

!

FtLouie: A coisa de princesa? Como assim?

SkinnerBx: Bom, sabe como é. Quer dizer, você não é exatamente do tipo que curte uma festa.

Não sou exatamente do tipo que curte uma festa? O que isso quer dizer? É óbvio que eu não sou do tipo que curte uma festa. Quer dizer, Michael não é exatamente o tipo de cara que curte uma festa...

Pelo menos não costumava ser. Antes de ir para a faculdade.

Ai, meu Deus. Talvez fosse bom eu demonstrar que não sou uma pessoa avessa a festas. Só sou contra a parte dos estupros e do vômito.

FtLouie: Sou SIM do tipo que curte uma festa. Quer dizer, sob as circunstâncias adequadas. Quer dizer, gosto de festa tanto quanto qualquer outra pessoa.

E gosto mesmo. Isso nem é mentira. Já até dei festas. Talvez não na memória recente. Mas tenho certeza de que já dei alguma festa. Tipo na minha festa de aniversário, no ano passado mesmo.

E, certo, a coisa acabou em desastre quando a minha melhor amiga foi pega agarrando um ajudante de garçom no armário.

Mas, tecnicamente, foi uma festa, mesmo assim. O que faz de mim uma menina festeira.

E, tudo bem, talvez eu não seja uma Paris Hilton no quesito festas. Quer dizer, eu gosto de Red Bull e tal. Bom, não exatamente, já que eu tomei um do minibar da suíte do meu pai no Plaza e por causa disso fiquei acordada até as quatro da manhã dançando as músicas do canal disco na TV a cabo digital.

Mas sabe como é. Quem é que quer ser igual a Paris? Ela nem consegue saber onde o cachorro dela está na metade do tempo. Quer dizer, é preciso encontrar EQUILÍBRIO nesse negócio de festa. Ou a gente pode se esquecer de onde deixou o chihuahua. Ou alguém pode divulgar um vídeo vergonhoso seu, hmm, dando uma festa.

Limite a quantidade de festas — e de Red Bull — e assim você limita a quantidade de vídeos vergonhosos.

É só isso que eu estou dizendo.

> **SkinnerBx:** Foi exatamente o que eu disse. Maravilha! Então a gente se fala mais tarde. Te amo. Boa-noite.
>
> **SkinnerBx:** Log off.

Ai, meu Deus. No que foi que eu me meti?

Do Gabinete de
Vossa Majestade Real

Princesa Amelia Mignonette
Grimaldi Thermopolis Renaldo

Caro Dr. Carl Jung,

Estou ciente de que o senhor continua morto. No entanto, as coisas de repente pioraram muito e agora tenho certeza de que NUNCA vou transcender o meu ego e alcançar a autorrealização.

Primeiro, descobri que eu levei à falência o conselho estudantil e em breve serei assassinada pela oradora do último ano, que é pequena, mas extremamente forte.

Daí, o meu conto foi rejeitado pela revista *Sixteen*.

E agora o meu namorado acha que eu vou a uma festa que ele vai dar no apartamento dos pais enquanto eles estão viajando.

Na verdade, não posso culpá-lo por pensar isso, porque eu meio que disse que ia.

Mas eu disse que ia porque, se eu dissesse que não ia, ia parecer que eu era a maior estraga-prazer e uma princesa que não é festeira.

Eu obviamente nem pensaria em ir se por acaso não tivesse me lembrado de que março é um mês em que Michael não tem direito de falar sobre o assunto S-E-X-O comigo, já que no mês passado ele acabou com todo o tempo que tinha para esse assunto porque falou demais nele. Então é óbvio que ele não vai ficar pensando NISSO. Sabe como é, tipo durante a festa.

Mesmo assim. Eu vou ter que socializar com gente que não conheço. O que, percebi, já faço o tempo todo em minha condição de princesa de Genovia.

Mas socializar com universitários é bem diferente de socializar com outros integrantes da realeza e dignitários. Quer dizer, outros membros da realeza e dignitários não ficam falando para você em um tom cheio de acusação que a sua limusine representa uma contribuição importante para a destruição da camada de ozônio, como os SUVs e, sim, as limusines reais causam 43% mais poluição que contribui para o aquecimento global e 47% mais poluição do ar do que um carro médio, como uma garota na frente do alojamento do Michael observou na semana passada quando estacionei para visitá-lo.

Será que tem como as coisas FICAREM piores?

Eu REALMENTE preciso me autorrealizar. Tipo AGORA mesmo. POR FAVOR, ENVIE AJUDA.

Sua amiga,
Mia Thermopolis

Quarta, 3 de março, Sala de Estudos

Na limusine, a caminho da escola, hoje de manhã, perguntei à Lilly onde os pais dela estavam com a cabeça para deixar o Michael dar uma festona no apartamento deles enquanto estão viajando. Ela ficou tipo "Sei lá. Por acaso eu tenho cara de guardiã da Ruth e do Morty?".

Ruth e Morty são os nomes dos pais da Lilly. Acho que é muito desrespeitoso da parte dela chamar os pais pelo primeiro nome. Nem *eu* chamo os dois pelo primeiro nome, e eles já me pediram para fazer isto um milhão de vezes.

Mesmo assim, apesar de eu os conhecer há um tempão — quase o mesmo tempo que a Lilly conhece —, eu só consigo chamá-los de Sr. Moscovitz e de Sra. Dra. Moscovitz (mas só pelas costas) quando preciso especificar de qual dos dois estou falando.

Mas nunca vou chamá-los de Ruth e Morty. Nem depois que eu e o Michael nos casarmos e eles forem os meus sogros. Eles *sempre* vão ser os Drs. Moscovitz para mim.

"Eles estão sabendo que VOCÊ vai estar lá, não estão?" — perguntei a Lilly. "Quer dizer, na festa?"

"Dãã", a Lilly respondeu. "Lógico que sabem. Qual é o seu problema?"

"Nada. É só que... eu estou meio surpresa de os seus pais deixarem Michael dar uma festa sem eles estarem em casa. Não é a cara deles. Só isso."

"É, bom", a Lilly respondeu. "Acho que a Ruth e o Morty têm mais coisas com que se preocupar."

"Tipo o quê?"

Só que eu nunca descobri. Porque bem naquele instante a limusine passou por um daqueles buracos enormes na frente da entrada da Avenida FDR, e Lilly e eu saímos voando pelos ares e batemos a cabeça no teto solar.

Então daí Lilly me fez ir até a enfermaria com ela quando chegamos à escola, para ver se a gente conseguia bilhetes para escapar da educação física, por estarmos com possíveis concussões.

Mas a enfermeira só riu da nossa cara.

Aposto que ela nos daria bilhetes se soubesse que iam nos obrigar a jogar vôlei. DE NOVO. Por que a gente não pode fazer esportes bacanas, como pilates ou ioga, igual fazem nas escolas de ensino médio do subúrbio?

Não é nem um pouco justo.

Quarta, 3 de março, Economia dos Estados Unidos

Certo, então depois do que aconteceu ontem com o dinheiro da administração, vou começar a prestar atenção total a esta aula agora:

Escassez — refere-se à tensão entre nossos recursos limitados e nossos desejos e necessidades ilimitados.

Alguns exemplos de recursos que desejamos e de que precisamos, mas que são limitados (escassos):
Bens
Serviços
Recursos naturais

Fundos para o aluguel de salões nos quais conduzir a formatura do último ano

Como todos os recursos são limitados em comparação com os nossos desejos e necessidades, tanto os indivíduos quanto o governo precisam tomar decisões relativas aos bens e serviços que podem comprar e aqueles de que podem abrir mão.

(Por exemplo, um governo pode decidir que a população realmente necessita de cestos de lixo reciclável com esmagadores de latas embutidos e as palavras "Papel, Vidro e Bala" impressas por cima das tampas.)

Todos os indivíduos e governos, cada um com níveis diferentes de recursos (escassos), formam alguns de seus valores apenas porque precisam lidar com o problema da escassez de recursos.

(Ah, se pelo menos a Amber Cheeseman pudesse aprender a valorizar a reciclagem mais do que seu discurso de formatura no salão Alice Tully...)

Então, devido à escassez, as pessoas e os governos precisam tomar decisões relativas à alocação de seus recursos.

(Mas foi o que eu FIZ!!! Eu tomei uma decisão a respeito de como alocar os recursos da EAE — na forma da compra de cestos de lixo reciclável —, mas a decisão se voltou contra mim e me pegou desprevenida!!!! Porque eu aloquei de maneira incorreta!!! CADÊ A PARTE QUE FALA SOBRE ISTO NESTE LIVRO DIDÁTICO????)

Quarta, 3 de março, Inglês

> Ai, meu Deus, Mia, eu soube o que aconteceu na reunião ontem! Aquela coisa toda de estar sem dinheiro! Não dá para acreditar que aqueles cestos de lixo custaram assim tão caro! E aqueles adesivos de "Vidro e Bala"! Não sei como isso aconteceu! Sinto muito! — Tina

Tudo bem. Vão substituir o negócio de "Vidro e Bala". E a gente vai arrumar um jeito de conseguir. Dinheiro, quer dizer. Só não conte para ninguém, certo? A gente está tentando manter tudo em segredo até descobrir o que fazer.

> Total! Eu não vou contar para ninguém! Mas eu tive uma ideia. Sobre como levantar dinheiro. Você viu aquelas velas perfumadas que a banda estava vendendo para levantar dinheiro para a viagem a Nashville?

NÓS NÃO VAMOS VENDER VELAS PERFUMADAS.

> Foi só uma sugestão. Achei as velas meio legais. Tem umas bem fofinhas em formato de morango.

NADA DE VELAS.

> Certo. Mas eu sei que poderia vender uma tonelada delas para as minhas tias e os meus tios na Arábia Saudita.

NADA DE VELAS.

> Certo! Já entendi. Nada de velas. Tem alguma coisa errada? Quer dizer, além da coisa do dinheiro? Porque, não quero ofender, mas você parece... meio aborrecida. Quer dizer, a respeito das velas.

Não tem nada a ver com as velas.

   O que é então?

Nada. Os pais do Michael vão viajar neste fim de semana, e ele vai dar uma festa no apartamento deles enquanto eles estão fora, e ele quer que eu vá.

   Mas isso parece divertido!

DIVERTIDO???? Você está louca??? Vai ter GAROTAS UNIVERSITÁ-RIAS lá.

   E daí?

E daí??? Como assim *e daí???* Você não percebe, Tina? Se o Michael me vir no meio de um monte de garotas universitárias em uma festa, ele vai perceber que eu não sou festeira.

   Mas, Mia. Você NÃO É festeira.

Eu sei disso! Mas eu não quero que o MICHAEL saiba!

   Mas o Michael sabe que festa não é muito a sua. Ele já sabia que você não era uma menina festeira quando conheceu você. Quer dizer, você NUNCA teve muita disposição para festas. Você nunca nem VAI a festa nenhuma. Quer dizer, meninas como a Lana Weinberger, ELAS vão a festas, mas não meninas como nós. A gente fica em casa no sábado à noite e assiste a qualquer coisa que esteja passando na HBO, ou talvez saímos com o namorado, ou vamos dormir na casa de alguma amiga. Mas a gente não vai a FESTAS. Até parece que a gente é POPULAR.

Valeu, Tina.

> Bom, você sabe do que eu estou falando. O que tem de errado em não ser uma menina sempre pronta para festas? Por que você não pode simplesmente ir à festa e se divertir e relaxar e conhecer algumas pessoas novas?

Porque a ideia toda de ficar com um monte de garotas universitárias bacanas que vão pensar que eu sou uma princesa nerd me faz suar frio.

> Eca! Mas elas não vão pensar que você é uma princesa nerd, Mia, quando conhecerem você. Porque você NÃO É uma princesa nerd.

Acorda, você me CONHECE mesmo?

> Bom, tudo bem, você é princesa. Mas não é nerd. Quer dizer, você está praticamente sendo reprovada em geometria. Que tipo de nerdice é essa?

Mas é exatamente disso que eu estou falando! Essas garotas são INTELIGENTES, elas entraram em uma universidade de primeira linha, e eu... estou praticamente sendo reprovada em geometria.

> Se você não quer mesmo ir, por que você não diz para o Michael que tem que fazer alguma coisa com a sua avó naquela noite?

Não posso! O Michael ficou superanimado quando eu disse que sim!!!! Não quero deixá-lo de coração partido DE NOVO. Quer dizer, já é bem ruim eu ter que fazer isso a cada três meses, quando ele me pergunta se eu mudei de ideia a respeito da coisa toda do sexo (e até parece que tem alguma chance de eu mudar. E tudo bem, ele é um cara, então ele nunca viu a atuação de partir o coração que a Kirsten Dunst fez de uma mãe solteira adolescente em *O preço de uma escolha*, no canal Lifetime). Mas mesmo assim. Eu SÓ TENHO 15 ANOS. Não estou pronta para abrir mão do galho dourado da minha virgindade!

> Não antes da sua formatura do último ano, pelo menos! Em uma cama de penas king size no hotel Four Seasons!

Totalmente. E ao mesmo tempo que eu sei que Michael é o namorado mais fiel e confiável do mundo, se eu não for à festa, uma universitária gostosa dançando sugestivamente em cima da mesinha de centro dos pais dele pode ser demais até para ELE resistir! Está vendo o meu dilema?

> *Ei, garotas. Adivinhem só?*

> **Ah! Oi, Lilly!**

Hm. Oi, Lilly.

> *Do que vocês estavam falando mesmo?*

> **Nada.**

Nada.

> *Sei. Então é óbvio que vocês NÃO estavam falando sobre nada. Mas tanto faz. Acho que pode ser que eu tenha a solução para os nossos problemas financeiros, aliás. Adivinhem quem disse que vai ser o conselheiro da nossa nova revista literária?*

Lilly, eu fico superfeliz de verdade com o seu entusiasmo a respeito disso e tal, mas uma revista literária não vai gerar lucro suficiente para compensar o que a gente já perdeu. Na verdade, com os custos de impressão e tudo o mais, só vai fazer a gente gastar MAIS dinheiro que não tem.

> **Uma revista literária? Parece superdivertido! E daí você vai ter onde publicar "Chega de milho!", Mia!**

Não posso permitir que "Chega de milho!" seja publicado em uma revista literária escolar.

> *Ah, suponho que a sua história seja boa demais para um mero periódico editado por estudantes.*

Não é nada disso. É que eu não quero que o Cara que Detesta Quando Colocam Milho no Chili leia. Quer dizer, fala sério. Ele se MATA no final.

> **Ah, isso SERIA mesmo esquisito! Quer dizer, se ele percebesse que a história era sobre ele. Ele poderia ficar ofendido.**

Exatamente.

> *Engraçado como isso não preocupou você quando estava tentando fazer a sua história ser publicada na* Sixteen, *uma revista de circulação nacional com um milhão de leitores.*

Nenhum cara leria a revista *Sixteen*, nem morto, e você sabe muito bem disso, Lilly. Mas é totalmente possível que ele vá ler uma revista literária feita na escola!

> *Tanto faz. Olha, a Srta. Martinez amou a ideia de uma revista literária na escola. Eu perguntei para ela logo antes da aula, e ela disse que achava ótimo, já que a Escola Albert Einstein tem um jornal, mas não uma revista literária, e vai ser uma ótima oportunidade para os diversos artistas, poetas e contistas entre a população estudantil ver suas obras impressas.*

Hm, certo, mas a menos que a gente vá COBRAR para publicar as coisas, não sei como isto vai NOS render algum dinheiro.

> **Você não percebe, Mia? A gente pode cobrar pelos exemplares da revista depois que estiver impressa. Aposto que a gente vai vender MONTES de cópias!**

> *Muito obrigada, Tina. A ausência de rodeios na sua resposta é um alívio, comparando com as atitudes negativas de ALGUMAS pessoas.*

Sinto muito. Não estou tentando ser negativa, de verdade. Só estou tentando ser prática. Acho que é melhor a gente vender velas.

Aaaaah, você tinha que ver as velas fofas da Arca de Noé que eles têm! Vem com todos os animais, de dois em dois... até mesmo unicorniozinhos minúsculos! Você tem CERTEZA de que não quer considerar a ideia de vender velas, Mia?

AAAAAAAAAAAAGGGGGGGGGGHHHHHH!!!!

Ah, desculpe. Parece que não.

Quarta, 3 de março, Francês

Ouvi falar sobre o que está acontecendo. — Shameeka

QUEM CONTOU PRA VOCÊ????

A Ling Su. Ela está se sentindo péssima. Ela não sabe como conseguiu estragar tudo assim.

Ah, o negócio do dinheiro. Bom, a culpa não é bem dela. E, olhe, a gente meio que está tentando manter tudo em segredo. Então, será que você pode, por favor, não dizer para ninguém?

Eu entendo total. Quer dizer, quando os alunos do último ano descobrirem, NÃO vão ficar nada felizes. Principalmente a Amber Cheeseman. Ela pode parecer pequena, mas ouvi dizer que ela é forte igual a um macaco.

É, é disso que eu estou falando. É por isso que a gente está tentando manter a discrição.

Entendi. Eu sou um túmulo.

Obrigada, Shameeka.

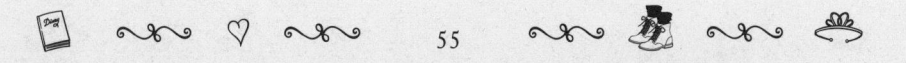

> *Ei, pessoal, é verdade? — Perin*

O QUE é verdade?

> *Aquele negócio do conselho estudantil estar falido.*

QUEM DISSE PRA VOCÊ?

> *Hm, eu ouvi a recepcionista falando hoje de manhã no balcão da secretaria quando fui entregar meu passe por ter chegado atrasada. Mas não se preocupe, eu não vou contar. Ela disse que não era para contar.*

Ah. Bom. É. É verdade.

> *E vocês vão fazer uma revista literária para recuperar a receita perdida?*

Quem foi que disse isso pra você?

> *Lilly. Mas posso dizer uma coisa? Apesar de eu achar que fazer uma revista literária é uma ótima ideia e tal, quando a gente precisou levantar dinheiro na minha ex-escola a gente vendeu umas velas perfumadas lindas no formato de frutas de verdade e ganhamos bastante dinheiro.*

Que ideia ótima! Você não acha, Mia?

NÃO!

Quarta, 3 de março, S & T

Então, no almoço hoje, o Boris Pelkowski colocou a bandeja dele do lado da minha e disse:
"Então, ouvi dizer que a gente está falido."

E eu perdi a compostura, de verdade.

"EI, TODO MUNDO!", eu berrei para a mesa de almoço inteira. "VOCÊS PRECISAM PARAR DE FALAR DISSO. A GENTE ESTÁ TENTANDO MANTER SEGREDO."

Daí eu expliquei como dou valor à minha vida, e como eu não gostaria que ela fosse abreviada por uma oradora faixa-marrom de *hapkido* com força de macaco na parte superior do torso (mesmo que, se ela me matasse e/ou me aleijasse, na verdade estaria me fazendo um favor, já que daí eu não ia ter que viver com a humilhação de ver o meu namorado me dar o fora porque eu não sou uma menina festeira).

"Ela nunca mataria você, Mia", Boris observou, tentando ajudar. "Lars atiraria nela primeiro."

O Lars, que estava mostrando para o guarda-costas da Tina, o Wahim, todos os jogos do celular novo dele, ergueu os olhos ao ouvir seu nome.

"Quem está planejando matar a princesa?", Lars perguntou, todo atento.

"Ninguém", eu disse por entre os dentes cerrados. "Porque nós vamos conseguir o dinheiro antes de ela descobrir. CERTO????"

Acho que eu devo mesmo ter impressionado todos eles com a minha seriedade, porque todos falaram assim:

"Tudo bem."

Então, ainda bem, a Perin mudou de assunto:

"Oh-oh, parece que fizeram de novo", ela disse, apontando para o Cara que Detesta Quando Colocam Milho no Chili, porque ele estava sentado no lugar de sempre, sozinho, tirando aqueles pedacinhos de milho com cara de nojo do chili, e colocando na bandeja de almoço.

"Coitado dele", Perin disse, com um suspiro. "Eu sempre fico mal quando o vejo sentado ali sozinho desse jeito. Eu sei como é."

Fez-se um silêncio pesaroso quando todos nós nos lembramos de como a Perin ficava sentada sozinha no começo do ano letivo porque era nova. Até a gente adotá-la, quer dizer.

"Achei que ele tinha namorada", Tina disse. "Você não falou que tinha visto quando ele comprou ingressos para o baile de formatura no ano passado, Mia?"

"É", respondi, com um suspiro. "Mas eu estava errada." Acontece que ele só estava perguntando às pessoas que estavam vendendo as entradas da formatura onde ficava a estação mais próxima do metrô F.

O que, aliás, foi o que inspirou o meu conto a respeito dele.

"É muito triste", Tina disse, voltando os olhos para a direção do Cara que Detesta Quando Colocam Milho no Chili. "Eu fico aqui pensando que o que acontece no conto da Mia sobre ele poderia acontecer na vida real."

!!!!!

"Talvez a gente devesse convidá-lo para sentar com a gente", falei. Porque a última coisa de que eu preciso, além de tudo o mais, é a culpa por ter feito com que um cara cometesse suicídio por não ter sido mais legal com ele.

"Não, obrigado", Boris disse. "Eu já tenho problemas suficientes para digerir esta comida nojenta sem ter que almoçar na companhia de um esquisito de carteirinha."

"Acorda", Lilly disse bem baixinho. "É o sujo falando do mal lavado."

"Eu ouvi isso aí", Boris disse, com cara de magoado.

"Era mesmo para ouvir", Lilly cantarolou.

Então Lilly pegou um monte de folhas que estavam presas na prancheta de Hello Kitty dela. Obviamente tinha estado na secretaria, fazendo fotocópias de alguma coisa. Começou a distribuí-las.

"Pessoal, distribuam isso nas aulas da tarde", ela disse. "Espero que até amanhã já tenhamos inscrições o bastante para fazer o primeiro exemplar até o fim da semana."

Olhei para o enorme folheto cor-de-rosa. Ele dizia:

EI, VOCÊ AÍ!

Está cansado de ouvir o que é bom e o que não é pela chamada "imprensa"?

Você quer ler histórias escritas pelos seus colegas, a respeito de coisas que realmente importam para você, em vez da bobajada que as revistas para adolescentes e os jornais dos seus pais jogam em cima da gente?

Então envie seus artigos, poemas, contos, ilustrações, mangás, novelas e fotos originais para a primeira revista literária na história da Escola Albert Einstein

A BUNDINHA ROSA DO FAT LOUIE!!!!

A bundinha rosa do Fat Louie *já está aceitando inscrições para a primeira edição do Volume I*

Ai, meu Deus.

AI, MEU DEUS.

"Antes de você começar a dar uma de reacionária em relação ao nome da nossa revista literária, Mia", Lilly começou, acho que porque deve ter reparado os meus lábios ficando brancos, "preciso observar que é uma escolha extremamente criativa e que, se nós a mantivermos, nunca vamos ter que nos preocupar a respeito de qualquer outra revista literária no mundo escolher o mesmo nome."

"Porque o nome é uma homenagem ao traseiro do meu gato!"

"É", Lilly respondeu. "É sim. Graças aos filmes baseados na sua vida, o seu gato é famoso, Mia. Todo mundo sabe quem é o Fat Louie. É por isso que a nossa revista vai vender. Porque quando as pessoas perceberem que tem alguma coisa a ver com a princesa de Genovia, vão querer na mesma hora. Porque, por motivos que ultrapassam a minha compreensão, as pessoas de fato se interessam por você."

"Mas o título não tem a ver COMIGO!", choraminguei. "É sobre o meu gato! A bundinha do meu gato, para ser mais exata!"

"É", Lilly disse. "Reconheço que tem um teor um tanto juvenil. Mas é por isso que vai chamar a atenção das pessoas. Elas não vão conseguir tirar os olhos disso. Pensei que, para a primeira capa, eu posso tirar uma foto do traseiro do Fat Louie, e daí..."

Ela continuou falando, mas eu não estava ouvindo. NÃO DAVA para ouvir. Por que é que estou sempre rodeada de tantos lunáticos?

Quarta, 3 de março, Ciências da Terra

O Kenny acabou de pedir para eu reescrever o nosso trabalho a respeito de zonas de subducção. Não para REFAZER de verdade todo o trabalho (apesar de que não seria refazer, porque, para começar, não fui eu quem fez — foi ele), mas para passar a limpo em uma folha nova que não esteja coberta de manchas de pizza como a que a gente entregaria se não fosse passado a limpo, porque Kenny fez ontem à noite, enquanto jantava.

Eu gostaria que Kenny fosse mais cuidadoso com o nosso dever de casa. Dá muito trabalho ter que copiar tudo de novo. Lilly não é a única que tem problema no túnel do carpo, sabia? Quer dizer, ELA não tem que dar um zilhão de autógrafos para as pessoas toda vez que desce da limusine na frente do Plaza. As pessoas começaram a FAZER FILA lá todos os dias depois da escola porque sabem que eu vou lá para a minha aula de princesa com Grandmère. Eu preciso ter sempre uma caneta à mão por essa razão.

Escrever *Princesa Mia Thermopolis* uma vez atrás da outra não é brincadeira. Eu queria que o meu nome fosse mais curto.

Talvez eu devesse mudar para VAR *Mia*. Mas será que eu ia parecer convencida demais?

O Kenny acabou de me mostrar o folheto de *A Bundinha Rosa do Fat Louie* e perguntou se a tese dele a respeito de estrelas anãs marrons seria adequada para publicação.

"Não sei", eu disse a ele. "Não tenho nada a ver com isso."

"Mas o nome é em homenagem ao seu gato", ele disse, parecendo pasmado.

"É", respondi. "Mas mesmo assim eu não tenho nada a ver com isso."

Parece que ele não acredita em mim.

Não posso dizer que ele tem culpa.

* DEVER DE CASA

<u>Educação Física</u>: LAVAR O SHORT DE GINÁSTICA!!!

<u>Economia dos Estados Unidos</u>: Capítulo 8

<u>Inglês</u>: Páginas 116-132, *O Pioneers!*

<u>Francês</u>: *Écrivez une histoire comique pour vendredi*

<u>Superdotados & Talentosos</u>: Pensar no que eu vou vestir na festa

<u>Geometria</u>: Ficha

<u>Ciências da Terra</u>: Perguntar para o Kenny

Não esquecer:

Amanhã é aniversário da Grandmère! Trazer o presente para a escola para eu dar para ela na aula de princesa!!!!!!!!

Quarta, 3 de março, no Plaza

Grandmère com toda certeza está aprontando alguma. Eu percebi no minuto em que entrei na suíte dela, porque ela estava sendo legal DE-MAIS comigo. Ela ficou tipo "Amelia! Como é adorável vê-la! Sente-se! Coma um bombom!", e enfiou um monte de trufas da La Maison du Chocolat na minha cara.

Ah, sim, ela está aprontando alguma.

Ou isso ou ela está bêbada. De novo.

A EAE devia mesmo fazer uma reunião sobre como lidar com avós bêbados. Porque eu bem que podia aproveitar algumas dicas.

"Tenho boas notícias", ela anunciou. "Acho que eu vou poder ajudá-la com o seu pequeno contratempo financeiro."

UAU. UAU!!!!!! Grandmère vai me oferecer um empréstimo? Ah, obrigada, meu Deus! OBRIGADA!

"Quando eu estava na escola", ela prosseguiu, "nós ficamos sem fundos para a nossa viagem de primavera a Paris para visitar os ateliês de alta-costura certo ano, e organizamos um espetáculo."

Eu quase engasguei com o meu chá.

"Você O QUÊ?"

"Organizei um espetáculo", Grandmère disse. "Foi *O Mikado*, sabe. Que nós encenamos, quer dizer. Dos autores Gilbert e Sullivan. Foi bem difícil, principalmente porque na nossa escola só tinha meninas, e havia muitos protagonistas masculinos. Eu lembro que Genevieve — você sabe, aquela que costumava colocar as minhas tranças dentro do tinteiro dela quando eu não estava olhando — ficou muitíssimo decepcionada por ter que encenar *O Mikado*." Um sorriso maligno espalhou-se pelo rosto de Grandmère. "O Mikado supostamente era bem gordo, sabe. Suponho que Genevieve ficou aborrecida por ter sido escalada para o papel em razão de sua constituição física."

Certo. Então, obviamente, ela não ia anunciar nenhum empréstimo. Grandmère simplesmente estava disposta a fazer um passeio pela alameda das memórias e resolveu me levar junto com ela.

Será que ela chegou a perceber que eu comecei a mandar mensagens de texto para Michael? Ele estava saindo da aula de Análise e Otimização Estocástica.

"Eu fiquei com o papel principal, é óbvio", Grandmère continuava falando, perdida em seus devaneios. "A ingênua, Yum-Yum. As pessoas disseram que foi a melhor Yum-Yum que já tinham visto, mas tenho certeza de que só queriam me lisonjear. Mesmo assim, com a minha cinturinha de 51 centímetros, eu realmente fiquei absurdamente encantadora de quimono."

Mensagem de texto: PRESA C/ MINHA VÓ

"Ninguém ficou mais surpresa do que eu ao descobrir que na plateia havia um diretor da Broadway — o *Señor* Eduardo Fuentes, um dos diretores de palco mais influentes de sua época — e ele me abordou depois da estreia com uma oferta para que eu estrelasse o espetáculo que estava dirigindo em Nova York. Eu obviamente nunca nem sequer cheguei a considerar a oferta..."

Mensagem de texto: SAUDADE D VC

"... já que eu sabia que estava destinada a coisas muito maiores do que a carreira teatral. Eu queria ser cirurgiã, ou talvez estilista, como Coco Chanel."

Mensagem de texto: EU T AMO

"Ele ficou arrasado, fato. E não me surpreenderia se no fim ele estivesse um pouquinho apaixonado por mim. Eu estava mesmo ilustre naquele quimono. Mas meus pais nunca teriam aprovado. E se eu TIVESSE ido para Nova York com ele, eu nunca teria conhecido o seu avô."

Mensagem de texto: ME TIRA DAQUI

"Você precisava ter ouvido a minha interpretação de *As três moças*: Nós somos três mocinhas da escola..."

Mensagem de texto: CREDO, ELA TÁ CANTANDO, MANDA AJUDA

"Somos moças muito comportadas..."
  Felizmente, nesse ponto, Grandmère parou com um ataque de tosse.
  "Ah, nossa! Sim. Eu fui uma bela sensação naquele ano, devo dizer."

Mensagem de texto: EH PIOR DO Q AC VAI FAZER COMIGO QDO DESCOBRIR DO $

"Amelia, o que você está fazendo com esse telefone celular?"
  "Nada", respondi rapidinho e apertei ENVIAR.
  O rosto de Grandmère continuava com aquele ar de quem se perdeu em lembranças.
  "Amelia. Tive uma ideia."
  Ai, não.
  Sabe, tem duas pessoas no meu círculo de convivência de quem nunca é bom ouvir as palavras "eu tenho uma ideia".
  A Lilly é uma.
  Grandmère é a outra.

"Olhe só para isto", apontei para o relógio. "Já são seis horas. Bom, é melhor eu ir andando, tenho certeza de que você deve ter marcado um jantar com um xá ou algo assim. Não é seu aniversário amanhã? Você deve ter alguma reflexão pré-aniversário para fazer..."

"Sente-se aí, Amelia", Grandmère disse com sua voz mais assustadora.

Eu me sentei.

"Eu acho", Grandmère disse, "que vocês deveriam organizar um espetáculo."

Pelo menos eu podia jurar que foi isso que ela disse.

Mas não poderia estar certo. Porque ninguém com a cabeça no lugar diria algo assim.

Espere. Por acaso eu escrevi "com a cabeça no lugar"?

"Um espetáculo?" Eu sabia que Grandmère havia reduzido a quantidade de cigarros recentemente. Ela não tinha largado nem nada. Mas o médico dela disse que, se não diminuísse, ela ia ter que usar um tanque de oxigênio quando chegasse aos 70.

Então Grandmère havia começado a limitar os cigarros só para depois das refeições. Isso porque ela não conseguiu achar nenhum tanque de oxigênio que combinasse com as roupas de marca dela.

Achei que talvez o adesivo de nicotina que estava usando estivesse dando errado ou algo assim, mandando monóxido de carbono puro e inalterado diretamente para a corrente sanguínea dela.

Porque essa foi a única explicação que consegui encontrar para ela estar achando que era uma boa ideia a Escola Albert Einstein montar um espetáculo.

"Grandmère", falei. "Acho que você deve tirar o seu adesivo, bem devagarzinho. E eu vou ligar para o seu médico..."

"Não seja ridícula, Amelia", ela disse, torcendo o nariz para a sugestão de que poderia estar sofrendo de algum tipo de aneurisma cerebral ou ataque, ambos e na idade dela são altamente prováveis, de acordo com o Yahoo! Saúde. "É uma ideia absolutamente razoável para levantar fundos. As pessoas fazem montagens beneficentes amadoras há séculos para angariar doações para suas causas."

"Mas, Grandmère", eu disse. "O Clube de Teatro já vai fazer uma montagem na primavera, o musical *Hair*. Já começaram a ensaiar e tudo."

"E daí? Um pouquinho de concorrência pode deixar as coisas mais interessantes para eles", Grandmère disse.

"Hm", respondi. Como é que eu iria informar a Grandmère que a ideia era totalmente esdrúxula? Tipo quase tão ruim quanto vender velas? Ou lançar uma revista literária chamada *A bundinha rosa do Fat Louie*?

"Grandmère", disse, "aprecio a sua preocupação com o meu disparate econômico. Mas não preciso da sua ajuda. Certo? É sério, vai ficar tudo bem. Vou achar um jeito de levantar o dinheiro sozinha. A Lilly e eu já estamos cuidando do assunto e nós..."

"Então você pode dizer à Lilly", Grandmère falou, "que os seus problemas financeiros terminaram, já que a invenção da sua avó de montar uma peça vai fazer com que a comunidade teatral implore por ingressos, e todo mundo que é alguém na sociedade de Nova York vai ficar louco para se envolver. Será um espetáculo completamente original, para exibir os seus múltiplos talentos."

Ela deve estar falando dos talentos da Lilly. Porque eu não tenho nenhuma habilidade teatral.

"Grandmère", falei. "Não. Estou falando sério. Nós não precisamos da sua ajuda. Está tudo certo, está bem? Tudo certinho. O que você estiver pensando, pode esquecer. Porque, juro, se você se intrometer de novo, eu vou ligar para o papai. E não pense que eu não vou."

Mas Grandmère já tinha se afastado e estava pedindo para a camareira achar a agenda dela... parece que precisava fazer algumas ligações.

Bom, não deve ser muito difícil impedir que ela faça alguma coisa. Posso simplesmente dizer para a diretora Gupta não deixar que ela entre no prédio. Com as novas câmeras de segurança e tal, não vai dar para dizer que não a viram chegar: ela não vai a lugar nenhum sem sua limusine, nem sem seu poodle toy sem pelo. Não é muito difícil identificá-la.

Quarta, 3 de março, em casa

A Lilly diz que Grandmère deve estar projetando seus sentimentos de impotência sobre o fato de ser vencida por John Paul Reynolds-Abernathy III na compra da ilha da falsa Genovia nos meus problemas com a situação financeira do conselho estudantil.

"É um caso clássico de transferência" foi o que a Lilly disse quando eu liguei para ela há pouco para implorar pela última vez para mudar o nome da revista literária. "Eu não sei por que você está tão aborrecida com ela. Se isso a deixa feliz, por que você não a deixa montar o showzinho? Eu posso ficar com o papel principal na boa... Não tenho nenhum problema em assumir mais uma responsabilidade, além da vice-presidência, meu posto como criadora, diretora e apresentadora de *Lilly manda a real*, e editora de *A bundinha rosa do Fat Louie*."

"É", eu disse. "Falando nisso, Lilly..."

"Bom, a ideia foi minha, não foi?", Lilly lembrou. "E não devia ser a editora? Essa revista vai ABALAR, a gente já recebeu um monte de contribuições fantásticas."

"Lilly", eu disse, reunindo com muito cuidado todas as minhas qualidades de liderança e falando em voz calma e comedida, do jeito que o meu pai se dirige ao Parlamento. "Eu não me importo de você ser editora, de jeito nenhum. E acho ótimo você estar fazendo isto — proporcionando um fórum que os artistas e escritores da EAE possam usar para se expressar. Mas você não acha que a gente tem que se concentrar em como arrecadar os cinco mil que precisamos para a formatura do últ..."

"*A bundinha rosa do Fat Louie* VAI arrecadar cinco mil", Lilly respondeu toda confiante. "Vai arrecadar MAIS do que cinco mil. Vai elevar o teto do setor editorial como o conhecemos. A revista *Sixteen* irá à falência quando as pessoas colocarem as mãos em *A bundinha rosa do Fat Louie* e lerem os textos honestos e crus que ela contém, porções da vida adolescente norte-americana que vão fazer o programa jornalístico *60 Minutes* bater na minha porta, suplicando por entrevistas e, sem dúvida, o Quentin Tarantino vai querer comprar os direitos de filmagem..."

"Uau", eu disse, mal ouvindo. Será que eu sou a ÚNICA pessoa que reconhece a ENORME dor que vamos sofrer quando a Amber Cheeseman descobrir que a gente não tem dinheiro para pagar o aluguel do salão Alice Tully? "As contribuições que você recebeu são mesmo assim tão boas, hein?"

"Espetaculares. Eu não fazia ideia de que os nossos colegas eram tão PROFUNDOS. O Kenny Showalter, principalmente, escreveu uma ode ao seu verdadeiro amor que fez os meus olhos se encherem de lágr..."

"O Kenny escreveu uma ode?"

"Bom, ele CHAMA de tese sobre as estrelas anãs marrons, mas com toda a certeza é uma homenagem para alguma mulher. Uma mulher que ele amou no passado e que perdeu tragicamente."

Uau. Quem será que o Kenny já amou e perdeu? A menos que...

Eu?

Mas eu não podia deixar que essa notícia me distraísse! Era importante não me desviar do ponto. Eu TINHA que fazer Lilly mudar o nome da revista literária dela.

Ah, e arrecadar cinco mil dólares.

Aaaah! O Michael está me mandando mensagem!

SkinnerBx: Ei! E aí, que história era aquela com a sua avó? Ela estava mesmo cantando?

FtLouie: O quê? Ah, sim! Entre outras coisas. Tudo bem com você?

SkinnerBx: Estou ótimo. Ainda estou superfeliz de saber que você vai lá no fim de semana.

Certo, a minha vida acabou de verdade. Achei que a Amber Cheeseman ia causar a minha morte, mas acontece que eu vou morrer bem antes de ela descobrir que desperdicei o dinheiro da formatura dela em cestos de lixo que ajudam a preservar o ambiente. Eu vou ter que ME matar primeiro, porque é a única maneira que vejo de conseguir escapar dessa festa.

Porque eu NÃO POSSO ir a essa festa. NÃO POSSO. Veja bem, eu sei o que vai acontecer se eu for: vou ficar toda tímida e vou me sentir intimidada pelas pessoas bem mais velhas e bem mais inteligentes que vão estar lá, e vou acabar sentada sozinha em um canto, e o Michael vai chegar e perguntar assim: "Está tudo bem?", e eu vou responder, tipo, "Está", mas ele vai saber que estou mentindo porque as minhas narinas vão abanar (observação pessoal: será que ele sabe que as minhas narinas abanam quando eu minto??? Descobrir.) e daí ele vai perceber que eu não sou uma menina festeira e que eu sou, de fato, a total desajustada social que sei que sou.

Além do mais, eu não tenho nenhuma boina.

Não vou permitir que isso aconteça. Porque eu simplesmente vou dizer que não posso ir.

Certo. Lá vou eu.

    FtLouie: Michael, eu sinto muito, mas...
    DELETE DELETE DELETE

Eu NÃO POSSO dizer não. Porque, e se ele achar que é algo pessoal? E se ele achar que é uma rejeição a ELE?

E SE ELE FOR BUSCAR CONFORTO PARA SEU ORGULHO FERIDO NOS BRAÇOS DE UMA DAQUELAS UNIVERSITÁRIAS ASSANHADAS?

Espera. Eu preciso me recompor. O Michael não é assim. Ele nunca me trairia com outra garota, por mais que ela se jogasse para cima dele. Mesmo se o Craig traiu a Ashley DE VERDADE com a Manny em *Degrassi*, quando a Ashley se recusou a transar com ele. Isso não significa que o Michael faria a mesma coisa. Porque ele é MELHOR do que o Craig. Que, aliás, estava sofrendo de distúrbio bipolar na época. E também porque é um personagem fictício.

Além do mais, garotas universitárias não usam calcinha fio-dental. Elas acham que isto é sexista.

A Tina tem razão. Eu só preciso ser sincera com ele. Eu tenho que pegar e falar logo.

    FtLouie: Michael, eu não posso ir à sua festa porque nem gosto de festa, e além do mais acho que vai ser uma chatice total ficar lá com um monte de gente de faculdade, principalmente se vocês só ficarem falando de filmes de ficção científica distópicos...
    DELETE DELETE DELETE

Não posso dizer ISSO! Ai, meu Deus. O que eu vou fazer????

    FtLouie: Lógico! Mal posso esperar!

Meu Deus. Eu sou a maior mentirosa.

> **SkinnerBx:** Então que história é essa que eu ouvi sobre a sua avó dando algum tipo de festa na semana que vem para o Bob Dylan?
>
> **FtLouie:** O Bob Dylan? Você está falando do cantor?
>
> **SkinnerBx:** É. Parece que o Bono e o Elton John também vão estar lá.

Por um minuto fiquei achando que Michael talvez tivesse inalado fumaça de maconha demais do quarto de alojamento na frente do dele, do outro lado do corredor.

Daí eu me lembrei do evento beneficente de Grandmère para arrecadar fundos para os cultivadores de azeitonas de Genovia.

> **FtLouie:** Ah, certo. Uau, que engraçado. Como foi que você ficou sabendo disso?
>
> **SkinnerBx:** Na internet. Parece que ela está organizando uma coisa chamada *Aide de Ferme*?

Auxílio à agricultura. Eu devia saber.

> **FtLouie:** Ah, é. Está sim.
>
> **SkinnerBx:** Então será que tem alguma chance de você conseguir que eu entre? Eu adoraria perguntar para o Bob se ele ainda acredita que um indivíduo pode mudar o mundo como o conhecemos com uma única música. Você acha que tudo bem? Eu prometo que não vou envergonhar você na frente de nenhum líder mundial.

Ah! Que amor! Michael quer conhecer uma celebridade! Isto não tem nada a ver com ele.

Mas, bom, o Bob Dylan não é uma celebridade qualquer. Afinal de contas, ele praticamente inventou sua própria linguagem. Pelo menos é o que parece sempre que o Michael coloca para tocar algum CD dele.

Mesmo assim, o Michael sem dúvida vai encontrar alguma utilidade para a sabedoria musical Yoda do Bob. Parece que ele não tem nenhum problema em entender o que o Bob está dizendo.

E, como uma vantagem extra para mim, eu ainda marco um encontro com ele na próxima quarta à noite!

E, tudo bem, ele basicamente está me usando para conhecer o Bob Dylan. Mas tanto faz.

Sabe, esta é a melhor coisa a respeito de ter um namorado. Quando você teve o dia mais chato que dá para imaginar, ele só precisa convidar você para sair e parece que *Puf!* As coisas ruins desaparecem. Falando sério. Esse negócio de namorado é mesmo uma coisa muito poderosa.

FtLouie: Acho que é possível.

Michael então continuou escrevendo umas coisas superlegais sobre mim, tipo como eu sou uma líder eficiente, tanto de Genovia quanto da EAE, e como ele não aguenta esperar para me ver neste fim de semana, e o que ele vai fazer quando a gente se ENCONTRAR, e como ele acha que eu sou a melhor escritora do mundo, e como a Shonda Yost, a editora de ficção da *Sixteen*, devia estar drogada para não escolher "Chega de milho!" como o texto vencedor do concurso da revista.

O que foi tudo superlegal, mas não ajudou em nada para tratar do problema que está pesando DE VERDADE na minha mente:

O que eu vou fazer a respeito dessa festa?

Ah, é. E como é que eu vou arrumar o dinheiro para alugar o salão Alice Tully?

Quinta, 4 de março, na limusine, a caminho da escola

Estou muito cansada. Ontem à noite, bem quando eu estava indo para a cama, recebi uma mensagem. Achei que devia ser o Michael escrevendo para dizer que me ama. Sabe como é, uma última vez antes de dormir.

Mas era o BORIS PELKOWSKI, ninguém menos.

> **Joshbell2:** Mia! Que história foi essa que ouvi de a sua avó dar uma festa na próxima quarta-feira à noite e convidar o célebre violinista e meu herói artístico pessoal, o Joshua Bell?

Caramba.

> **FtLouie:** Por acaso o Joshua Bell não estaria pensando em comprar uma ilha em O Mundo, próximo ao litoral de Dubai, estaria?
>
> **Joshbell2:** Não sei de nada sobre isso. Ele poderia querer comprar o estado de Indiana, o grande estado onde ele nasceu, que por acaso também é o local de nascimento de vários outros gênios musicais, incluindo Hoagy Carmichael e Michael Jackson. Se não for incomodar muito, Mia... será que você consegue fazer com que eu entre nessa festa? Eu PRECISO conhecê-lo. Tem uma coisa muito importante que eu preciso dizer para o Joshua Bell.

Sabe, Boris pode até estar gostoso agora, mas continua esquisito.

> **FtLouie:** Acho que eu posso arrumar um jeito de fazer você entrar sim.
>
> **Joshbell2:** Ah, OBRIGADO, Mia! Você não sabe quanto eu aprecio esse seu gesto. Se houver qualquer coisa que eu possa fazer por você — além de ensaiar no armário de materiais, o que já faço —, é só dizer!

E se isso já não fosse algo totalmente ao acaso, a Ling Su também me mandou uma mensagem:

> **Painturgurl:** Oi, Mia! Ouvi dizer que a sua avó vai dar uma festa na quarta à noite, e que Matthew Barney, aquele artista conceitual controverso, vai estar lá.
>
> **FtLouie:** Deixa eu adivinhar: Matthew Barney vai comprar uma ilha em O Mundo, próximo ao litoral de Dubai.

Painturgurl: Como você adivinhou? Ele vai comprar a Islândia para a mulher dele, a Björk. Tem alguma chance de você conseguir fazer com que eu entre para poder conhecê-lo?

FtLouie: Sem problemas.

Painturgurl: Mia Thermopolis, você é tudo!

Daí, veio uma da Shameeka:

Beyonce-Is-Me: Oi, Mia!

FtLouie: Espera, já sei: você ouviu dizer que a Beyoncé vai à festa da minha avó na quarta que vem à noite para arrecadar fundos para os cultivadores de azeitonas de Genovia e quer que eu consiga fazer você entrar.

Beyonce-Is-Me: Na verdade, é a Halle Berry. Ela vai comprar a Califórnia. A BEYONCÉ também vai estar lá????

FtLouie: Considere-se convidada.

Beyonce-Is-Me: MESMO???? VOCÊ É TUDO!!!!!!!!!!!!

Daí, o Kenny:

E=MC2: Mia, é verdade que a sua avó vai dar uma festa na semana que vem na qual a cientista de renome mundial dra. Rita Rossi Coldwell estará presente?

FtLouie: Provavelmente. Quer ir?

E=MC2: DÁ PARA EU IR? Muito obrigado mesmo, Mia!

FtLouie: Não é nada de mais.

Daí, a Tina:

Iluvromance: Mia, é verdade que a sua avó vai dar uma festa e vai ter um monte de celebridades lá?

FtLouie: É. Qual delas você quer conhecer?

Iluvromance: Não estou nem aí! QUALQUER celebridade está boa para mim!

FtLouie: Tudo bem. Todo mundo vai estar lá.

Iluvromance: EEEEEEEEEEEEEEEEEEEEEEEE!!! CELEBRIDADES!!! ESTOU SUPERANIMADA!!!!!!!!!!!!!!!!

Então, finalmente, Lilly:

WomynRule: Ei! Que história é essa que eu ouvi de que a sua avó vai convidar a Benazir Bhutto para uma festa qualquer na quarta-feira que vem à noite?

Uau. A Benazir também? O que será que ela vai comprar? O Paquistão falso?

FtLouie: Você quer ir lá para conhecê-la?

WomynRule: Você sabe que eu quero. Ela e eu temos algumas coisas sobre as quais conversar. Principalmente sobre o apoio que ela deu ao Talibã em todos estes anos.

FtLouie: Está convidada.

WomynRule: Belezura. A gente se vê amanhã, PDG.

Acho que todas as coisas sobre as quais eu escrevi ao Carl Jung — sabe como é, de ser presidente do conselho e mesmo assim não ser popular — no fim não são verdade. Eu sou BEM popular.

Graças à minha AVÓ.

Quinta, 4 de março, Sala de Estudos

Eu vou matá-la.
Eu disse que NÃO. Disse específica e definitivamente NÃO para ela.
Como é que ela pode fazer isso comigo?
De novo?

Quinta, 4 de março, Educação Física

Falando sério. Como é que ela CONSEGUE? Quer dizer, assim tão rápido? E estão em todo lugar, é óbvio. As paredes estão cobertas com eles. Abri o meu armário, e um caiu na minha mão.

ELA ENFIOU UM DENTRO DO ARMÁRIO DE CADA PESSOA.

Ele deve ter demorado HORAS para fazer isso. Como foi que ela fez? Quem ela PAGOU para fazer isso?

Meu Deus. Pode ter sido qualquer pessoa. Até algum professor. Afinal de contas, o que eles ganham mal dá para viver. Eu sei, já vi os recibos do salário do Sr. G por aí.

Todo mundo está andando com um na mão. Um folheto amarelo forte que diz:

AUDIÇÕES HOJE, ÀS 15h30

No Salão Nobre de Baile do Hotel Plaza
Um espetáculo totalmente novo e original

Trança!

Todos são bem-vindos
Não é necessário ter experiência teatral

Eu já ouvi alguns integrantes do clube de teatro — aqueles que andam ocupados ensaiando *Hair* — olhando para os lados por baixo de seus piercings de sobrancelha e falando: "*Trança!*? O que é *Trança!*? Nunca ouvi falar de um espetáculo chamado *Trança!*. Será que é alguma peça nova do Andrew Lloyd Webber? Será que é sobre a Rapunzel?"

Eles estão furiosos por alguém estar promovendo uma montagem teatral — principalmente uma que parece envolver cabelo, já que a tradução de *Hair* é cabelo — que possa atrair o público DELES.

E não posso dizer que eles têm culpa.

Mas eu é que não vou oferecer a informação de que minha AVÓ é a pessoa de quem eles todos estão atrás. Quer dizer, a Amber Cheeseman não é a única pessoa nesta escola que sabe matar com um único golpe com a lateral da mão. Algumas dessas pessoas do teatro... elas sabem usar espadas e coisas assim. Tipo em ESGRIMA.

NÃO estou precisando de nenhum florete no meu coração, muito obrigada.

Não vou nem mencionar o *nunchaku*.

O que Grandmère deve estar *pensando*? O que é *Trança!*?

E por que ela nunca consegue ficar FORA DA MINHA VIDA??? Até parece que eu já não tenho problemas SUFICIENTES, muito obrigada. Quer dizer, hoje de manhã mesmo, quando entrei no quarto do Rocky para dar um beijinho de tchau nele antes de sair para a escola, ele apontou todo feliz para mim e berrou: "Mião!"

Sim. Meu irmão acha que eu sou um caminhão.

POR QUE É QUE EU SOU A ÚNICA PESSOA QUE ENXERGA QUE ESSE É UM PROBLEMA EM POTENCIAL????

Quinta, 4 de março, Economia dos Estados Unidos

Certo, agora eu estou prestando atenção:

O objetivo da economia é compreender o problema da escassez. Como atender aos desejos ilimitados da humanidade com os recursos limitados e/ou escassos disponíveis?

Isso se chama utilidade — a vantagem ou a satisfação que uma pessoa recebe por consumir um bem ou serviço.

Quanto mais a pessoa ou o governo consome, maior será a utilidade total.

Então a utilidade de Grandmère deve ser a maior do MUNDO INTEIRO EM SUA TOTALIDADE.

Quinta, 4 de março, Inglês

Ai, meu Deus, a Lana sabe.
Não sei como ela descobriu, mas ela sabe. Eu sei que ela sabe porque chegou para mim no corredor e falou assim: "Eu sei."
!!!!!!!!!!!!!!
E ela disse isso toda *sabichona*. Sabe como é?
O negócio é que... eu não sei O QUE ela sabe. Será que ela sabe que Grandmère é quem está por trás do espetáculo rival?
Ou será que ela sabe que eu gastei todo o dinheiro do último ano?
Ou será que ela sabe do meu medo de que o Michael vá descobrir que eu não sou do tipo festeira?

Mas como é que ela PODE saber? Eu não confiei esse medo a ninguém — ninguém além da Tina Hakim Baba, e contar um segredo para ela é o mesmo que contar para uma parede. Ela NUNCA contaria para ninguém.

Especialmente para a LANA.

Mesmo assim, seja lá o que a Lana sabe, ela disse que não vai contar...

... mas só se eu atender às exigências dela.

AS EXIGÊNCIAS DELA!!!

Disse para eu me encontrar com ela na escada do terceiro andar logo depois do almoço, onde ela vai me dizer o que quer para manter o silêncio.

Eu não sabia que as pessoas populares conheciam a escada do terceiro andar. Achei que o lugar estava reservado para os nerds.

Meu Deus, o que será que ela quer? E se ela, tipo, quiser ser a minha melhor amiga?

É sério! Tipo, se ela quiser que eu finja que gosto dela para que a foto DELA saia na revista US *Weekly*, do meu lado? Ou se ela pedir para ir comigo ao próximo casamento real que eu comparecer só para agarrar o príncipe William? Está na cara que ela só está ESPERANDO uma oportunidade de ficar sozinha com ele para mostrar por que o nome dela é o que mais aparece na porta dos reservados dos banheiros masculinos na EAE (segundo o Boris).

Mas, espere... e se não for nada disso? E se ela não quiser que eu finja ser amiga dela, mas, em vez disto, queira que eu renuncie ao cargo de presidente — para que ELA possa ser presidente????

Isso é totalmente possível. Quer dizer, ela nunca superou MESMO o fato de eu a ter vencido na eleição. Quer dizer, ela FINGIU que não ligou — depois que perdeu, ficou falando para todo mundo que ser presidente do corpo estudantil era uma idiotice mesmo, e que ela não sabia o que estava pensando quando resolveu disputar o posto, para começo de conversa.

Mas e se ela mudou de ideia? E se ela não acha DE VERDADE que é uma idiotice, no final das contas, e só quiser o meu posto?

Mas, bom, será que isso seria mesmo assim tão ruim? Quer dizer, ser presidente, basicamente, significa muito trabalho para quase nada. Eu não recebi nem sequer um único muito obrigado pelos cestos de lixo recicláveis.

E eu sei que as etiquetas estão erradas, mas mesmo assim.

E também se a Lana pedir a minha renúncia, pelo menos vai liberar bastante tempo na minha agenda. Quer dizer, então talvez daí eu tenha tempo para trabalhar naquele livro que eu quero começar a escrever. Eu poderia expandir "Chega de milho!" para virar um romance. Poderia tentar vender para uma editora de verdade. Eu não teria que me preocupar com O Cara que Detesta Quando Colocam Milho no Chili ler também, por que qual aluno do ensino médio tem tempo para ler livros por prazer? Nenhum.

E daí eu poderia ser publicada, e ir ao programa *Book* TV e falar cheia de autoridade sobre simbolismo e essas coisas.

Meu Deus. Seria uma maravilha.

Mas espera, a Lana NÃO PODE ficar com o meu cargo de presidente, mesmo que eu renuncie. Se eu renunciar, Lilly, que é minha vice, vai ficar com o cargo.

Então NÃO PODE ser isso que a Lana quer. Ela deve querer alguma outra coisa de mim.

Mas o quê? Eu não tenho NADA. Ela deve saber disso. Nada, a não ser o trono de Genovia esperando por mim em algum momento no futuro...

Será que é ISSO que ela quer? Não o meu trono, mas, tipo, a minha COROA?

Não posso abrir mão da minha tiara. O meu pai iria me matar. Ela vale, tipo, um milhão ou qualquer coisa assim. É por isso que Grandmère guarda no cofre, no Plaza.

ESPERA: E SE ELA QUISER O MICHAEL???

Mas por que ela iria querer? Ela nunca quis quando ele estava aqui na EAE. Na verdade, por alguma razão, parece que ela sempre o achou completamente bobo e nada atraente (como se isto fosse possível).

Além do mais, ouvi dizer que ultimamente ela anda saindo com o time de basquete Dalton.

É MELHOR ela não querer o Michael, é tudo o que eu tenho a dizer. Quer dizer, ela pode ficar com o meu trono.

MAS NUNCA O MEU NAMORADO.

Mia, qual é o problema? — T

Não tem nada de errado! Por que você acha que tem alguma coisa errada?

Porque você está com cara de quem acabou de engolir uma meia.

É mesmo? Não era a minha intenção. Não tem nada errado. Nadinha mesmo.

Ah. Eu achei que havia acontecido alguma coisa com o Michael. Você já falou com ele? Sobre você não ser uma menina festeira, quer dizer?

Hm. Não.

Mia! Você tem que ser firme com os garotos. É igual à Ms. Dynamite diz em "Put Him Out": você pode amar um cara, mas isto não significa que você deve ser a palhaça dele.

EU SEI!

Pessoal. A gente recebeu TANTAS inscrições para a primeira edição que a srta. Martinez e eu vamos fazer uma reunião na hora do almoço para resolver o que entra e o que não entra. O número I de A bundinha rosa do Fat Louie vai ARRASAR!

POR FAVOR, PARE DE CHAMAR ASSIM.

Não paro, porque esse é o NOME. Você é a única que não gosta. Bom, tirando a diretora Gupta. Mas até parece que a opinião DELA conta. Falando nisso, PDG, que negócio de Trança! é esse que a sua avó inventou?

Como é que você sabe que foi ela?

Hm, quem mais organizaria audições no Plaza? Dã. Então. O que é?

Não sei. Só mais um dos planos da minha avó louca para me humilhar e me incomodar.

Caramba, quem mijou no seu cereal hoje de manhã?

NINGUÉM!!! Só estou cansada de todo mundo ficar se intrometendo na minha vida!!!

A Mia está preocupada porque o Michael vai descobrir que ela não é uma menina festeira.

TINA!!!!!!!!!!

Bom, sinto muito, Mia. Mas isto é muito ridículo. Você não acha ridículo, Lilly?

O que é uma menina festeira?

Você sabe. Tipo a Lana. Ou a Paris Hilton.

UGH!!!! Mas por que é que você ia querer ser igual à Paris Hilton????

Não quero. Não é com isso que eu estou preocupada. É só que...

A Paris Hilton é uma das mulheres que são bonitas demais para viver. Você não acha, Tina?

Total. Ela não é NINGUÉM para ameaçar você, Mia.

Eu não me sinto ameaçada por ela. É só que...
Dá uma olhada:

MULHERES QUE SÃO BONITAS DEMAIS PARA VIVER E QUE DEVERIAM SER MANTIDAS JUNTAS EM UMA ILHA DESERTA PARA QUE O RESTANTE DE NÓS NÃO SE SINTA TÃO INADEQUADA

POR LILLY MOSCOVITZ

1) Paris Hilton
Espere: ela é bonita, pode comer tudo o que quiser sem nunca engordar, muito menos ter que fazer exercícios, e ainda é herdeira? Existe JUSTIÇA *neste pla-*

neta? E, tudo bem, ela é gentil com os animais e com os gays, e obviamente tem inteligência suficiente para conseguir um noivo aparentado a uma das famílias mais ricas do mundo. Mas será que algum dia ela já usou a cabeça para desenvolver algo além de um reality show para a TV? Que tal a cura para o câncer, Paris? Que tal uma maneira de atomizar a água do mar para produzir gotas que subirão para as nuvens, a fim de aumentar seu poder reflexivo, e as temperaturas diminuírem, para compensar os efeitos do aquecimento global e assim salvar o planeta? Vamos lá, Paris, a gente sabe que você conseguiria se se dedicasse a isso. Com o seu dinheiro e a sua inteligência, você realmente poderia fazer diferença!

2) Angelina Jolie
Vamos nos livrar dela pura e simplesmente! Ela é linda demais, com aquele bocão e aquele monte de cabelo e aqueles ossos aparecendo por baixo da pele. Eu não ligo nem um pouco para aquele papo de ter roubado o Brad da Jennifer, nem para a órfã etíope que ela adotou, nem se ela transou ou não com o irmão. Vamos nos livrar dela! Ela é bonita demais!

3) Keira Knightley
Ai, meu Deus, eu ODEIO essa mulher! Ela é linda DEMAIS para viver! Como se já não bastasse ela ficar com o Orlando em Piratas, agora também faz o papel de Elizabeth Bennett em mais uma refilmagem de Orgulho e Preconceito? A Lizzie Bennett supostamente é INTELIGENTE, não bonita. Este é o ponto da história: que a Lizzie não tem aquela beleza tradicional que a Keira tem. MEU DEUS! Vamos nos livrar dela pura e simplesmente.

4) Jessica Alba
Ela até que era suportável naquela série de TV pós-apocalíptica, Dark Angel. Pelo menos a gente nunca tinha que ver os músculos dela, porque sempre chovia demais em Seattle, onde a série era ambientada, para ela ficar usando blusinha decotada. Daí apareceu aquele filme de uma dançarina de hip-hop chamada Honey, e depois em Sin City — Cidade do Pecado, e em O Quarteto Fantástico, e daí era SÓ MÚSCULOS, O TEMPO TODO, para a srta. Alba. Daí o nome dela começou a aparecer nas músicas do Eminem. A gente precisa disso? A gente

precisa do maior poeta do nosso tempo babando em cima da Jessica Alba? Não precisa. Tirem ela daqui agora mesmo.

5) Halle Berry

Será que eu preciso dizer alguma coisa? Ah, certo, ela TENTOU ficar feia em A última ceia. Pena que não deu certo. A Halle Berry não conseguiria ficar feia nunca, nem que a vida dela dependesse disto. Parece que ela só existe para fazer as reles mortais se sentirem inseguras. Tchauzinho, Halle Berry.

6) Natalie Portman

Acho que seria OBRIGATÓRIO escalar alguém bem linda para fazer o papel da mãe da princesa Leia. Mesmo assim. Tinham MESMO que escalar alguém assim tão impossivelmente linda que faz até aquelas falas péssimas de O ataque dos clones parecerem inteligentes? (A parte em que Amidala e Anakin estão rolando montanha abaixo com aquelas coisas ridículas de vacas.) Lógico que a Natalie tentou se redimir fazendo papéis em filmes independentes que não exigem o uso de macacões de vinil. Mas não importa o número de cores com que você tenha tingido o seu cabelo, srta. Portman. A gente continua achando que você é linda demais para viver.

7) Shannyn Sossamon

Eu tive lá minhas dúvidas em Coração de cavaleiro. Eu fiquei tipo o que uma pessoa tão linda está fazendo na Idade Média? Mas quando vi Regras da atração, eu TIVE CERTEZA: a Shannyn Sossamon é linda demais para fazer o papel de uma menina em quem os caras vivem dando o pé na bunda e traindo. Isto NUNCA ACONTECERIA. Vamos nos livrar dela!

8) Thandie Newton

Eu consegui aguentá-la no papel de Audrey Hepburn na refilmagem de Charada, porque a Audrey Hepburn também era linda demais para viver, então era de esperar que a atriz que interpretou o papel que a tornou famosa também teria que ser linda daquele jeito. E deu para aguentá-la na aventura de ficção científica As crônicas de Riddick, porque, basicamente, ela fazia o papel de uma alienígena. Mas quando ela apareceu como o interesse amoroso do Dr.

Carter em ER — Plantão Médico, *eu sabia que a hora tinha chegado: hora de nos livrarmos dela! O que a Thandie Newton está fazendo na* TV? *Ela é linda demais para estar na* TV! *Ela tem de se ater aos longas-metragens! E de jeito nenhum que um médico de Chicago iria até o Congo e voltaria com a* THANDIE NEWTON. *Certo??? Mulheres com a aparência dela* NÃO VÃO PARA O CONGO. *Por favor, tirem essa pessoa da minha frente!*

9) Nicole Kidman

Certo, o que a Nicole Kidman é? Por acaso ela é um ser humano? Porque eu acho que ela pode ser um daqueles alienígenas que saíram da roupa de humano em Cocoon. *Você lembra daquele ser superbrilhante? Porque a Nicole irradia beleza e luz da mesma maneira que aquele alienígena irradiava. Ei, talvez ela seja um daqueles alienígenas que o pessoal da Igreja de cientologia está esperando, aqueles que supostamente vão voltar para nos salvar (bom, pelo menos os companheiros cientologistas deles) antes de destruirmos o nosso planeta por abusar dos recursos naturais. Talvez tenha sido por isso que o Tom Cruise se casou com ela. Nicole Kidman, ligue para casa! Diga para a espaçonave se apressar!*

10) Penélope Cruz

Outra alienígena! Apesar de não ser tão brilhante quanto a Nicole, a Penélope com certeza é linda demais para um ser humano. Talvez tenha sido por isso que o Tom Cruise ficou com ela tanto tempo! Ele ACHOU *que ela podia ser uma alienígena, igual à Nicole, mas daí descobriu que a Penélope simplesmente tinha ganho a loteria genética e é simplesmente linda por natureza. O que vai acontecer quando o Tom descobrir que a Katie Holmes não é alienígena também? Será que ele vai dar o pé na bunda dela?* QUANTAS OUTRAS MULHERES LINDAS E SOBRENATURAIS SOBRARAM PARA O TOM CRUISE NAMORAR / CASAR? *Por que a nave-mãe da cientologia não anda logo e* LEVA TODAS ELAS EMBORA?????

Quinta, 4 de março, Francês

Sei lá. Isso aí não ajudou em nada.

Détente: qualquer situação internacional em que nações anteriormente hostis, não envolvidas em uma guerra declarada, reatam as relações amigáveis e as ameaças diminuem.

Caramba, ia ser o máximo se a Lana quisesse uma *détente*.

Quinta, 4 de março, na escada do terceiro andar

Certo, eu estou aqui, mas Lana não está.
Ela disse depois do almoço. Tenho certeza de que foi isso que ela disse.
E agora é depois do almoço.
ENTÃO, CADÊ ELA????
Caramba, eu ODEIO essa coisa de ficar me escondendo. Foi SUPERDIFÍCIL despistar o pessoal. Quer dizer, não a Lilly, porque ela estava em reunião com a Srta. Martinez. Mas estou falando da Tina e do Boris e da Perin e de todo mundo. Eu tive que falar para eles que vinha aqui para cima fazer uma ligação particular para o Michael.

E Tina obviamente achou que eu vinha aqui para dar ao Michael a notícia de que não sou uma menina festeira, "Vá lá, garota!", até a Shameeka perguntar assim: "Do que vocês estão FALANDO?"

Mas Tina ESTÁ certa. Eu preciso parar de mentir para Michael e contar a verdade. Só que eu preciso descobrir uma maneira de fazer isso sem revelar meu segredo mais obscuro — que eu não sou uma menina festeira.

Mas COMO??? Como é que eu vou conseguir isso? Seria de pensar que, para uma mentirosa inveterada como eu, seria fácil inventar alguma desculpa para livrar a minha cara... por exemplo, que eu tenho que comparecer a algum compromisso real no fim de semana.

Pena que nenhum integrante da realeza tenha morrido ultimamente. Um enterro de Estado seria uma desculpa PERFEITA.

Mas como ninguém bateu as botas ultimamente, que tal... um CASAMENTO?

É! Eu poderia dizer que algum dos meus primos Grimaldi está casando de novo, e que eu TENHO que ir. O Michael iria acreditar, até parece que ele lê alguma revista que cobre notícias desse tipo... a menos que ele tente procurar na internet.

Talvez eu pudesse simplesmente mandar uma mensagem de texto para ele. É, vou mandar uma mensagem agora mesmo e falar, tipo: "DESCULPA, VOU P/ GENOVIA NO FIM DE SEMANA! UMA PENA! SOU OBRIGADA! QUEM SABE NA PRÓXIMA?"

Só que, em último caso, seria bem mais simples se eu parasse de mentir. Quer dizer, em breve eu não vou mais conseguir me lembrar de todas as minhas histórias e vou misturar tudo em...

ALGUÉM ESTÁ CHEGANDO!!!!

É a LANA!!!!

Quinta, 4 de março, S & T

Certo. O negócio foi surreal.

Então era MESMO sobre o dinheiro. Que a gente não tem mais, quer dizer. Foi o que Lana quis dizer quando falou que sabia.

E a única coisa que pediu em troca do silêncio foi ser convidada para a festa de Grandmère. Aquela que ela vai dar para arrecadar dinheiro para os cultivadores de azeitonas de Genovia.

É sério.

Eu fiquei totalmente chocada — quer dizer, eu achava mesmo que a Lana ia pedir algo que fosse complicar e MUITO a minha vida, e não um convite para uma festa — que até falei assim: "Por que você quer ir àquele NEGÓCIO? Quer dizer... VOCÊ também quer conhecer o Bob Dylan?"

Lana só ficou olhando para mim como se eu fosse idiota (e qual é a novidade?) e falou assim: "Hm, não. Mas o Colin Farrell vai estar lá. Ele vai dar um lance na Irlanda. *Todo mundo* sabe disso."

Todo mundo, menos eu, parece.

Mas, mesmo assim, eu fingi que sabia. Falei assim: "Ah. Certo. É. Tudo bem."

Daí eu disse que com certeza ia conseguir um convite para ela.

"DOIS convites", Lana falou por entre os dentes, de um jeito bem parecido com que o Gollum falava "meu precioso" em *O senhor dos anéis*. "A Trish também quer ir." A Trisha Hayes é a principal cúmplice da Lana, é o Igor, do dr. Frankenstein, dela. "Mas se Trish acha que ELA vai ficar com o Colin, ela bebeu."

Eu não fiz comentários a respeito dessa aparente desavença no amor fraternal incondicional que elas nutrem uma pela outra. Em vez disto, eu só falei assim: "Hm, tudo bem, certo, dois convites."

Mas daí, como eu sou incapaz de ficar de boca fechada, falei assim: "Mas, hm, se você não se importa de eu perguntar... como é que você ficou sabendo? Do dinheiro, quer dizer?"

Ela fez outra careta e respondeu: "Eu olhei na internet quanto aqueles cestos de lixo recicláveis de 'vidro e bala' idiotas custaram. Daí eu só fiz umas contas. E eu sabia que você tinha que estar falida."

Meu Deus. Lana se faz ainda mais de burra do que parece. Além de conseguir se fazer de burra, é muito melhor em matemática do que eu.

Talvez ela DEVESSE ter sido presidente.

Eu devia ter deixado que ela fosse embora àquela altura. Devia provavelmente só ter dito algo como: "Bom, a gente se fala."

Mas é óbvio que eu não fiz isso. Porque assim seria fácil demais. Em vez disso, eu tive que falar assim: "Hm, Lana, posso fazer uma pergunta?"

E ela ficou tipo "O quê?", com os olhos bem apertadinhos.

Não deu para acreditar nas palavras que saíram da minha boca em seguida: "Como é que você, hm. Está sempre pronta para festa?"

A boca cheia de gloss da Lana ficou aberta ao ouvir isso. "Como é que eu O QUÊ?"

"Sabe como é", respondi. "Está sempre pronta para ir a festas. Quer dizer, eu sei que você vai a muitas, hm, festas. Então eu estava aqui pensando... tipo, o que você FAZ lá? Como é, sabe como é. Que você se diverte em uma festa?"

Lana só sacudiu a cabeça, com aquele cabelo loiro superliso (ela nunca teve que se preocupar com o cabelo dela formando uma volta para o lado errado) brilhando embaixo das lâmpadas fluorescentes.

"Meu Deus", ela disse. "Você é muito esquisita."

Como essa era uma verdade indiscutível, eu não disse nada.

Essa foi, aparentemente, a atitude correta, já que a Lana continuou: "Você só vai lá — toda linda, é lógico. Daí, pega uma cerveja. Se a música estiver boa, dança. Se tiver algum cara gostoso, fica com ele. Só isso."

Pensei a respeito do assunto: "Eu não gosto de cerveja", respondi.

Mas Lana simplesmente me ignorou. "E coloca alguma roupa sensual." O olhar dela passou dos meus coturnos para o alto da minha cabeça, e concluiu: "É óbvio que, para você, isso pode ser um pouco difícil."

Daí, saiu saltitando.

Não pode ser assim tão simples. Ir a festas, quero dizer. A gente só vai lá, bebe, dança e, hm, fica com alguém? Esta informação não me ajuda em nada. E o que a gente faz se estiver tocando música rápida? Será que a gente dança rápido? Parece que eu estou tendo uma convulsão quando danço rápido.

E o que a gente faz com o tal copo de cerveja quando está dançando? A gente coloca, tipo, em uma mesinha de centro ou algo assim? Ou será que fica segurando enquanto dança? Se estiver dançando rápido, será que não derrama?

E a gente não precisa se apresentar para todo mundo que estiver lá? Em festas, Grandmère faz sempre questão de que eu cumprimente cada convidado pessoalmente, com um aperto de mãos e fazendo perguntas sobre a saúde da pessoa. A Lana não falou nada sobre isso.

Nem sobre a coisa mais importante de todas: o que a gente faz com o guarda-costas?

Meu Deus, esse negócio de festa vai ser ainda mais complicado do que eu pensava.

Quinta, 4 de março, Geometria

Uma coisa horrível acaba de passar pela minha cabeça. Quer dizer, uma coisa ainda mais horrível do que as que geralmente passam pela minha cabeça, tipo que o Rocky pode estar sofrendo de distúrbio desintegrativo da infância, ou que a pinta do lado esquerdo do meu quadril esteja crescendo e possa se transformar em um tumor de cem quilos, igual ao de uma senhora que vi em um documentário no Discovery Channel chamado *O tumor de 100 quilos*.

E que a Lana pode na verdade ser autorrealizada.

Falando sério. Quer dizer, aquele episódio na escada agora mesmo foi uma coisa quase bonita. Foi um CLÁSSICO.

E, tudo bem, ela fez a coisa de um jeito totalmente sorrateiro e manipulador, mas conseguiu exatamente o que queria.

Ela NÃO PODE ser autorrealizada. Quer dizer, não ia ser nem um pouco justo se ela fosse.

Mas não dá para negar que ela sabe conseguir o que quer da vida. Ao passo que eu só vivo fazendo besteira, mentindo para todo mundo o tempo todo, e com certeza NUNCA consigo o que eu quero.

Não sei. Quer dizer, com certeza, ela não passa de mal puro.

Mas isso é algo sobre o que pensar.

Ângulos externos alternados — um par de ângulos no lado externo de duas linhas cortadas por uma transversal, mas em lados opostos da transversal.

Quinta, 4 de março, Ciências da Terra

Agora mesmo Kenny me perguntou se eu podia passar a limpo a ficha do laboratório de viscosidade. Ele espalhou molho Alfredo por cima do papel todo enquanto completava as lacunas ontem à noite, durante o jantar.

Acho que é um preço baixo a se pagar por não saber, realmente, o que é viscosidade.

* DEVER DE CASA

Educação Física: LAVAR O SHORT DE GINÁSTICA!!!

Economia dos Estados Unidos: Questões no final do capítulo 8

Inglês: Páginas 133-154, O Pioneers!

Francês: Reescrever história

Superdotados & Talentosos: Cortar a saia de veludo preto no joelho para virar micro mini para festa. ENCONTRAR UMA BOINA!!!!

Geometria: Capítulo 17, problemas das páginas 224-230

Ciências da Terra: Quem se importa? O Kenny faz.

Quinta, 4 de março, no Salão Nobre de Baile do Hotel Plaza

Muita gente apareceu para as audições de *Trança!*. Quer dizer, MUITA gente.

O que é estranho quando levamos em conta que ninguém do clube de teatro fez audição para *Trança!*, porque estão muito ocupados ensaiando para *Hair*.

O que significa que todas as pessoas que apareceram hoje eram neófitas no teatro (isto quer dizer que elas eram "iniciantes ou novatas", de acordo com Lilly), como Lilly e Tina e Boris e Ling Su e Perin (mas não Shameeka, porque ela só tem permissão para participar de uma atividade extracurricular por semestre).

Mas Kenny estava lá, com alguns amigos supernerds dele. E a Amber Cheeseman também, com as mangas do uniforme dobradas para mostrar os antebraços de macaco.

Até o Cara que Detesta Quando Colocam Milho no Chili apareceu.

Uau. Eu realmente não fazia ideia de que havia tantos atores aspirantes na EAE.

Apesar de que, pensando bem, ser ator *é* uma das poucas profissões em que se pode ganhar dinheiro sem ter nenhuma inteligência ou talento, como mais de uma estrela já demonstrou.

Então, dessa maneira, dá para ver por que pode parecer uma opção de carreira tão atraente para tanta gente.

Grandmère resolveu fazer a coisa como se fosse uma audição de verdade. Ela mandou a camareira entregar fichas de inscrição para todo mundo que passava pela porta. A gente tinha que preencher o papel, ficar em pé para o chofer de Grandmère tirar uma Polaroid e depois entregar a Polaroid e a ficha de inscrição para um homem minúsculo, muito velho, com óculos enormes e um cachecol gigante no pescoço, sentado atrás de uma mesa bem comprida no meio do salão, que parecia aquela do clipe da Jennifer Lopez, "I'm Glad", em que ela faz uma recriação de *Flashdance*. Grandmère estava sentada ao lado dele, com o poodle toy, o Rommel, tremendo no colo dela — apesar de ele estar vestido com uma jaqueta acolchoada roxa.

Eu fui até ela, abanando o meu formulário e o saco do restaurante Number One Noodle Son onde eu havia guardado o presente dela para levar comigo para a escola.

"Eu não vou preencher isto aqui", informei a ela, jogando o papel em cima da mesa. "Aqui está o seu presente, feliz aniversário."

Grandmère pegou o saco de mim — dentro estavam os cabides forrados de cetim que eu havia encomendado na Chanel especialmente para ela (Sei lá. Foi o meu pai que sugeriu esse presente — e pagou.) — e disse:

"Obrigada. Por favor, sente-se, Amelia querida."

Eu sabia que o "querida" era só por causa do cara sentado ao lado dela — seja lá quem ele fosse — e não por minha causa.

"Não acredito que você está fazendo isso", eu disse a ela. "Quer dizer... tem certeza de que é assim que você quer passar o seu aniversário?"

Grandmère só me desprezou.

"Quando se tem a minha idade, Amelia", ela disse "a idade perde o significado."

Ah, tanto faz. Ela está na casa dos SESSENTA anos, não dos noventa. Em vez de cabides de cetim, eu devia ter dado a ela uma daquelas camisetas que eu vi no centro, que dizem RAINHA DO DRAMA dentro de um logotipo do fast-food Dairy Queen.

Lilly veio me puxar para o canto, então fiquei lá sentada com ela e com a Tina e com todo mundo. Na mesma a hora, a Lilly já falou:

"Então que negócio é esse, PDG? Eu vou fazer uma reportagem para O Átomo, então cuide para que seja bom."

Lilly sempre pega as melhores pautas do jornal da escola. Eu fiquei de fora das reportagens especiais — quer dizer, artigos ocasionais a respeito da apresentação da banda da escola ou das novas aquisições da biblioteca —, já que ando ocupada demais com coisas presidenciais e de princesa para conseguir cumprir os prazos.

"Não sei", respondi. "Acho que vou descobrir na mesma hora que você descobrir."

"Uma informação extraoficial", Lilly disse. "Fale sério. Quem é aquele velhinho de óculos?"

Mas antes que ela pudesse me fazer qualquer outra pergunta, Grandmère se levantou — derrubando o coitado do Rommel no chão do salão, onde ele deslizou um pouco, antes de encontrar o equilíbrio naquele piso escorregadio — e falou com uma voz toda gentil, bem falsa (falsa porque, obviamente, Grandmère não é gentil), e o salão ficou todo em silêncio:

"Bem-vindos. Para aqueles que não me conhecem, eu sou Clarisse, princesa viúva de Genovia. Estou encantada de ver tantos de vocês aqui hoje para o que se transformará, tenho certeza, em um momento importante e histórico na trajetória da Escola Albert Einstein, assim como do mundo teatral. Mas, antes que eu diga qualquer outra coisa, permitam-me apresentar, sem mais delongas, o *Señor* Eduardo Fuentes, diretor teatral premiado e de renome mundial."

O *Señor* Eduardo! Não! Não pode ser!

E, portanto... era! Era o diretor famoso que havia convidado Grandmère, tantos anos antes, ir a Nova York com ele e estrelar uma produção original da Broadway!

Ele devia ter uns trinta anos naquela época. Agora, deve ter uns CEM. Ele é velho, parece uma mistura do Larry King com uma uva-passa.

O *Señor* Eduardo fez o maior esforço para levantar da cadeira, mas estava tão duro e era tão frágil que só tinha conseguido fazer mais ou menos um quarto do movimento quando Grandmère o empurrou para baixo, toda impaciente, e daí continuou com o discurso dela. Praticamente deu para ouvir os ossos frágeis dele se quebrando embaixo do apertão dela.

"O *Señor* Eduardo dirigiu inúmeras peças e musicais em diversos palcos do mundo, incluindo os da Broadway e do West End londrino", Grandmère nos informou. "Vocês todos devem se sentir extremamente honrados com a perspectiva de trabalhar com um profissional de tanto sucesso e tão reverenciado."

"Obrigado", o *Señor* Eduardo conseguiu dizer, sacudindo as mãos e piscando por causa das luzes fortes do teto do salão de baile. "Muito, mas muito obrigado mesmo. Fico muito contente de ver tantos rostos jovens brilhando de animação e..."

Mas Grandmère não ia deixar ninguém, nem mesmo um diretor centenário de renome mundial, roubar o show dela.

"Senhoras e senhores", ela o interrompeu, "vocês estão prestes a participar de uma audição, como eu disse, para uma obra original que nunca foi encenada. Se forem selecionados para essa peça, vão, em essência, passar a fazer parte da História. Sinto-me especialmente satisfeita por recebê-los aqui hoje, porque a peça que estão prestes a ler foi escrita quase que inteiramente por" — ela baixou os cílios falsos, cheia de modéstia — "mim."

"Ah, isto aqui vai ser bom", Lilly disse, e começou a fazer um monte de anotações no bloquinho de repórter dela. "Você está sacando o que está acontecendo, PDG?"

Ah, estou entendendo muito bem. Grandmère escreveu uma PEÇA? Uma peça que ela quer que a gente monte para arrecadar fundos para a formatura do último ano da EAE?

Acho que eu quero morrer.

"Essa peça", Grandmère prosseguia, segurando um monte de folhas de papel — o roteiro, parecia — "é um trabalho de completa originalidade e, não tenho pudor em dizer, genialidade. *Trança!* é, em essência, uma história de amor clássica, a respeito de um casal que precisa vencer adversidades extraordinárias para conseguir ficar junto. O que faz de *Trança!* uma peça ainda mais interessante é o fato de se basear em acontecimentos históricos. Tudo o que acontece nessa peça OCORREU NA VIDA REAL. Sim! *Trança!* é a história de uma jovem extraordinária que, apesar de ter passado a maior parte da vida como plebeia, um dia foi colocada em posição de liderança. Sim, pediram a ela que assumisse o trono de um pequeno país do qual vocês todos devem ter ouvido falar, Genovia. O nome dessa jovem corajosa? Ah, mas ela não é ninguém mais, ninguém menos do que..."

Não. Ai, meu Deus, não. Pelo amor de Deus, não. Grandmère escreveu uma peça a meu respeito. A respeito da MINHA VIDA. EU VOU MORRER. EU VOU...

" ... Rosagunde."

Espere. O quê? ROSAGUNDE?

"Sim", Grandmère prosseguiu. "Rosagunde, a atual tatara-tatara-tatara-tatara e assim por diante, avó da atual princesa de Genovia, que exibiu incrível bravura em face da adversidade, e acabou sendo recompensada por seus esforços com o trono do que hoje é Genovia."

Ai. Meu. Deus.

Grandmère escreveu uma peça baseada na história da minha ancestral, Rosagunde.

E ELA QUER FAZER ESSA MONTAGEM NA MINHA ESCOLA.

NA FRENTE DE TODO MUNDO.

"*Trança!* é, em seu âmago, uma história de amor. Mas as aventuras da grande Rosagunde são muito mais do que um simples romance. Essa história é, na verdade..." Aqui Grandmère fez uma pausa, tanto para obter efeito dramático quanto para dar um golinho no copo ao lado dela. Água? Ou vodca pura? Nunca saberemos. A menos que eu tivesse ido até lá e dado um golão. "... UM MUSICAL."

Ai. Meu. Deus.

Grandmère escreveu um MUSICAL baseado na história da minha ancestral, Rosagunde.

O negócio é que eu adoro musicais. *A Bela e a Fera* é, tipo, o meu espetáculo da Broadway preferido de todos os tempos, e é um musical.

Mas se trata de um musical a respeito de um príncipe amaldiçoado e mesmo assim a moça lindíssima se apaixona por ele.

NÃO é sobre um guerreiro feudal e a beldade que o mata por estrangulamento.

Parece que eu não fui a única a perceber isso, porque a Lilly ergueu a mão e disse bem alto:

"Com licença!"

Grandmère pareceu surpresa. Ela não está acostumada a ser interrompida quando começa a fazer um de seus discursos.

"Por favor, guardem todas as perguntas para o fim", Grandmère disse, toda confusa.

"Vossa Alteza Real", Lilly disse, ignorando o pedido dela. "Está nos dizendo que esse espetáculo, *Trança!*, é na verdade sobre a tatara-tatara-tatara e assim por diante avó da Mia, Rosagunde, que no ano 568 d.C. foi forçada a se casar com o senhor guerreiro visigodo Alboin, que conquistou a Itália e a conclamou para si?"

Grandmère se contorceu toda, como o Fat Louie faz sempre que acaba a ração de frango ou de atum e ele tem que comer outro sabor, tipo peru.

"Isso é *exatamente* o que eu estou tentando dizer", Grandmère respondeu, toda dura. "Se você me permitir continuar."

"Certo", Lilly disse. "Mas um MUSICAL? A respeito de uma mulher que é obrigada a casar com um homem que, além de matar o pai dela, ainda a obriga a beber do crânio do pai na noite de núpcias e por isso ela o mata durante o sono? Quer dizer, esse tipo de material não é um pouco PESADO para um musical?"

"E um musical ambientado em uma base militar durante a Segunda Guerra Mundial não é um pouco PESADO? Acredito que aquele se chamava *South Pacific*", Grandmère disse, com uma sobrancelha erguida. "Ou que tal um musical sobre disputas entre gangues urbanas em Nova York nos anos 50? *West Side Story*, acredito que seja o nome desse..."

Todo mundo no salão começou a murmurar — todo mundo, menos o *Señor* Eduardo, que parecia ter caído no sono. Eu nunca havia pensado no assunto, mas Grandmère *estava* meio que certa. Muitos musicais têm um tom bem sério, se você examinar bem. Quer dizer, se for a sua intenção, dá para dizer que *A Bela e a Fera* é a respeito de uma quimera horrível que sequestra e mantém como refém uma jovem camponesa.

Pode deixar com Grandmère a tarefa de destruir a única história que eu sempre amei de coração.

"Ou até mesmo", Grandmère prosseguiu, por cima dos sussurros de todo mundo, "quem sabe um musical a respeito da crucificação de um homem da Galileia... Uma coisinha chamada *Jesus Cristo Superstar*?"

Ouviu-se gente engolindo em seco por todo o salão de baile. Grandmère tinha dado um *coup de grâce*, e sabia muito bem disto. Ela tinha conseguido fazer com que todo mundo comesse na mão dela.

Todo mundo, menos a Lilly.

"Com licença", Lilly disse de novo. "Mas exatamente quando esse, hm, *musical* vai ser encenado?"

Foi só então que Grandmère pareceu um pouco — mas só um pouco — perdida.

"Daqui a uma semana", ela disse, em um tom que eu percebi logo ser de confiança completamente falsa.

"Mas, princesa viúva!", Lilly berrou, por cima das engolidas em seco e dos murmúrios de todos os presentes, menos o *Señor* Eduardo, lógico, que continuava roncando. "Não dá para querer, de jeito nenhum, que o elenco memorize um espetáculo inteiro até a semana que vem. Quer dizer, nós estamos na escola... temos dever de casa para fazer. Eu pessoalmente sou editora da revista literária da escola, e pretendo publicar a primeira edição do primeiro número na semana que vem. Não posso fazer isso E memorizar uma peça inteira."

"Musical", a Tina cochichou.

"Musical", a Lilly se corrigiu. "Quer dizer, se eu for escolhida. Vai ser... vai ser IMPOSSÍVEL!"

"*Nada* é impossível", Grandmère garantiu para nós. "Você pode imaginar o que teria acontecido se o falecido presidente John F. Kennedy tivesse dito que era *impossível* um homem andar na Lua? Ou se Gorbachev tivesse dito que era *impossível* derrubar o Muro de Berlim? Ou se, quando o meu falecido marido convidou o rei da Espanha e os colegas de golfe dele para um jantar de último minuto eu tivesse dito "*Impossível*"? Eu teria causado um incidente internacional! Mas a palavra "impossível" não faz parte do meu vocabulário. Eu mandei o mordomo colocar mais onze lugares na mesa, mandei a cozinheira colocar água na sopa e mandei o chef de massas preparar mais onze suflês... E a festa foi um sucesso tão grande que o rei e os amigos dele ficaram mais três noites e perderam centenas de milhares de dólares nas mesas de bacará — e todo o dinheiro foi usado para auxiliar os órfãos pobres e famintos de toda Genovia."

Não sei do que Grandmère está falando. Não tem nenhum órfão faminto em Genovia. Também não havia nenhum durante o reinado do meu avô. Mas tanto faz.

"E será que eu mencionei", Grandmère perguntou com o olhar percorrendo o salão em busca de rostos solidários "que vocês vão receber cem pontos de créditos extras em inglês por participar desse espetáculo? Eu já acertei tudo com a diretora de vocês."

O zunzunzum, que até então tinha um tom duvidoso, de repente ficou todo animado. A Amber Cheeseman, que havia levantado para ir embora — aparentemente por causa do pouco tempo que o elenco teria para ensaiar —, hesitou, deu meia-volta e retornou à cadeira dela.

"Adorável", Grandmère disse, toda feliz da vida, obviamente. "Agora. Será que podemos começar o processo de audições?"

"Um musical a respeito de uma mulher que estrangula o assassino do pai com o cabelo", Lilly resmungou para si mesma, escrevendo sem parar no bloquinho. "Agora eu já vi de tudo."

Ela não era a única que parecia perturbada. O *Señor* Eduardo também parecia bem chateado.

Ah, não, espera. Ele só está ajustando a mangueirinha de oxigênio dele.

"Os papéis que precisam ser preenchidos com mais urgência são, obviamente, os principais, Rosagunde e o guerreiro desonesto que ela despacha com o cabelo, Alboin", Grandmère prosseguiu. "Mas tem também o papel do pai de Rosagunde, da servente, do rei da Itália, da amante ciumenta de Alboin e, como não poderia deixar de ser, do amante corajoso de Rosagunde, o ferreiro Gustav."

Espere um pouco. A Rosagunde tinha um amante? Como é que nenhum livro de história de Genovia que eu já li nunca mencionou isso?

E onde é que ele estava, aliás, quando a namorada dele estava matando um dos maiores sociopatas que já viveu?

"Então, sem mais delongas", Grandmère exclamou "vamos começar as audições!" Ela esticou o braço e pegou duas fichas de inscrição, com as Polaroids junto, sem nem olhar para o *Señor* Eduardo, que estava roncando baixinho.

"Por favor, gostaria que Kenneth Showalter e Amber Cheeseman fossem até o palco", ela pediu.

Só que, no caso, não havia palco nenhum, então houve um momento de confusão enquanto o Kenny e a Amber tentavam descobrir aonde ir. Grandmère os dirigiu a um ponto na frente da mesa comprida sobre a qual o *Señor* Eduardo cochilava, e Rommel lambia as partes íntimas.

"Gustav", ela disse, entregando uma folha de papel para o Kenny. Depois: "Rosagunde." Entregou uma folha para a Amber.

"Agora", Grandmère disse. "Em cena!"

Lilly, do meu lado, tremia de tanto tentar segurar a risada para não explodir em gargalhadas. Não sei o que ela estava achando de tão engraçado naquela situação.

Mas quando o Kenny começou: "Não tema, Rosagunde! Porque hoje à noite terá que dar seu corpo a ele, mas sei que o seu coração pertence a mim", eu meio que percebi por que ela estava rindo.

Eu vi MUITO BEM por que ela estava rindo quando chegamos à parte musical da audição, e pediram ao Kenny que cantasse uma música de sua escolha — acompanhado por um cara tocando no piano de cauda no canto — e ele escolheu cantar "Baby Got Back", de *Sir* Mix-a-lot. Tinha alguma coisa nele cantando "Shake it, shake it, shake that health butt (que quer dizer "balança, balança, balança a sua bunda sarada") que me fez rir até lágrimas escorrerem pelas minhas bochechas (mas eu tive que fazer isto em silêncio, para ninguém perceber).

Piorou ainda mais quando Grandmère disse:

"Hmm, muito obrigada por isso, meu rapaz", e chegou a vez de Amber cantar, porque a música que ela escolheu foi "My Heart Will Go On", aquela do *Titanic*, da Celine Dion, e Lilly inventou uma dancinha com os dedos para essa música, baseada no movimento dos jatos d'água do Hotel Bellagio, em Las Vegas, que é exibido quase uma vez por hora na fonte gigantesca à entrada do hotel, para divertir os turistas que passam pela avenida.

Eu estava rindo tanto (apesar de ser em silêncio) que nem percebi o nome da menina que Grandmère chamou em seguida para fazer audição para o papel de Rosagunde.

Pelo menos até a Lilly me cutucar com um dos dedos dançantes dela.

"Amelia Thermopolis Renaldo, por favor?", Grandmère disse.

"Bela tentativa, Grandmère", eu disse da minha cadeira. "Mas eu não preenchi ficha de inscrição. Está lembrada?"

Grandmère me olhou torto e todo mundo prendeu a respiração.

"Então o que você está fazendo aqui?", ela quis saber, em tom áspero "se não planejava participar da audição?"

Hm, porque eu tenho um encontro com você toda tarde no Plaza, há um ano e meio, está lembrada?

Em vez disto, o que eu disse foi:

"Só vim aqui dar apoio aos meus amigos."

Ao que Grandmère respondeu:

"Não me venha com gracejos, Amelia. Não tenho tempo nem paciência para isso. Levante-se e venha aqui. Agora."

Ela disse isto com a sua melhor voz de princesa viúva possível — voz que eu reconheci na hora. Era a mesma voz que ela usa logo antes de começar a contar alguma história pavorosa da minha infância para me deixar morta de vergonha na frente de todo mundo — como a vez que eu fui com tudo de peito em cima do espelho retrovisor da limusine quando estava andando de patins na entrada do château dela, Miragnac, e depois notei que ficou todo inchado, e mostrei para o meu pai e ele falou assim: "Hm, Mia, não acho que isso aí é inchaço. Acho que o seu peito está crescendo", e Grandmère contou isto para todas as pessoas que ela encontrou durante todo o resto da minha estadia, que a neta dela tinha confundido os próprios peitos com machucados.

O que, se você pensar bem sobre o assunto, não é um erro assim TÃO difícil de se cometer, porque até hoje eles não são muito maiores do que naquela época.

Mas já dava para vê-la contando essa história para todo mundo, ali mesmo, se eu não fizesse o que ela estava mandando.

"Tudo bem", eu disse com os dentes cerrados, e levantei para fazer a minha audição, bem quando Grandmère já ia chamando o nome do próximo cara que ela queria ver.

Um cara que só por acaso se chamava John Paul Reynolds-Abernathy IV.

Que, quando levantou, se revelou-se ser...

... O Cara que Detesta Quando Colocam Milho no Chili.

Quinta, 4 de março, na limusine, indo para casa

É óbvio que ela nega. Estou falando de Grandmère. De só querer montar essa peça — desculpa, MUSICAL — para agradar ao John Paul Reynolds-Abernathy III ao escalar o filho dele para o papel principal.

Mas que outra explicação existe? Será que eu devo MESMO acreditar que ela está fazendo isso para me ajudar com o meu probleminha financeiro, como ela diz, porque parece que as pessoas vão pagar para ver esse pequeno pesadelo que ela criou, e eu vou poder usar todo o dinheiro para restituir os fundos depauperados do conselho estudantil?

Sei. Até parece.

Eu fui lá confrontá-la cara a cara quando as audições terminaram.

"O que eu estou fazendo desta vez para envergonhá-la, Amelia?", ela quis saber, depois que todo mundo já havia ido embora e só estávamos ela e eu e o Lars e o resto dos empregados dela — e o Rommel e o *Señor* Eduardo, lógico. Mas os dois estavam dormindo. Era difícil dizer quem roncava mais alto.

"Porque você vai dar o papel principal da sua peça para o", eu quase o chamei de O Cara que Detesta Quando Colocam Milho no Chili, mas me detive bem a tempo, "John Paul Reynolds-Abernathy IV, para o pai dele ficar achando que deve uma para você e assim talvez desista de comprar a ilha da falsa Genovia! EU SEI o que você está aprontando, Grandmère. Eu estou fazendo economia dos Estados Unidos neste semestre, sei tudo sobre escassez e utilidade. Confesse!"

"*Trança!* é um musical, não uma peça", foi a única coisa que Grandmère disse sobre o assunto.

Mas ela nem PRECISOU dizer mais nada. O próprio silêncio dela é uma confissão de culpa! John Paul Reynolds-Abernathy IV está sendo usado!

Mas é lógico que ele parece não saber. Ou, se souber, parece não se importar com isto. É estranho, mas, tirando o fato de ele não gostar do abuso de uso de grãos farináceos no refeitório da EAE, o Cara que Detesta Quando Colocam Milho no Chili parece ser um cara bem feliz. O "J.P." — como ele pediu para Grandmère chamá-lo — é quase ameaçador de tão grande (até um pouco parecido com o guarda-costas representado por Adam sem-parentesco-com-Alec Baldwin no filme de baixo orçamento de bagunceiros de escola *Meu guarda-costas*), com quase um metro e noventa pelo menos. O cabelo castanho ondulado dele parece menos despenteado e muito mais brilhante quando não está sob o brilho duro da iluminação nada agradável do refeitório.

E, de perto, acontece que o J.P. tem olhos surpreendentemente azuis.

Eu consegui ver de perto — os olhos do J.P. — porque Grandmère nos fez encenar a parte em que Rosagunde acabou de estrangular Alboin e está histérica com isso, quando Gustav entra no quarto de supetão para salvar sua amada de ser atacada pelo novo marido, sem perceber que ela:

↳ Já tinha embebedado o cara até cair para ele não poder levantar e atacá-la, para começo de conversa, e
↳ Já o tinha matado depois de ele desmaiar de tanta grapa genoviana que havia bebido.

Mas, ah, bom. Antes tarde do que nunca.

Não faço a menor ideia de por que Grandmère me fez passar por essa farsa da audição, porque era óbvio que ela iria colocar o J.P. no papel de Gustav — só para agradar ao pai dele. Mas também preciso dizer que, de verdade, o J.P. era bom de verdade, TANTO com a parte da atuação QUANTO com a do canto (ele fez uma versão totalmente hilária de "The Safety Dance", dos Men Without Hats). E a Lilly vai ficar com o papel de Rosagunde. Quer dizer, a Lilly foi a melhor entre todas as meninas, sem dúvida nenhuma (a versão dela de "Bad Boyfriend" do Garbage quase fez a casa cair), e ela tem mais experiência com o negócio de atuar, por causa de seu programa de TV e tal.

E ela também foi ótima matando o Alboin — o que é apenas natural, porque se tem alguém que eu poderia ver estrangulando uma pessoa com uma trança na EAE, esse alguém é a Lilly. Ah, e talvez a Amber Cheeseman.

Mas, durante todo o tempo em que eu estava fazendo a minha audição, Grandmère ficava gritando: "Enuncie, Amelia!" e "Não dê as costas para o público, Amelia! O seu traseiro não é tão expressivo quanto o seu rosto!" (O que causou um certo arroubo de risadas na parte do salão em que os meus amigos estavam.)

E ela não pareceu NEM UM POUCO impressionada com a minha versão de "Barbie Girl" do Aqua (principalmente pelo refrão: "C'mon Barbie / Let's go party", que quer dizer "vamos lá, Barbie / Fazer festa", o que é altamente irônico, levando em conta minha incapacidade para fazer isso. Estou falando da parte da festa).

Falando sério, que negócio foi AQUELE? Quer dizer, até parece que ela vai me dar o papel; então, para que tanto grito? Quer dizer, o que eu sei sobre atuação? Além de uma breve participação como o rato de *O leão e o rato* na peça da quarta série, não tenho exatamente o que se pode chamar de experiência nas artes dramáticas.

Foi um alívio total quando Grandmère finalmente me deixou sentar.

Daí, quando voltamos para a cadeira, o J.P. disse "Ei, foi divertido, hein?" para mim.

E EU NÃO RESPONDI NADA!!!!!!!!!!!

PORQUE EU FIQUEI MUITO ATORDOADA!!!!!!!

Porque, para mim, o J.P. é o Cara que Detesta Quando Colocam Milho no Chili. Ele não é John Paul Reynolds-Abernathy IV. O Cara que Detesta Quando Colocam Milho no Chili não tem NOME. Ele é só... o Cara que Detesta Quando Colocam Milho no Chili. O cara sobre quem eu escrevi um conto. Um conto que foi rejeitado pela revista *Sixteen*. Um conto que eu espero, algum dia, expandir e transformar em um romance.

Um conto em cujo fim o Cara que Detesta Quando Colocam Milho no Chili se joga embaixo do metrô da linha F.

Como é que eu posso *conversar* com um cara que fiz se jogar embaixo do metrô da linha F — mesmo que TENHA SIDO só ficção?

Pior ainda, na saída, depois que as audições terminaram, a Tina (que cantou "With You", da Jessica Simpson) falou assim: "Ei, sabe o quê? O Cara que Detesta Quando Colocam Milho no Chili até que é bem fofo. Quer dizer, quando ele não está todo estressado por causa de milho."

"É", a Lilly concordou. "Pensando bem, ele é meio fofo, sim."

Esperei a Lilly terminar com algo como "Pena que ele é tão esquisito", ou "Pena o negócio do milho". Mas ela não fez isso. ELA NÃO FEZ ISSO. !!!!!!!!!!!!!!!!!!!!

As minhas amigas acham que o Cara que Detesta Quando Colocam Milho no Chili é fofo!!!! Um cara que eu MATEI no meu conto!

E é tudo culpa de Grandmère. Se não tivesse enfiado na cabeça que queria comprar uma ilha falsa idiota, ela nunca teria tido a ideia de escrever um musical — encená-lo então, nem pensar — para a minha escola, e eu nunca teria que conhecer o Cara que Detesta Quando Colocam Milho no Chili, muito menos descobrir que o apelido dele é J.P. e que, ao contrário do personagem do meu conto a respeito dele, ele NÃO é um solitário existencialista, mas sim um cara bem legal que tem a voz bonita para cantar, e que as minhas amigas acham fofo (e elas têm razão, ele é mesmo).

Meu Deus, eu odeio Grandmère.

Bom, tudo bem, é errado odiar os outros.

Mas eu não a amo, vamos colocar as coisas assim. Aliás, na lista das pessoas que eu amo, Grandmère não está nem nas primeiras cinco posições.

PESSOAS QUE EU AMO, NA ORDEM DE QUANTO EU AS AMO:

1. Fat Louie
2. Rocky
3. Michael
4. Minha mãe
5. Meu pai
6. Lars
7. Lilly
8. Tina
9. Shameeka/Ling Su/Perin
10. Sr. G
11. Pavlov, o cachorro do Michael
12. Os Drs. Moscovitz
13. O irmãozinho e as irmãzinhas da Tina Hakim Baba
14. A sra. Holland, minha professora de governo do semestre passado
15. Buffy, a caça-vampiros
16. Ronnie, a nossa vizinha de porta
17. Boris Pelkowski

18. Diretora Gupta
19. Rommel, o cachorro de Grandmère
20. Kevin Bacon
21.000. Sra. Martinez
22.000. O porteiro do Plaza que não quis me deixar entrar uma vez porque eu não estava com uma roupa bem chique
23.000. Trisha Hayes
24.000.000. Lana Weinberger
25.000.000.000. Grandmère

E eu não me sinto nem um pouquinho mal por isso. Foi ELA quem causou isso.

Quinta, 4 de março, em casa

Adivinha o que o sr. G fez para o jantar hoje?
Ah, isso mesmo. Chili.
Não tinha milho nele, mas, mesmo assim...
Talvez eu devesse ME jogar embaixo do metrô da linha F.

Quinta, 4 de março, em casa

Eu sabia que seria inundada de e-mails no minuto que ligasse o computador. E estava certa.

Da Lilly:

> **WomynRule:** Será que a sua avó tem noção de que o assunto da pecinha dela é praticamente proibido para menores? Quer dizer, contém tentativa de estupro, consumo excessivo de álcool,

assassinato, violência — praticamente a única coisa que não tem é palavrão, e só porque acontece no ano 568. E dá pra acreditar em como a Amber Cheeseman desafinou? Eu a deixei no chinelo, total. Se eu não ficar com o papel de Rosagunde, vai ser a maior injustiça. Eu fui FEITA para interpretar esse papel.

Da Tina:

Iluvromance: Hoje foi divertido! Realmente espero que eu fique com o papel de Rosagunde. Eu sei que não vou ficar, porque a Lilly foi ótima na audição, ela vai ficar com esse papel, total. Mas seria suuuuperlegal fazer o papel de princesa. Quer dizer, não para você, já que você faz papel de princesa na vida real e tal. Mas para alguém como eu, é o que eu quero dizer. Eu sei que a Lilly vai ficar com ele. Bom, só espero que eu não fique com o papel da amante do Alboin. Eu não ia querer representar uma amante. Além disso, acho que o meu pai não ia deixar.

Da Ling Su:

Painturgurl: Certo, está na cara que a Lilly vai ficar com o papel de Rosagunde, mas se eu ficar com o papel da amante, vou gritar! Atrizes de origem asiática sempre são relegadas a papéis em que são obrigadas a representar mulheres subservientes sexualmente. Ou, pior, só subservientes... tipo a empregada de Rosagunde. Eu me recuso a receber um papel estereotipado! Espero que ela não tenha achado que a minha representação de "Hollaback Girl", da Gwen Stefani, tenha sido muito estridente. Também quero saber se a sua avó vai precisar de ajuda com o cenário. Porque eu posso pintar uns castelos ótimos e tal.

Da Perin:

Indigogrlfan: Você não achou que hoje foi divertido? Eu sei que não me saí muito bem. É que eu fiquei tão surpresa, sabe como é?

Quer dizer, a sua avó pediu para eu ler a parte de Gustav, não de Rosagunde. Principalmente depois de eu ter cantado "They're Not Gonna Get Us", do T.A.T.U. Mas deve ter sido porque havia muito mais meninas do que meninos na audição. Você não acha que ela pensa que eu sou menino, acha???

Do Boris:

Joshbell2: Mia, você acha que a sua avó estaria disposta a incluir uma cena na peça dela em que Gustav pega um violino e faz uma serenata para Rosagunde? Porque eu realmente acho que isto daria uma certa profundidade emocional à produção, se eu for a pessoa escalada para o papel de Gustav. Além do mais, isso faria com que a peça ganhasse precisão histórica, já que a rabeca, predecessora do violino, data do ano 5000 a.C. Eu sei que "She Will Be Loved", do Maroon 5, não foi a escolha mais inspirada para a minha audição, mas a Tina disse que não achava que a sua avó ia gostar da outra única música que eu tinha preparado, que era "Cleaning Out My Closet", do Eminem.

Do Kenny:

E=MC2: Mia, estou preocupado com a sugestão que a sua avó fez quando eu estava voltando para minha cadeira depois da audição, quando ela disse que a pessoa que fizer o papel de Gustav, o ferreiro, tem que ter no mínimo a capacidade de deixar pelos crescerem no rosto. Parecia que ela estava dizendo que eu não sou capaz disso, e a verdade é que eu TENHO pelos faciais, só que são muito claros. Espero que a sua avó não demonstre preconceito em relação a pessoas loiras ao escolher seu elenco.

Da Shameeka:

Beyonce-Is-Me: Todo mundo só fala das audições de hoje! Parece que a Lilly vai conseguir o papel principal (e qual é a novidade?). Eu bem que queria ter estado lá. É verdade que o Cara que Detesta Quando Colocam Milho no Chili estava lá????

Falando sério: parece que todo mundo esqueceu que temos coisas mais graves com que nos preocupar além de quem vai ficar com o papel de Gustav e o de Rosagunde.

Tipo, por exemplo, o fato de que ainda estamos falidos.

Acho que isso não faz muita diferença para eles, já que eles não são os responsáveis.

Mas preciso dizer uma coisa em relação à escolha de peças de Grandmère: ela não poderia ter escolhido uma peça melhor para ilustrar de modo tão completo os problemas da realeza, já que, na hora de tomar decisões de governo, a gente está sempre sozinha. Como aconteceu com Rosagunde naquele quarto, há 1.500 anos, eu é que preciso tomar uma atitude.

Isso tudo é coisa demais para uma adolescente suportar. Preciso de alguém para me ajudar, alguém que me diga qual é a coisa certa a fazer. Será que eu devo simplesmente ser sincera com a Amber, confessar meu pecado e acabar com toda essa história?

Ou será que eu ainda tenho alguma chance de conseguir o dinheiro antes de ela descobrir?

É nessas horas que eu percebo como a minha rede de apoio familiar é, na verdade, absolutamente fraca. Quer dizer, não posso recorrer à minha mãe em relação a esse assunto. Ela era a responsável pela nossa TV a cabo ser cortada uma vez por mês, por esquecer de pagar a conta — pelo menos antes de o Sr. G vir morar com a gente.

E eu não posso recorrer ao meu pai. Se ele descobrir como eu acabei com o orçamento do meu conselho estudantil, ele não vai ficar muito feliz de ter que entregar o orçamento do nosso PAÍS para mim. A última coisa de que eu preciso agora é uma série de sermões do meu pai para falar a respeito de planejamento eficiente de custos municipais.

Eu já contei a Grandmère, e você viu no que deu. A quem mais eu posso recorrer, a não ser Michael, é óbvio?

E todo mundo sabe como ELE me ajudou muito nessa questão.

Falando do Michael, o único e-mail que recebi que não tinha nada a ver com a audição de *Trança!* foi o dele. E isto só porque ele não estuda mais na EAE, então não sabia do que estava acontecendo:

SkinnerBx: Ei, Thermopolis! Como está tudo? Eu estava aqui pensando se você não quer vir aqui amanhã à noite para um festival de filmes de ficção científica. Eu tenho que assistir a um monte deles para a minha optativa de história da ficção científica distópica no cinema e, como a festa é no sábado à noite, achei melhor assistir quando eu tiver tempo. Quer ver comigo?

Teria sido inapropriado se eu dissesse o que eu QUERIA dizer, que era: Michael, você é o sangue que corre nas minhas veias, minha razão de viver, a única coisa que me mantém sã no mar da vida agitado por tempestades, e não há nada que eu gostaria mais de fazer do que ver um monte de filmes distópicos de ficção científica com você amanhã à noite.

Porque é cafona dizer esse tipo de coisa em um e-mail.

Mas mesmo assim eu pensei.

FtLouie: Eu adoraria.

SkinnerBx: Excelente. A gente pode pedir uma comida no Number One Noodle Son.

FtLouie: E eu posso fazer um patê.

SkinnerBx: Patê? Para quê?

FtLouie: Para a festa! As pessoas não servem patê em festas?

SkinnerBx: Ah, é. Mas eu pensei em comprar alguma coisa no sábado à tarde, ou algo assim.

Dava para ver que a minha tentativa de parecer animada com a festa do Michael não tinha dado em nada. Mas, mesmo assim, insisti, porque eu não podia deixar que ele percebesse, sabe como é, que eu NÃO estou animada para a festa.

FtLouie: Patê feito em casa é sempre melhor. Posso fazer e deixar de um dia para o outro na geladeira, e assim vai estar bem geladinho para a festa. Estou muito animada com isso.

SkinnerBx: Hm. Tudo bem. Você é quem sabe. A gente se vê amanhã então.

FtLouie: Mal posso esperar!

Mas, na verdade, POSSO esperar sim... tanto a festa quanto o festival de filmes distópicos de ficção científica. Porque os filmes a que o Michael tem que assistir para o curso dele são o MAIOR tédio. Quer dizer, *Soylent Green*? Dá licença, mas é um saco.

Além do mais, muitos deles têm partes bem assustadoras, e filmes de terror causaram a maior confusão na minha cabeça. É sério. Eu acho que filmes de terror são responsáveis por metade, se não mais, das minhas neuroses.

VINTE MANEIRAS COMO OS FILMES DE TERROR BAGUNÇARAM A MINHA CABEÇA

1. Não posso ver uma cadeira sendo afastada da mesa sem pensar em *Poltergeist* e sempre preciso ajeitar a cadeira embaixo da mesa. O mesmo vale para gavetas abertas.
2. Não consigo passar pelas chaminés listradas de branco e vermelho na avenida FDR sem pensar no coitado do Mel Gibson em *Teoria da conspiração*.
3. Não posso atravessar nenhuma ponte sem pensar em *A última profecia*. O mesmo vale para fábricas de produtos químicos.
4. Depois de assistir *A bruxa de Blair*, não consigo mais
   ↳ entrar em bosques
   ↳ acampar
   ↳ entrar em sótãos escuros
   Não que eu fosse fazer alguma dessas coisas, de qualquer jeito. Mas agora eu não vou fazer MESMO.
5. Durante muito tempo, eu não consegui olhar para a TV sem pensar que uma menina ia sair de dentro dela para me matar, igual acontece em *O chamado* e *O chamado 2*.
6. Cada vez que vejo um beco, fico achando que vai ter um cadáver lá. Mas isto provavelmente é por causa de tantos episódios de *Lei e Ordem*, não por causa de filmes.

7. Nem venha me falar a respeito de ferver água em panelas no fogão (o coelho Whitey de *Atração fatal*).
8. Cachorrinhos brancos = Precioso de *O silêncio dos inocentes*.
9. Qualquer construção com aparência supermoderna, sem janelas, no meio do nada, é o lugar onde recolhem os órgãos das pessoas em coma do filme *Coma*.
10. Plantações de milho = o filme *Sinais*, e nós todos vamos morrer.
11. Depois de *Titanic*, eu nunca, nunquinha vou fazer um cruzeiro.
12. Sempre que vejo um caminhão-tanque na estrada, sei que vou morrer, porque sempre que um aparece nos filmes, explode.
13. Se um caminhão carregando um contêiner aparece atrás de nós, eu logo acho que está tentando nos matar, igual acontece no filme *O encurralado*.
14. Não consigo passar pelo túnel Holland sem pensar que vai estourar, como aconteceu em *Daylight*.
15. Não sei se algum dia vou ser capaz de ter um filho, graças a *O bebê de Rosemary*. Com certeza nunca vou morar no prédio Dakota. Não sei como a Yoko Ono aguenta.
16. Também nunca vou adotar uma criança, graças a *O anjo malvado*.
17. Nunca vou tomar anestesia para nada, a não ser cirurgia imprescindível, por causa de *Ela acordou grávida*.
18. Depois de conversar longamente com diversos técnicos de elevador, eu sei que, a menos que alguém coloque um aparelho incendiário em cima da cabine, como em *Velocidade máxima*, é matematicamente impossível que todos os cabos de sustentação arrebentem ao mesmo tempo. Mesmo assim, vai saber?
19. Graças a *Tubarão*, eu nunca mais vou colocar o pé no mar.
20. A ligação SEMPRE vem de dentro de casa.

Está vendo? Eu fiquei LOUCA por causa dos filmes. A razão toda por que eu odeio festa, provavelmente, é porque fiquei muito traumatizada por *Club Dread*, de Broken Lizard, a que assisti com o Michael, achando que ia ser uma comédia, tipo *Supertiras*. Só que era um filme de terror, sobre jovens que eram mortos em um resort tropical, geralmente durante uma festa.

O Michael não percebe o ENORME sacrifício que eu estou fazendo só por concordar em assistir a sei lá o que que ele vai me obrigar a assistir amanhã à noite.

Aliás, provavelmente uma das principais razões por que eu ainda não transcendi o meu ego e alcancei a autorrealização é por causa das cicatrizes psicológicas deixadas em mim pelos filmes. Fico aqui imaginando se o Dr. Carl Jung sabia disso quando inventou a autorrealização. Ou será que nem EXISTIAM filmes quando ele era vivo?

Do Gabinete de
Vossa Majestade Real

Princesa Amelia Mignonette
Grimaldi Thermopolis Renaldo

Caro Dr. Carl Jung,

Oi. Sei que o senhor está morto e tal, mas eu estava aqui pensando... Quando o senhor estava inventando a coisa toda da autorrealização, será que levou em conta a maneira como os filmes bagunçam com a cabeça das pessoas? Porque é muito difícil transcender o ego quando se pensa constantemente em coisas como caminhões-tanque explodindo na estrada.

E os adolescentes? Nós temos preocupações e inseguranças especiais, que os adultos simplesmente parecem não possuir. Quer dizer, eu nunca vi um único adulto preocupado com a possibilidade de um orador do último ano ter vontade de matar a gente.

E os namorados: não há uma única menção a namorados e nem mesmo a romance nos galhos da árvore junguiana da autorrealização. Compreendo que, para colher os frutos da vida (saúde, alegria, contentamento), é necessário começar pelas raízes (compaixão, caridade, confiança).

Mas será que dá mesmo para confiar no namorado se, por exemplo, ele planeja dar uma festa para a qual vai convidar garotas universitárias, que geralmente fumam e parecem fazer referências rotineiras a Nietzsche?

Não estou tentando criticá-lo nem nada do tipo. Eu só quero mesmo saber. Quer dizer, o senhor já assistiu a *Coma*? Foi assustador pra caramba, de verdade. E imagino que, se o senhor assistisse, poderia revisar algumas das suas exigências para transcender o ego. Tipo, por exemplo, a coisa toda da confiança. Quer dizer, eu sei que é bom confiar no médico da gente — até certo ponto.

Mas como é que a gente sabe MESMO que ele não vai colocar a gente em coma, de propósito, para retirar os nossos órgãos e vender para algum fulano bem rico da Bolívia?

Não tem como saber. Então, percebe? Tem uma falha na sua teoria como um todo.

Então. O que eu faço agora?

Sempre sua amiga,
Mia Thermopolis

Sexta, 5 de março, na limusine, a caminho da escola

Se a Lilly comentar mais uma vez sobre como a interpretação dela de Rosagunde vai fazer o retrato de Erin Brockovich de Julia Roberts parecer teatro amador, a minha cabeça vai se desatarraxar do pescoço, atravessar o teto solar e cair no rio East.

Sexta, 5 de março, Sala de Estudos

Acabaram de anunciar pelos alto-falantes que a lista do elenco de *Trança!* vai ser divulgada na frente da secretaria ao meio-dia.

Que sorte a minha. Dá para cortar a tensão que tem aqui com uma faca. E também não é só o nervosismo em relação a quem vai ficar com qual papel.

Mas o Clube de Teatro está louco da vida com o fato de alguém mais estar montando um musical para rivalizar com o dele. Estão dizendo que vão entrar em contato com os autores de *Hair* e contar o que Grandmère está fazendo — sabe como é, porque ela colocou um nome no musical dela que é bem parecido com o do deles.

Espero que façam isso.

Só que, se Grandmère for processada e suspender o espetáculo, vou ter que vender velas para levantar os cinco mil de que preciso.

Por outro lado, não há garantia de que uma versão musicada da história da minha ancestral Rosagunde vá conseguir arrecadar cinco mil com a venda de ingressos, para começar. Quer dizer, quem é que vai pagar alguma coisa para ver um espetáculo escrito pela minha avó? Uma vez ela fez um discurso em um evento beneficente para arrecadar fundos para a versão genoviana da Associação Protetora dos Animais sobre como a coisa mais doce que se pode fazer com um animal é imortalizá-lo para sempre tirando sua pele e transformá-la em um adorável tapetinho ou numa cobertura de divã.

Então, bom, você entende o que eu quero dizer com isso.

Sexta, 5 de março, Educação Física

A Lana acabou de perguntar se eu já estava com os convites dela. Fez essa pergunta quando eu estava colocando a calcinha depois do meu banho pós-jogo de vôlei, que é mais ou menos a posição mais vulnerável em que uma pessoa pode se encontrar.

Eu disse que ainda não tinha tido oportunidade de pegá-los, mas que pegaria.

A Lana então olhou para a minha calcinha do Jimmy Neutron e falou assim: "Tanto faz, esquisitona", e saiu andando antes que eu tivesse a chance de explicar que uso calcinha do Jimmy Neutron porque o Jimmy me lembra um pouco o meu namorado.

A parte genial. Não o cabelo.

Mas acho que talvez não faça diferença. Eu duvido muito de que Lana fosse capaz de entender — apesar do fato de que ela COSTUMAVA usar o short de futebol do namorado por baixo da saia da escola.

Sexta, 5 de março, Economia dos Estados Unidos

Procura = Quanto (quantidade) de um produto ou serviço é desejado pelos compradores.

Oferta = Quanto o mercado pode oferecer.

Equilíbrio = Quando oferta e procura são iguais, diz-se que a economia está equilibrada. A quantidade de bens fornecidos é exatamente igual à quantidade de bens procurados.

Desequilíbrio = Isto ocorre quando o preço ou a quantidade não é igual à procura/oferta.

(Então, basicamente, o conselho estudantil da EAE atualmente está em desequilíbrio, em razão de nossos fundos (zero) não serem iguais à procura pelo aluguel de uma noite do salão Alice Tully (US$ 5.728,00).)

Alfred Marshall, autor de *Os princípios da economia* (por volta de 1890): "A economia é, por um lado, o estudo da riqueza; por outro, e mais importante, é uma parte do estudo do homem."

Hm. Então isso meio que transforma a economia em uma ciência SOCIAL. Tipo a psicologia. Porque na verdade não tem a ver com números. Tem a ver com PESSOAS, e o que estão dispostas a gastar — ou fazer — para conseguir o que querem.

Tipo a Lana, por exemplo. Sabe como é, ela vai me dedurar para a Amber se eu não conseguir para ela os convites para a festa de Grandmère.

Esse foi um exemplo clássico de oferta (eu tinha a oferta) em contraposição à procura (ela procura que eu dê a ela o que deseja).

Tudo isso me leva a acreditar que é totalmente possível que a Lana Weinberger não seja nem um pouco autorrealizada:

Ela simplesmente é boa em economia!

Sexta, 5 de março, Inglês

Só falta um tempo para a lista ser divulgada! Ah, espero que o Boris consiga o papel de Gustav! Ele o quer demais!

Também espero que ele consiga, Tina! Espero que todo mundo consiga o papel que deseja.

Que papel VOCÊ quer, Mia?

Eu???? Nenhum!!! Eu não tirei foto, nem preenchi ficha, está lembrada? Eu sou horrível nesse tipo de coisa. Atuar e tal, quer dizer.

Não se deprecie assim! A sua imitação da Ciara foi EXCELENTE, de verdade. E eu achei que você foi superbem como Rosagunde! Você não quer o papel nem um pouquinho?

Não, de verdade. Sou escritora, não atriz. Está lembrada??? Eu quero ESCREVER as coisas que as pessoas dizem no palco. Bom, não exatamente, porque ninguém ganha dinheiro escrevendo peças. Mas você entende o que eu quero dizer.

 Ah. Certo. Faz sentido.

 Bom, só posso dizer que, se eu não ficar com o papel de Rosagunde, vamos saber que é só por causa da palavra com N.

Nudismo???? Quando foi que você ficou sabendo que ia ter uma cena de nudismo?

 Não, sua idiota. NEPOTISMO: Favoritismo demonstrado em relação a um integrante da família.

 Mas isso não vai acontecer porque a Mia não fez audição a sério e nem QUER papel nenhum. Então vai dar tudo certo, Lilly! Caramba, espero que todo mundo consiga o papel que deseja — mesmo que não seja NENHUM papel!

Apoiada!

Sexta, 5 de março, almoço

LISTA DO ELENCO PARA
*o musical de primavera alternativo
da Escola Albert Einstein*

Trança!

Coro: *Amber Cheeseman, Julio Juarez, Margaret Lee, Eric Patel, Lauren Pembroke, Robert Sherman, Ling Su Wong*

Pai de Rosagunde: *Kenneth Showalter*

Criada de Rosagunde: *Tina Hakim Baba*

Rei da Itália: *Perin Thomas*

Alboin: *Boris Pelkowski*

Amante de Alboin: *Lilly Moscovitz*

Gustav: *John Paul Reynolds-Abernathy IV*

Rosagunde: *Amelia Thermopolis Renaldo*

PRIMEIRO ENSAIO HOJE, ÀS 15h30
Hotel Plaza, Salão Nobre de Baile

Eu sei que só devo usar meu celular para emergências. Mas no minuto em que vi a lista do elenco, deu para ver que essa era uma emergência. Uma emergência ENORME. Porque Grandmère não tem ideia da MAGNITUDE do que ela fez.

Liguei para ela da fila rápida do almoço.

"Alô, este é o telefone de Clarisse, a princesa viúva de Genovia. No momento ou estou fazendo compras ou algum tratamento de beleza e não posso atender. Depois do sinal, por favor, deixe o seu nome e telefone e retornarei a ligação em breve."

Caramba, eu mandei ver. Pelo menos na secretária eletrônica:

"Grandmère! O que você acha que está fazendo para me colocar no elenco do seu musical? Você sabe que eu nem queria fazer a audição, e que não tenho absolutamente nenhum talento para ser atriz!"

A Tina, na fila, ao meu lado, estava me dando cotoveladas, falando:

"Mas a sua versão de 'Barbie Girl' estava muito boa!"

"Bom, tudo bem, talvez eu saiba cantar!", gritei no telefone "mas a Lilly é muito melhor! É bom você retornar a minha ligação logo, para a gente resolver essa confusão, porque você está cometendo um erro ENORME." Ajuntei esta parte final por causa da Lilly, que, apesar de ter encarado a coisa toda muito bem, ainda estava com os olhos um pouco vermelhos quando se juntou a nós na fila rápida, depois de ter sumido dentro do banheiro durante muito tempo, depois de ter visto a lista do elenco.

"Não se preocupe", eu disse para Lilly depois de desligar. "Você está destinada para o papel de Rosagunde. Mesmo."

Mas Lilly fingiu que não estava ligando. "Tanto faz. Até parece que eu já não tenho coisas demais para fazer. Não sei se eu ia ter tempo para decorar todas aquelas falas, aliás."

O que é ridículo, porque Lilly tem praticamente memória fotográfica, e quase cem por cento de memória auditiva (o que faz com que brigar com ela seja superdifícil, porque às vezes ela desenterra umas coisas que você disse, tipo, cinco anos antes, e não se lembra de jamais ter dito. Mas ELA lembra. Perfeitamente).

Isso está totalmente errado! E se alguém merece o papel principal de *Trança!* é ela!

"Pelo menos com o papel de amante do Alboin", Lilly disse, toda corajosa "eu só vou ter algumas falas: 'Por que você vai se casar com ela, que não quer saber de você, já que me pode ter, que o adoro tanto?', ou sei lá o quê. Então vou ter muito tempo para me dedicar a coisas que importam MESMO. Tipo *A bundinha rosa do Fat Louie*."

E, tudo bem, eu me senti péssima pela Lilly, porque ela merece total o papel de Rosagunde e tal.

MAS CONTINUO ODIANDO ESSE NOME!!!

Sexta, 5 de março, mais tarde no almoço

Então todo mundo está apavorado porque, no caminho de volta para a nossa mesa, depois de pegar a comida, eu dei uma parada no lugar onde J.P. estava sentado sozinho e perguntei se ele queria ficar com a gente.

Não sei qual é o problema. Quer dizer, até parece que eu de repente tirei toda a roupa e comecei a dançar hula-hula na frente de todo mundo. Eu só disse para um cara que a gente conhece, com quem alguns de nós provavelmente vão passar bastante tempo no futuro próximo, para sentar com a gente, se quisesse.

E ele agradeceu.

E, sem que eu percebesse, John Paul Reynolds-Abernathy IV estava colocando a bandeja dele do lado da minha.

"Ah, oi, J.P.", a Tina disse. Ela lançou um olhar de aviso para o Boris, já que ele tinha demonstrado tanta objeção quando eu sugeri que a gente convidasse o J.P. para sentar com a gente, quando nós só nos referíamos a ele como o Cara que Detesta Quando Colocam Milho no Chili.

Mas Boris, com muita sabedoria, evitou dizer qualquer coisa sobre não querer comer com uma pessoa que odeia milho.

"Obrigado", J.P. disse, apertando-se no espaço que abrimos para ele na nossa mesa. Não que ele seja gordo. É que ele é... grande. Sabe, superalto e tal.

"Então, o que você achou do falafel?", J.P. perguntou para Lilly, que parecia atordoada por estar na companhia de um cara quem tínhamos meio que passado os dois anos anteriores fazendo piada.

Ela ficou ainda mais surpresa quando percebeu que os dois tinham exatamente as mesmas coisas na bandeja: falafel, salada e bebida achocolatada Yoo-hoo.

"Está bom", ela disse, olhando para ele meio que com uma cara engraçada. "Se você colocar bastante *tahine* por cima."

"Tudo fica bom", J.P. respondeu, "quando a gente coloca bastante *tahine* por cima."

ISSO É TÃO VERDADE!!!!!!

Pode deixar a cargo do Boris dizer "Até milho?", todo inocente.

A Tina lançou outro olhar de aviso para ele...

... Mas já era tarde demais. O estrago estava feito. Boris, claramente, não conseguiu se segurar. Começou a dar risada atrás de um guardanapo, fingindo estar assoando o nariz.

"Bom", J.P. respondeu, mordendo a isca de bom humor. "Isso eu não sei dizer. Talvez sim, mas talvez também ficasse bom se a gente colocasse por cima de um monte de borrachas."

A Perin ficou alegre com essa afirmação.

"Eu sempre achei que borrachas seriam boas fritas", ela disse. "Quer dizer, às vezes, quando eu como marisco, é isso que me lembra. Borracha frita. Então aposto que ficam boas com *tahine* por cima, sim."

"Ah, pode crer", J.P. disse. "Pode fritar qualquer coisa que fica bom. Eu comeria um desses guardanapos se estivesse frito."

Tina, Lilly e eu trocamos olhares surpresos. Acontece que o J.P. é meio... engraçado.

Tipo de um jeito bem-humorado, não estranho.

"A minha avó faz gafanhotos fritos às vezes", a Ling Su ofereceu. "São bem bons."

"Está vendo", J.P. disse. "Eu bem que falei pra vocês." Então ele olhou para mim e falou: "O que você tanto escreve aí, Mia? É alguma coisa para a próxima aula?"

"Não ligue pra ela", Lilly disse, com uma risada de desdém. "Ela só está escrevendo no diário dela. Como sempre."

"Isso aí é um diário?", J.P. perguntou. "Eu sempre fiquei imaginando o que era." Então, quando eu lancei um olhar questionador para ele, ele falou: "Bom, toda vez que eu olho para você, está com o nariz enfiado nesse caderno."

O que só pode significar uma coisa: todo o tempo que ficamos olhando para o Cara que Detesta Quando Colocam Milho no Chili, ele também ficou olhando pra gente!

O mais esquisito ainda é que ele abriu a mochila e tirou um caderno Mead de pauta larga com capa preta marmorizada coberta de NÃO MEXA! PARTICULAR! escrito várias vezes.

IGUALZINHO AO MEU!!!!!!!!!!!!!!!!!!!

"Também curto caderno Mead", ele explicou. "Só que o meu não é um diário."

"O que você escreve nele, então?", Lilly, sempre pronta para fazer perguntas indiscretas, quis saber.

J.P. pareceu ficar um pouco acanhado.

"Ah, eu só faço uns textos autorais de vez em quando. Bom, quer dizer, não sei se são muito bons. Mas, sabe como é. Sei lá. Eu tento."

A Lilly perguntou a ele imediatamente se tinha alguma coisa que gostaria de usar como contribuição para a primeira edição de *A bundinha rosa do Fat Louie*. Ele virou algumas páginas e daí perguntou:

"Que tal isto aqui?", e leu em voz alta:

Filme Mudo
por J.P. Reynolds-Abernathy IV

Somos vistos o tempo todo
Pela máquina silenciosa de vigilância de Gupta.
Que tipo de mosca precisa de tantos olhos?
Em cada curva do corredor uma surpresa.
A segurança de Gupta não é muito segura,
já que sabemos que só se baseia em medo.
Se as coisas fossem do meu jeito, eu não estaria aqui,
Só que as minhas mensalidades já estão pagas até o final do ano

Uau. Quer dizer... UAU. Isso foi tipo... totalmente bom. Não entendi muito bem, mas acho que é sobre, tipo, as câmeras de segurança, e que a diretora Gupta acha que sabe tudo sobre nós, mas não sabe. Ou algo assim.

Na verdade, não sei a respeito do que é. Mas deve ser bom, porque até a Lilly pareceu ficar impressionada. Ela tentou fazer J.P. colocar o texto em *A bundinha rosa do Fat Louie*. Ela acha que isso pode derrubar toda a diretoria.

Meu Deus. Não é sempre que a gente conhece um menino que sabe escrever poesia. Ou que é capaz de ler qualquer coisa. Além das instruções de um Xbox, quer dizer.

Como é estranho pensar que o Cara que Detesta Quando Colocam Milho no Chili é escritor, como eu. E se durante todo o tempo que fiquei escrevendo contos sobre J.P. ele ficou escrevendo contos sobre MIM? Tipo e se ELE escreveu um conto chamado "Chega de carne!" sobre a vez que colocaram carne na lasanha vegetariana e eu por acaso comi um pouco e dei o maior ataque do mundo?

Meu Deus. Seria tipo... a maior chatice.

Sexta, 5 de março, S & T

Grandmère retornou a minha ligação bem quando tocou o sinal para avisar o fim do horário de almoço.

"Amelia", ela disse, toda empertigada. "Você estava precisando de mim para alguma coisa?"

"Grandmère, que ideia foi essa de me colocar no elenco do seu musical?", eu quis saber. "Você sabe que eu não quero participar. Eu não preenchi a ficha da audição, está lembrada?"

"É só isso?", Grandmère parecia decepcionada. "Achei que você só podia usar o seu celular em casos de emergência. Acredito que isso não constitua uma emergência, Amelia."

"Bom, está errada", informei a ela. "Essa É uma emergência. Uma crise emergencial no nosso relacionamento, o seu e o meu."

Grandmère pareceu achar essa afirmação totalmente hilária.

"Amelia", ela disse. "Qual é a coisa sobre o que você mais tem reclamado desde que descobriu que era, na realidade, uma princesa?"

Eu tive que pensar para responder.

"De ter um guarda-costas me seguindo para todos os lados?", perguntei em um sussurro, para o Lars não escutar e não ficar ofendido.

"O que mais?"

"Não poder ir a lugar nenhum sem os paparazzi me seguindo?"

"Pense mais uma vez."

"O fato de que eu tenho que passar as minhas férias de verão comparecendo a sessões do Parlamento, em vez de ir para um acampamento, igual aos meus amigos?"

"As aulas de princesa, Amelia", Grandmère diz, ao telefone. "Você as abomina e despreza. Bom, adivinha o quê?"

"O quê?"

"As aulas de princesa estão canceladas durante os ensaios para *Trança!*. O que você acha disto?"

Quase dava para ouvir a satisfação presunçosa na voz dela. Ela achou total que ia conseguir me ganhar com essa história.

Mal sabia ela que a minha lealdade para com os meus amigos é maior do que o meu ódio pelas aulas de princesa!

"Bela tentativa", informei a ela. "Mas eu prefiro ter que aprender a dizer 'por favor, passe a manteiga' em cinquenta mil línguas do que ver a Lilly ficar sem o papel que ela merece."

"Lilly está desgostosa com o papel que recebeu?", Grandmère perguntou.

"Está sim! Ela é a melhor atriz entre todas nós, ela tinha que ficar com o papel principal! Mas você deu a ela o papel idiota da amante de Alboin, e ela só tem, tipo, duas falas!"

"Não existem papéis pequenos no teatro, Amelia", Grandmère disse. "Apenas atores pequenos."

O QUÊ? Eu não fazia ideia do que ela estava falando.

"Tanto faz, Grandmère", eu disse. "Se você quiser que o seu espetáculo dê certo, deve escalar Lilly para o papel principal. Ela..."

"Por acaso eu mencionei", Grandmère interrompeu, "como gostei de conhecer a sua amiga Amber Cheeseman?"

O meu sangue literalmente gelou, e eu fiquei paralisada na frente da sala de superdotados & talentosos, com o telefone colado na orelha.

"O-o quê?"

"Imagino o que a Amber diria", Grandmère prosseguiu, "se por acaso eu mencionasse a ela que você gastou todo o dinheiro da cerimônia de formatura dela em cestos para lixo reciclável."

Fiquei chocada demais para falar. Só fiquei lá parada, enquanto o Boris tentava passar por mim com o estojo do violino dele e falava:

"Hm, dá licença, Mia?"

"Grandmère", eu disse, mal conseguindo falar porque minha garganta tinha ficado totalmente seca. "Você não faria isso."

A resposta dela abalou todas as estruturas do meu corpo:

"Ah, faria sim."

GRANDMÈRE, eu queria gritar, VOCÊ NÃO PODE ANDAR POR AÍ AMEAÇANDO SUA ÚNICA NETA!!!!!!!!!!! QUAL É O SEU PROBLEMA??????

Mas é lógico que não dava. Para gritar isso. Porque eu estava no meio da sala da superdotados & talentosos. Falando em um celular.

E mesmo que SEJA superdotados & talentosos, e todo mundo nesta aula seja mesmo esquisito de verdade, não dá para ficar gritando no celular ali.

"Achei que isso poderia mudar o seu ponto de vista sobre a situação", Grandmère ronronou. "Eu obviamente não vou dizer nada para a sua amiguinha a respeito do estado do tesouro do conselho estudantil. Mas, em retribuição, você vai me ajudar a resolver minha atual crise de Estado ao ser a atriz principal de *Trança!*. O negócio, Amelia, é que, como descendente de Rosagunde, você adicionará muito mais autenticidade ao papel do que a sua amiga Lilly poderia trazer — além do mais, você é muito mais bonita do que a Lilly, que, sob certo tipo de iluminação, sempre fica parecida com aqueles cachorros de cara amassada."

Um pug! E eu achando que só eu é que havia reparado!

"A gente se vê no ensaio hoje à tarde, Amelia", Grandmère cantarolou. "Ah, e se souber o que é bom para você, mocinha, não vai comentar sobre o nosso acordo com ninguém. NINGUÉM, nem com o seu pai. Entendeu?"

Daí ela desligou.

!!!!!!!!!!!!!!!!!!

Não dá para acreditar. Realmente não dá. Quer dizer, acho que eu sempre meio que soube, secretamente, lá no fundo. Mas ela nunca havia feito nada assim tão ESPALHAFATOSO.

Mesmo assim, acho que finalmente eu vou ter que reconhecer, já que é mesmo verdade:

A minha avó é DIABÓLICA. Falando sério.

Afinal, que tipo de mulher usa CHANTAGEM para fazer com que a neta faça suas vontades?

Vou dizer que tipo: o tipo DIABÓLICO.

Ou, possivelmente, Grandmère é sociopata. Não me surpreenderia nem um pouco. Ela exibe todos os principais sintomas do distúrbio. Tirando talvez a mania de desrespeitar as leis constantemente.

Embora Grandmère possa até não desrespeitar leis *federais*, ela desrespeita as leis do decoro o tempo TODO.

Depois que eu terminei de falar com Grandmère, peguei Lilly olhando para mim por cima do computador onde ela estava fazendo a diagramação da primeira edição de *A bundinha rosa do Fat Louie*.

"Algum problema, Mia?", ela quis saber.

"Sobre o negócio da Rosagunde", expliquei para ela. "Sinto muito, mas Grandmère está irredutível. Ela disse que eu tenho que fazer esse papel, senão ela vai contar para Você Sabe Quem a respeito de Você Sabe o Que e eu vou apanhar pra valer."

Os olhos escuros da Lilly brilharam por trás dos óculos.

"Ah, ela disse, é mesmo?" Ela nem pareceu surpresa.

"Sinto muito, de verdade, Lilly", eu disse, de coração. "Você seria uma Rosagunde muito melhor do que eu."

"Tanto faz", a Lilly disse, virando o nariz. "Vou ficar bem com o meu papel. Mesmo."

Mas dava para ver que ela só estava mostrando ser corajosa. Por dentro, ela estava mesmo muito magoada.

E eu não a culpo. Nada disso faz sentido. Se Grandmère quer que o espetáculo dela seja um sucesso, por que não quer a melhor atriz que pode encontrar? Por que insiste em que o papel principal seja interpretado por MIM, basicamente a pior atriz da escola inteira — tirando talvez a Amber Cheeseman?

Ah, sei lá. Quem é que entende por que Grandmère faz metade das coisas que faz? Imagino que deve ter algum tipo de razão por trás disso tudo.

Mas nós, meros seres humanos, jamais entenderemos qual é. Esse é um privilégio reservado apenas aos outros alienígenas vindo da nave-mãe que trouxe a minha avó para cá, do planeta diabólico em que ela nasceu.

Sexta, 5 de março, Ciências da Terra

O Kenny acabou de perguntar se eu posso passar a limpo a nossa ficha sobre massa molecular porque ontem à noite, enquanto estava completando as questões, ele sujou o papel com molho chinês tipo Sichuan.

Não sei o que deu em mim. Talvez fosse maldade residual que sobrou da minha conversa com Grandmère. Quer dizer, vai ver que um pouco da maldade DELA passou para mim, ou algo assim. Não sei que outra explicação pode ter.

De todo modo, seja lá o que tenha sido, eu resolvi aplicar a teoria econômica à situação. Eu simplesmente pensei: *por que não?* A coisa toda da autorrealização não deu certo para mim. Por que não dar uma chance ao velho Alfred

Marshall? Parece que todo mundo anda dando. Tipo a Lana.

E ELA sempre consegue o que ELA quer. Assim como GRANDMÈRE sempre consegue o que quer.

Então eu disse ao Kenny que só passaria a limpo se ele fizesse o dever de casa de hoje também.

Ele olhou para mim de um jeito meio estranho, mas disse que faria. Acho que ele olhou para mim de um jeito meio estranho porque ele faz nosso dever de casa TODOS os dias.

Mesmo assim. Não acredito que eu demorei tanto tempo para entender como a sociedade funciona. Durante todo esse tempo, eu fiquei pensando que eu precisava da transcendência junguiana para encontrar a serenidade e o contentamento.

Mas Grandmère — e a Lana Weinberger, ninguém menos — me mostrou como a minha ideia estava errada.

Não tem nada a ver com formar uma base de raízes tais como confiança e compaixão para colher os frutos da alegria e do amor.

Não. Tudo tem a ver com as leis da oferta e da procura. Se você *procura* alguma coisa e é capaz de fornecer o incentivo adequado para fazer com que as pessoas entreguem essa coisa, elas a *ofertarão*.

E o equilíbrio continua estável.

É meio surpreendente. Eu não fazia ideia de que Grandmère era um gênio da economia assim.

Nem que a LANA pudesse ME ensinar alguma coisa.

Isso meio que coloca tudo sob uma nova luz.

E realmente estou falando de *tudo*.

* **DEVER DE CASA**

<u>Educação Física</u>: SHORT DE GINÁSTICA!!! SHORT DE GINÁSTICA!!!! SHORT DE GINÁSTICA!!!!!

<u>Economia dos Estados Unidos</u>: Ler o capítulo 9 para segunda-feira

<u>Inglês</u>: Páginas 155-175, *O Pioneers!*

<u>Francês</u>: *Vocabulaire 3ème étape*

<u>Superdotados & Talentosos</u>: Encontrar aquele sutiã com enchimento

de água que a Lilly comprou para mim aquela vez, de brincadeira. Usar na festa.

<u>Geometria</u>: Capítulo 18

<u>Ciências da Terra</u>: Quem se importa? O Kenny vai fazer! HA-HA-HA-HA

Sexta, 5 de março, Salão Nobre de Baile do Hotel Plaza

Para o primeiro ensaio de *Trança!*, fizemos o que Grandmère chamou de "leitura". A gente deveria ler o roteiro juntos, em grupo, cada ator dizendo as suas falas em voz alta, da maneira como se estivesse no palco.

Posso dizer uma coisa? Esse tipo de leitura é muito chato.

Eu estava com o meu diário enfiado atrás do roteiro para que ninguém pudesse ver que eu estava escrevendo, em vez de acompanhar. Apesar de ter sido meio complicado ficar tirando o roteiro de trás do diário cada vez que eu recebia uma deixa.

Uma deixa é a fala anterior à sua. Ultimamente, ando descobrindo um monte de coisas teatrais.

Tipo que Grandmère, embora possa ter escrito os diálogos de *Trança!*, não escreveu as músicas. As músicas foram compostas por um cara chamado Phil. O Phil é o mesmo cara que estava tocando piano para nos acompanhar na audição de ontem. Acontece que Grandmère pagou uma tonelada de dinheiro ao Phil para escrever as melodias que acompanham as letras dela em todas as canções de *Trança!*.

Ela diz que pegou o nome dele no quadro de empregos da Faculdade Hunter.

Mas parece que Phil não teve muito tempo para aproveitar o monte de dinheiro que ganhou. Basicamente, ele passou a noite acordado para compor as melodias de *Trança!*, e também parece que ele ainda não conseguiu recuperar o sono perdido. Parecia que estava tendo muita dificuldade mesmo de ficar acordado durante a leitura do roteiro.

E não foi o único. O *Señor* Eduardo não abriu os olhos NEM UMA VEZ depois da primeira fala da peça (proferida por Rosagunde: "Oh, lá, que alegria é viver neste vilarejo dorminhoco e pacífico à beira-mar." DEIXA: PRIMEIRA CANÇÃO).

É bem possível que o *Señor* Eduardo esteja morto.

Bom, isso não seria assim tão ruim. Todo mundo podia ficar falando assim: "Ele morreu fazendo aquilo que mais amava", como fizeram naquele filme horroroso para a TV em que a menina caiu da árvore e quebrou o pescoço no dia em que ganhou um cavalo novo.

Ah, não, espere. Ele acabou de roncar. Então, no final das contas, não está morto.

Droga, minha fala:

"Oh, Gustav, não ouse dizer que és um camponês! As ferraduras que fazes para nossos cavalos dão força a suas passadas, e as espadas que forjas para nosso povo dão coragem à sua luta contra a tirania!"

Daí era a vez do J.P. dizer a fala dele. Sabe, o J.P. não é mau ator. E não posso deixar de notar que está com o caderno DELE enfiado na frente do roteiro DELE!

Sabe o que ia ser esquisito? Se ele estivesse escrevendo sobre MIM ao mesmo tempo que estou escrevendo sobre ELE. Tipo e se o J.P. for a minha versão masculina? A gente tem muita coisa em comum — tirando, sabe como é, o fato de ele não ser da realeza.

Bom, mas o negócio é que eu estava conversando um pouco com ele antes de o ensaio começar (porque eu percebi que todo mundo o estava ignorando — bom, o Boris e a Tina estavam ocupados se agarrando, como fazem bem mais agora que o Boris não usa mais o aparelho dele, e Lilly estava repassando seus comentários editoriais a respeito da tese do Kenny sobre estrelas anãs, e a Perin estava tentando convencer Grandmère de que ela é menina, não menino, e a Ling Su estava tentando manter a Amber Cheeseman longe de mim, coisa que prometeu fazer em sua condição de integrante do coro) e J.P. me disse que não tem interesse em atuar — que a única razão por que ele participava de todas as audições que o clube de teatro da EAE fazia era porque a mãe e o pai dele são loucos por teatro, e sempre quiseram ter um filho que trabalhasse com isto.

"Mas eu preferia ganhar a vida escrevendo, sabe?", o J.P. disse. "Não que, sabe como é, exista muito emprego por aí para um poeta. Mas, quer dizer, eu prefiro ser escritor a ator. Porque os atores, se a gente pensar bem, só interpretam coisa que outra pessoa escreveu. Eles não têm PODER. O verdadeiro poder está nas palavras que dizem. Que outra pessoa escreveu. É nisso que eu estou interessado. Quero ser o poder *por trás* das Julia Roberts e do Jude Law do mundo."

!!!!!!!!!!!!!!!!!!!!!!!

Que coisa esquisita!!!! Porque uma vez eu disse quase exatamente a mesma coisa!!!! Acho.

Além do mais, entendo o que é isso, essa pressão de fazer alguma coisa só para agradar aos pais. Assunto em pauta: aulas de princesa. Ah, e não me reprovar em geometria, apesar de isto não me trazer nenhuma vantagem no futuro.

O único problema é que, apesar de ele ter se inscrito em todos os espetáculos que a EAE montou, o J.P. nunca conseguiu nenhum papel. Ele acha que é porque o clube de teatro é a maior panelinha.

"Quer dizer, acho que se eu quisesse MESMO um papel em um dos espetáculos deles", ele me disse, "eu poderia ter tentado me enturmar com o grupo deles — sabe como é, sentar à mesa deles no almoço, ficar com eles na frente da escola, pegar café na Ho's Deli para eles, colocar um piercing no nariz, começar a fumar cigarros de cravo e tal. Mas a verdade é que eu não suporto atores. Eles são tão egocêntricos! Eu simplesmente me canso de ficar assistindo à encenação deles, sabe como é? Porque é sempre assim quando a gente conversa com eles. Parece que estão sempre fazendo um monólogo só para você."

"Bom", eu disse, pensando em todas as histórias que eu tinha lido a respeito dos atores adolescentes na revista US *Weekly*. "Talvez seja porque eles são inseguros. A maior parte dos adolescentes é, sabe? Inseguros, quer dizer."

Eu não comentei que, entre todos os adolescentes com que o J.P. já falou na vida, eu sou provavelmente a MAIS insegura de todos. Não que eu não tenha bons motivos para ser insegura. Quer dizer, quantos outros adolescentes você conhece que não têm a mínima noção de como se divertir em uma festa e que têm uma avó que os chantageia?

"Talvez", J.P. respondeu. "Ou talvez eu seja crítico demais. A verdade é que eu não me considero do tipo que entra para uma panelinha. Eu sou mais do tipo solitário. Caso você não tenha notado."

J.P. sorriu para mim depois de dizer isso, tipo um sorrisinho acanhado. Deu meio para ver do que Tina e Lilly estavam falando, sobre ele ser fofo. Ele É meio fofo. Tipo um urso de pelúcia bem grande.

E ele tem razão sobre os atores. Quer dizer, a julgar pelo que eu vi deles em programas de entrevistas. Eles nunca param de falar sobre si mesmos!

Mas tudo bem, acho que o entrevistador pergunta sobre isso. Mas mesmo assim.

Ops, é minha vez de novo.

"Criada, traga-me a grapa mais forte das desponsael Ensinarei a este bruto o que significa zombar da linhagem dos Renaldo."

Ai, meu Deus. Ainda faltam duas horas para eu ver Michael. Nunca precisei tanto cheirar o pescoço dele quanto agora. Infelizmente eu não posso dizer a ele o que está me incomodando — a coisa toda de eu não ser uma menina festeira —, mas pelo menos posso encontrar algum conforto por estar com ele na cozinha dos pais dele, fazendo um patê, ouvindo a voz profunda dele enquanto me fala sobre a teoria do caos ou algo assim.

POR FAVOR, FAÇA COM QUE ISSO ACABE.

Ops, é a minha vez de novo:

"Em nome do meu pai, eu te envio, lorde Alboin, para o inferno, onde é o teu lugar!"

Oba! Alegria e felicitações! Alboin está morto! Cantar a última canção e então fazer uma roda para o final! Oba! Agora podemos ir para casa! Vamos poder sair com o namorado!

Não, espere. Grandmère tem mais um recado a dar:

"Eu gostaria de agradecê-los por aceitarem se juntar a mim na viagem extraordinária que estamos prestes a fazer juntos. Ensaiar e montar *Trança!* vai ser um dos projetos criativos mais satisfatórios que qualquer um de vocês já realizou. E imagino que a recompensa será muito maior do que jamais sonhamos em colher..."

Que legal da parte dela olhar bem para mim ao dizer essa frase. Por que ela não pega logo e diz: "E a Amber Cheeseman não vai matar você por ter gasto o dinheiro da formatura dela."

"Mas, antes que possamos chegar perto de conquistar essa recompensa, vamos precisar trabalhar, e muito", ela prosseguiu. "Os ensaios serão diários e avançarão muito, noite adentro. Vocês precisarão informar a seus pais que não os esperem para o jantar na semana que vem. E terão, logicamente, memorizado todas as suas falas até segunda-feira."

A afirmação dela fez com que todo mundo começasse a cochichar. Rommel, incomodado com a dor psicológica óbvia no salão, começou a lamber suas partes pudendas de maneira compulsiva, como faz em momentos de estresse.

"Acho que não consigo decorar todas essas palavras em italiano até lá, Vossa Alteza", Perin disse, toda nervosa.

"Bobagem", Grandmère disse. *"Nessun dolore, nessun guadagno."*

Mas como ninguém nem sabia o que aquilo queria dizer, todo mundo continuou tendo chilique.

Menos J.P., aparentemente. Ele disse com sua voz calma e profunda de cuidado com *Meu guarda-costas*:

"Ei, pessoal, vamos lá. Acho que a gente consegue. Até que vai ser divertido."

Demorou um ou dois segundos para a gente conseguir absorver isso. Mas quando finalmente absorvemos, foi Lilly, surpreendentemente, que disse: "Sabe, J.P. tem razão. Eu também acho que a gente consegue."

O que fez Boris soltar um:

"Dá licença, mas por acaso não era você mesma que estava reclamando, agorinha há pouco, que tem a primeira edição da revista literária da escola para terminar neste fim de semana?"

Lilly preferiu ignorar. J.P. ficou com cara de quem estava meio confuso.

"Bom, não sei nada sobre terminar revistas", ele disse. "Mas aposto que, se a gente se reunir amanhã de manhã e talvez no domingo também, e fizermos mais algumas leituras, a gente vai conseguir decorar a maior parte das falas até segunda."

"Excelente ideia", Grandmère disse, batendo palmas tão alto que fez o *Señor* Eduardo abrir os olhos, todo sonolento. "Assim vamos ter tempo suficiente para trabalhar com a coreógrafa e a instrutora vocal."

"Coreógrafa?", Boris parecia horrorizado. "Instrutora vocal? De quanto tempo exatamente estamos falando aqui?"

"Do tempo", Grandmère disse bem firme, "de que precisarmos. Agora, vão todos para casa descansar! Sugiro que façam um jantar bem nutritivo para que amanhã tenham forças para o ensaio. Um bife malpassado, com uma saladinha e uma batata assada com muita manteiga e sal é uma refeição adequada para um tespiense que deseja conservar as forças. Espero vê-los todos aqui amanhã de manhã, às dez. E tenham um bom café da manhã — com ovos e bacon, e muito café! Não quero ver nenhum dos meus atores desmaiando de exaustão na minha frente! E saibam que a leitura foi boa, pessoal! Excelente! Demonstraram muita emoção boa e sincera. Vamos aplaudir a nós mesmos!"

Lentamente, um por um, começamos a bater palmas — só porque, se não começássemos, era óbvio que Grandmère nunca nos deixaria sair dali.

Infelizmente, nossos aplausos acordaram o maestro adormecido. Nosso diretor. Ou sei lá o que que ele era.

"Muito obrigado!" O *Señor* Eduardo agora estava acordado o bastante para achar que estávamos batendo palmas para alguma coisa que ele tivesse feito. "Obrigado a todos! Mas eu não teria conseguido se não fossem vocês. Vocês são todos muito gentis."

"Bom", J.P. acenou para mim. "A gente se vê amanhã de manhã, Mia. Não esqueça de comer o seu bife! E o bacon!"

"Ela é vegetariana", Boris, que ainda parecia meio hostil porque ia ter que diminuir muito os ensaios de violino dele, observou.

J.P. piscou.

"Eu sei", ele disse. "Foi uma piada. Quer dizer, depois de ela ter tido aquele ataque por causa da carne na lasanha vegetariana daquela vez, a ESCOLA inteira sabe que ela é vegetariana."

"Ah, é?", Boris disse. "O que você pode dizer, Sr. Cara que Detesta Quando Colocam..."

Eu tive que tapar a boca do Boris com a mão antes de ele terminar.

"Boa-noite, J.P.", eu disse. "A gente se vê amanhã!" Daí, depois que ele tinha ido embora, eu soltei o Boris, e precisei limpar a mão com um guardanapo.

"Caramba, Boris", eu disse. "Como você baba!"

"Eu tenho um problema de superprodução de saliva", ele me informou.

"AGORA é que você me diz."

"Uau, Mia", Lilly disse quando estávamos saindo. "Você exagerou, hein? Aliás, qual é o seu problema? Você *gosta* daquele tal de J.P. ou o quê?"

"Não", eu respondi, ofendida. Caramba. Quer dizer, só faz um ano e meio que eu namoro o irmão dela. A esta altura ela devia SABER de quem eu gosto. "Mas vocês pelo menos podiam ser legais com ele."

"A Mia só está se sentindo culpada", o Boris observou. "Porque ela o matou no conto dela."

"Não, não estou!", explodi.

Mas, como sempre, era a maior mentira. Eu me sinto culpada *sim* por ter matado J.P. no meu conto.

E juro que nunca mais mato nenhum personagem baseado em pessoas reais nas minhas obras de ficção.

Menos quando eu escrever um livro sobre Grandmère, lógico.

Sexta, 5 de março, 22h, na sala dos Moscovitz

Quer saber uma coisa sobre esses filmes a que o Michael está me fazendo assistir? São a maior depressão! A ficção científica distópica simplesmente não é a minha. Quer dizer, até a PALAVRA "distópica" acaba comigo. Porque distopia é o OPOSTO de utopia, que significa uma sociedade idílica ou totalmente pacífica. Como a sociedade utópica que tentaram construir em New Harmony, em Indiana, aonde a minha mãe me fez ir naquela vez que estávamos tentando fugir da vovó e do vovô durante uma vista a Versalhes (a que fica em Indiana).

Em New Harmony, todo mundo se juntou para planejar, tipo, uma cidade perfeita, com um monte de construções bonitas e ruas bonitas e escolas bonitas e tal. Eu sei que parece repulsivo. Mas não é. New Harmony na verdade é bem bacana.

Uma sociedade distópica, por outro lado, não é NADA bacana. Não há construções, nem ruas, nem escolas bonitas. É bem como o bairro Lower East Side, de Manhattan, era antes de o pessoal rico da internet se mudar para lá e abrir todos aqueles bares que servem *tapas* e aqueles prédios de apartamentos em que só o condomínio custa três mil dólares por mês. Sabe como é, um lugar em que só parece ter postos de gasolina e clubes de strip-tease, com um ou outro traficante de crack na esquina só para garantir.

E esse é o tipo de sociedade em que moram os heróis em praticamente todos os filmes de ficção científica distópicos a que assistimos hoje.

A última esperança da Terra? Sociedade distópica atacada por uma praga massiva que matou a maior parte da população e transformou todo mundo (menos o Charlton Heston) em zumbis.

Fuga nas estrelas? Sociedade utópica que se revela distópica quando se descobre que, para alimentar a população com os recursos limitados que sobraram depois do holocausto nuclear, o governo é obrigado a desintegrar os cidadãos no dia em que completam 13 anos.

2001: Uma odisseia no espaço é o próximo, mas é sério: acho que eu não aguento mais.

A única coisa que faz isso aqui ser suportável é que eu posso ficar aninhada com o Michael no sofá.

E que a gente fica se beijando durante as partes mais lentas.

E que, durante as partes assustadoras, eu posso enterrar a minha cabeça no peito dele e ele me abraça bem forte e eu cheiro o pescoço dele.

E, embora tudo isso seja mais do que satisfatório sob circunstâncias normais, há o pequeno detalhe de que, sempre que as coisas entre o Michael e eu começam a ficar quentes DE VERDADE — tipos, a ponto de ele apertar o pause no controle remoto —, a gente escuta a Lilly no fim do corredor gritando: "Que Deus o amaldiçoe, Alboin, por ser o cão indecente que eu sempre soube que tu eras!"

Vou dizer uma coisa: é bem difícil deixar-se levar no abraço do seu amado quando a gente ouve alguém berrando "Tu escolherias esta vadia genoviana comum para casar se podes ter a mim, Alboin? Bah!"

E pode ser exatamente por isso que o Michael acabou de ir até a cozinha pegar um pouco mais de pipocas pra gente. Parece que *2001: Uma odisseia no espaço* vai ser a nossa única esperança de abafar as falas da Lilly em tom nada delicado enquanto ela ensaia com Lars.

Mas — tendo em vista como eu ando me esforçando para parar de mentir tanto — eu provavelmente deveria reconhecer que não é só o ensaio estridente da Lilly que está me impedindo de dar toda a minha atenção ao Michael, no que diz respeito aos nossos beijos. A verdade é que essa coisa de festa está pesando sobre os meus ombros igual àquela píton albina que a Britney levou para o VMA uma vez.

Isso está me matando por dentro. Está mesmo. Quer dizer, eu fiz o patê — de cebola francesa, sabe como é, usando sopa de pacotinho —, para ele ficar achando que eu estou ansiosa para que amanhã à noite chegue logo e tal.

Mas não estou nem um pouco com vontade de que isso aconteça.

Mas pelo menos eu tenho um plano. Graças à Lana. Sobre o que eu vou fazer durante a festa. Quer dizer, a coisa de dançar. E eu já escolhi a roupa. Bom, mais ou menos. Acho que talvez eu tenha cortado a minha saia um pouco curta DEMAIS.

Apesar de que, para a Lana, algo assim não exista.

Aaaaah, Michael voltou, com mais pipocas. Hora do beijo!

Sexta, 6 de março, meia-noite

Foi por pouco: quando cheguei em casa depois de voltar da casa dos Moscovitz hoje à noite, a minha mãe estava acordada, à minha espera (bom, não exatamente ME esperando. Ela estava assistindo a *Cirurgia extrema* em três partes no Discovery Health, sobre um cara com uma marca de nascença gigante no rosto que nem oito médicos conseguiram remover por inteiro. E ele nem podia colocar uma máscara naquele lado do rosto, igual ao cara em *O fantasma da ópera*, porque a marca de nascença dele era em relevo e muito grande para qualquer máscara poder se encaixar. E Christine só falaria assim: "Estou vendo todas as suas cicatrizes, mesmo com a máscara, cara." Além do mais, ele provavelmente não teria uma gruta subterrânea para onde levá-la. Mas tanto faz).

Apesar de eu tentar entrar de fininho, a minha mãe me pegou, e precisamos ter a conversa que eu realmente estava torcendo para evitar:

Minha mãe (tirando o som da TV) Mia, que história é essa que eu ouvi de a sua avó montar algum tipo de espetáculo a respeito da sua antepassada Rosagunde e colocar você no papel principal?

Eu: Hm. É. É mais ou menos isso.

Minha mãe: Essa é a coisa mais ridícula que eu já ouvi. Será que ela não percebe que você mal está passando em geometria? Você não tem tempo para estrelar peça nenhuma. Você precisa se concentrar nos seus estudos. Você já tem atividades extracurriculares suficientes com esse negócio de ser presidente estudantil e ainda as aulas de princesa. E agora isso? Quem ela acha que está enganando?

Eu: Musical.

Minha mãe: O quê?

Eu: É um musical, não uma peça.

Minha mãe: Eu não ligo para o que seja. Vou ligar para o seu pai amanhã e falar para ele mandar que ela desista dessa ideia.

Eu (apavorada, porque, se ela fizer isso, Grandmère vai total contar tudo para a Amber Cheeseman sobre o dinheiro, e eu vou levar uma cotovelada no pescoço. Mas também não posso dizer isso para a minha mãe, então vou ter que mentir. De novo): Não! Não ligue! Por favor, mãe... É que eu...hm... eu estou adorando, de verdade.

Minha mãe: Está adorando o quê?

Eu: A peça. Quer dizer, o musical. Eu quero mesmo participar. O teatro é a minha vida. Por favor, não me faça desistir.

Minha mãe: Mia. Você está passando bem?

Eu: Estou ótima! Não ligue para o papai, certo? Ele anda ocupadíssimo com o Parlamento e tal. Não vamos incomodar. Eu estou adorando a peça de Grandmère, de verdade. É divertida e é uma boa oportunidade para que eu, hm, expanda os meus horizontes.

Minha mãe: Bom... Não sei não...

Eu: Por favor, mãe. Juro que as minhas notas não vão cair.

Minha mãe: Bom, tudo bem. Mas se você trouxer para casa um único C em uma prova, vou ligar para Genovia.

Eu: Ah, obrigada, mãe! Não se preocupe, isso não vai acontecer.

Daí eu tive que ir para o meu quarto e respirar dentro de um saco de papel, porque achei que estava ficando com falta de ar.

Sábado, 6 de março, Salão Nobre de Baile do Hotel Plaza

Certo, então atuar pode ser um pouquinho mais difícil do que eu achei que era. Quer dizer, aquela coisa que eu escrevi agora há pouco, sobre como tanta gente quer ser ator porque é muito fácil e ainda pode ganhar muito dinheiro...

Isso pode até ser verdade. Mas acontece que não é assim tão fácil. Tem um monte de coisas de que é preciso lembrar.

Tipo a marcação. Isto é, tipo quando você se movimenta pelo placo enquanto vai dizendo as suas falas. Eu sempre achei que os atores iam inventando o que fazer no decorrer da peça.

Mas acontece que o diretor diz exatamente onde devem ir, e até em que palavra e em que fala fazê-lo. E na velocidade certa. E na direção exata.

Pelo menos é assim quando quem dirige a peça é Grandmère.

Não que ela seja a diretora. Pelo menos é o que ela fica repetindo para nós. O *Señor* Eduardo, escorado em um canto com um cobertor que o cobre até o queixo, está REALMENTE dirigindo essa peça. Quer dizer, musical.

Mas como ele mal consegue ficar acordado o suficiente para dizer "E... em cena!", Grandmère foi muito generosa em assumir as rédeas.

Não estou dizendo que esse não tenha sido o plano dela desde o começo. Mas é certo que ela não vai admitir, mesmo que seja.

Bom, mas além de todas as falas a gente tem que se lembrar da marcação.

Mas marcação não é coreografia. Coreografia é a dança que se faz enquanto se canta.

Para isso, Grandmère contratou uma coreógrafa profissional. O nome dela é Feather. A Feather (que significa "pena", em inglês) aparentemente é muito famosa por ter feito a coreografia de vários espetáculos da Broadway. Ela também deve estar precisando muito de dinheiro, para ter concordado em fazer a coreografia de uma chatice igual a *Trança!*, mas sei lá.

Feather não tem nada a ver com os coreógrafos de filmes de dança a que eu assisti, tipo *No ritmo dos seus sonhos* ou *Sob a luz da fama*. Ela não usa nenhuma maquiagem, diz que o collant dela é feito de cânhamo e fica dizendo que é para a gente encontrar o nosso centro e achar o nosso Q.I.

Quando Feather diz coisas assim, Grandmère parece ficar incomodada. Mas eu sei que ela não quer gritar com a Feather, já que ia ser bem difícil encontrar outra coreógrafa tão em cima da hora se ela pedir demissão com um ataque de se achar injustiçada, como parece acontecer com frequência com dançarinos.

Mas Feather não é tão ruim quanto a instrutora vocal, a madame Puissant (que significa "senhora potente", em francês), que normalmente trabalha com cantores de ópera no Met e que obrigou a gente a ficar lá fazendo exercícios vocais, ou vocalises, como ela chamou, que incluíam ficar cantando as palavras Mi, Mai, Ma, Mo, Muuuu-uuuu-uuuu-uuuu uma vez atrás da outra, em tom cada vez mais alto, até que a gente conseguisse "sentir o formigamento na ponta do nariz".

A madame Puissant com certeza não se importa com o estado do nosso Q.I., porque reparou que Lilly não estava usando esmalte e quase a mandou para casa porque "uma diva nunca vai a lugar nenhum com unhas por fazer".

Reparei que Grandmère parece aprovar MUITÍSSIMO a atitude de madame Puissant. Pelo menos ela não a interrompe nem um pouco, da maneira como faz com Feather.

E se tudo isso não bastasse, também tivemos que aguentar a tirada de medidas para as fantasias e, pelo menos no meu caso, a tirada de medidas para a peruca também. Porque, é óbvio, a personagem de Rosagunde tem que ter uma trança enorme de comprida, já que esse é, afinal de contas, o título da peça.

Quer dizer, musical.

Só estou dizendo que todo mundo estava preocupado em decorar as FALAS a tempo, mas acontece que montar uma peça — quer dizer, musical — dá MUITO mais trabalho do que simplesmente decorar o texto. É preciso saber a marcação e a coreografia também. Isto sem falar em todas as músicas e como não tropeçar na trança, que, como ainda não a temos, significa não tropeçar em uma daquelas cordas de veludo que usam para colocar na frente do Palm Court para impedir que as pessoas entrem antes de abrir para o chá da tarde, e que Grandmère enrolou na minha cabeça.

Acho que não é surpresa o fato de eu estar com um pouco de dor de cabeça. Apesar de não ser pior do que a dor que eu sinto quando me enfiam em uma tiara.

Neste momento, J.P. e eu temos um intervalo porque a Feather está passando a coreografia com o coro na canção "Genovia!", que todo mundo canta, menos eu. Acontece que o Kenny, além de não ser capaz de cantar, nem de atuar, também não consegue dançar, então está demorando muito.

Mas tudo bem, porque estou usando esse tempo para planejar a minha estratégia para a festa e conversar com J.P., que na verdade sabe MUITA coisa sobre teatro. Isto é porque o pai dele é um produtor famoso. J.P. circula por palcos desde pequeno e por isso já conheceu toneladas de celebridades.

"John Travolta, Antonio Banderas, Bruce Willis, Renée Zellweger, Julia Roberts... quase todo mundo que existe para conhecer", foi como o J.P. respondeu quando eu perguntei de quem ele estava falando quando disse "celebridades".

Uau. Aposto que a Tina ia trocar de lugar com ele em um piscar de olhos, mesmo que, sabe como é, ela tivesse que virar menino para isso.

Perguntei ao J.P. se havia alguma celebridade que ele NÃO havia conhecido e que queria conhecer, e ele disse que só tinha uma: David Mamet, um roteirista famoso.

"Você sabe", ele disse. "O sucesso a qualquer preço. Perversão sexual. Oleanna."

"Ah, sim", respondi, como se soubesse do que ele estava falando.

Eu falei que era bem impressionante — quer dizer, o fato de ele ter conhecido praticamente quase todo mundo em Hollywood.

"É", ele respondeu. "Mas, sabe como é, na verdade as celebridades são só pessoas, como você e eu. Bom, quer dizer, pelo menos como eu. Você... bom, você é uma celebridade. Muita gente deve dizer isso para você. Sabe, gente que acha que você... sei lá. Que você é de tal jeito. Mas, na verdade, não é. É só a percepção que o público tem de você. Deve ser mesmo muito difícil."

Será que alguém já proferiu palavras mais verdadeiras? Quer dizer, veja só com o que eu tenho que lidar neste momento: essa percepção de que eu não sou uma menina festeira. Quando com toda a certeza eu sou SIM. Quer dizer, hoje à noite eu vou a uma festa, certo?

E, tudo bem, eu estou morrendo de medo e tive que pedir conselho para a menina mais maldosa da escola inteira.

Mas isso não significa que eu não seja uma menina que gosta de festa.

Bom, mas além de ter conhecido todas as celebridades do mundo, menos David Mamet, J.P. já viu todas as peças que foram encenadas, incluindo — e eu não acreditei — *A Bela e a Fera*.

E escuta só isto: também é uma das preferidas dele.

Não dá para acreditar que, durante todo esse tempo, eu só o enxerguei como o Cara que Detesta Quando Colocam Milho no Chili — sabe como é, um esquisitão no refeitório —, e no fundo ele é um cara superlegal e divertido que escreve poemas sobre a diretora Gupta e gosta de *A Bela e a Fera* e gostaria de conhecer o David Mamet (seja lá quem ele for).

Mas acho que isso é apenas um reflexo do sistema educacional de hoje, com tanta gente e tão impessoal que faz com que seja difícil os adolescentes escaparem das nossas noções preconcebidas que temos em relação aos outros e possamos conhecer a pessoa de verdade que existe por baixo do rótulo que recebem, seja Princesa Nerd, Nerd do Teatro, Esportista, Líder de Torcida ou Cara que Odeia Quando Colocam Milho no Chili.

Ops. O ensaio do coro terminou. Grandmère está chamando os atores principais agora.

O que significa J.P. e eu. Com certeza nós temos muitas cenas juntos. Principalmente tendo em vista que, até ter lido *Trança!*, eu não sabia que a minha antepassada Rosagunde TINHA um namorado.

Sábado, 6 de março, 18h, na limusine, saindo do Plaza, a caminho de casa

Ai, meu Deus, estou tããããão cansada... mal consigo ficar de olhos abertos. Atuar é SUPERDIFÍCIL. Quem imaginaria? Quer dizer, aquele pessoal de *Degrassi* faz parecer superfácil. Mas eles vão para a escola e tal enquanto estão filmando o programa. Como é que eles CONSEGUEM?

Tudo bem, eles não precisam cantar, a não ser nos episódios quando tem alguma audição para banda ou algo assim. Acontece que cantar é mais difícil ainda do que ATUAR. E eu achando que era o que ia me dar menos trabalho, por causa do meu treinamento intensivo para o caso de eu precisar cantar no karaokê para conseguir dinheiro para comer, igual a Britney em *Crossroads*.

Bom, só vou dizer que tenho respeito renovado pela Kelis, porque, para conseguir a versão perfeita de "Milkshake" no CD dela, ela teve que ensaiar cinco mil vezes. A madame Puissant me fez ensaiar "A canção de Rosagunde" PELO MENOS esse número de vezes.

E quando a minha voz começou a ficar esganiçada e eu não consegui mais alcançar as notas altas, ela me fez segurar por baixo o piano de meia-cauda em que o Phil estava tocando para acompanhar e LEVANTAR!

"Cante com o diafragma, princesa!" era o que a madame Puissant não parava de berrar. "Não respire com o peito. Com o DIAFRAGMA! Não quero voz de peito! CANTE COM O DIAFRAGMA! LEVANTE!! LEVANTE!!!!"

Fiquei feliz por ter passado esmalte transparente outro dia (para eu sentir menos tentação de roê-las). Pelo menos ela não podia gritar comigo por causa DISTO.

E a coreografia? Esqueça. Algumas pessoas desprezam as líderes de torcida (certo, eu me incluo nesta, tirando a Shameeka — até agora), mas isto é DIFÍCIL!!! Lembrar todos aqueles passos??? Ai, meu Deus! É tipo: "Leve o meu Q.I. embora logo, Feather! Não consigo mais dar esse passo de trocar os pés!"

Mas a Feather não demonstrou o mínimo de compaixão para comigo — e menos ainda para com Kenny, que não conseguiria dar um passo de dança nem que a vida dele dependesse disto.

E adivinha só? A gente tem que estar lá de novo amanhã, às dez, para fazer tudo aquilo outra vez.

Quando estávamos saindo, Boris disse assim:

"Eu nunca tive que me esforçar tanto por cem pontos extras."

O que é totalmente um ponto de vista válido. Mas, como a Ling Su comentou com ele, é melhor do que vender velas de porta em porta.

E depois disso eu tive que fazer com que ela ficasse quieta, porque a Amber Cheeseman estava ali perto!

Só que, é óbvio, J.P. escutou quando eu estava mandando a Ling Su ficar quieta e falou assim:

"O quê? Qual é o segredo? Do que vocês estão falando? Pode me contar, juro que eu levo para o túmulo."

O negócio é que, quando a gente passa tantas horas juntos, do jeito que a gente passou desde que os ensaios começaram, a gente meio que... fica amigo. Quer dizer, não dá para evitar. É que a gente fica na companhia uns dos outros MUITO mesmo. Até Lilly, que tem tendências antissociais bem explícitas, gritou, quando estávamos vestindo o casaco:

"Ei, pessoal, eu quase esqueci! Tem festa hoje à noite na minha casa! Vocês têm que ir, os meus pais foram viajar!"

O que eu achei meio uma ousadia dela — na verdade, a festa é do Michael, não dela, e não sei se ele vai ficar muito animado de ver um monte de garotos de escola lá (tirando eu, obviamente).

Mas, sabe como é. Esse é um exemplo de como a gente ficou amigo.

E também é por isso que eu me senti obrigada a contar a verdade para J.P. — que o conselho estudantil havia ficado meio sem dinheiro para pagar a cerimônia de formatura do último ano, e que era por isso que a gente estava montando *Trança!*, para começo de conversa.

J.P. pareceu surpreso ao saber disso — mas não, como eu logo achei, por ficar chocado ao saber que eu havia estourado o orçamento.

"É mesmo?", ele disse. "E eu aqui achando que isso era só uma artimanha da sua avó para convencer o meu pai a retirar a proposta que ele fez na ilha da falsa Genovia."

!!!!!!!!!!!!!!!!!!!!!!!!!!!!

Eu só fiquei olhando para ele com a boca aberta, até que ele começou a rir e disse:

"Mia, não se preocupe. Eu não vou contar. Nem sobre o dinheiro da formatura, NEM sobre o esquema da sua avó."

Mas daí eu fiquei toda curiosa e ele falou assim:

"Aliás, por que o seu pai quer comprar a ilha da falsa Genovia, J.P.?"

"Porque ele pode", J.P. disse sem nenhum ar de estar fazendo piada, o que, para ele, era algo inédito. Parece que ele quase nunca se aborrece, nem se preocupa com nada — exceto milho.

Deu para perceber na hora que o John Paul Reynolds-Abernathy III era um assunto delicado para o John Paul Reynolds-Abernathy IV. Então eu deixei pra lá. Esse é o tipo de coisa que a gente aprende quando está sendo treinada para ser princesa. Como deixar pra lá assuntos que de repente se tornam desagradáveis.

"Bom, a gente se vê amanhã", eu disse para o J.P.

"Você vai à festa da Lilly?", ele quis saber.

"Ah", respondi. "Vou sim."

"Talvez então a gente se veja lá", o J.P. disse.

O que é um amor. Sabe como é, J.P. se sentir tão à vontade conosco que até tem vontade de ir à festa da Lilly. Apesar de ele não saber que a festa é do Michael, não da Lilly.

Bom, mas nesse momento eu tenho coisas mais importantes com que me preocupar do que o J.P. e a Lilly e Grandmère e os planos diabólicos dela para dominar as ilhas falsas.

Porque eu tenho um plano para colocar em ação...

Domingo, 7 de março, 1h, em casa

Estou morrendo de vergonha. É sério. Estou HUMILHADA. Acho que eu nunca me senti tão envergonhada em toda a minha vida.

E eu sei que já disse isso, mas, desta vez, estou falando sério.

Durante um tempo, eu achei de verdade que estava tudo dando certo. O meu plano para mostrar para o Michael que eu sou uma menina festeira, quer dizer.

Não entendo exatamente o que deu errado. Estava TUDO planejado. Eu fiz EXATAMENTE o que a Lana disse para fazer. Assim que eu cheguei ao apartamento da Lilly e do Michael, tirei a roupa do ensaio e vesti a da festa:
- Meia-calça preta
- Minha saia preta de veludo (transformada em míni — as pontas estavam meio tortas porque o Fat Louie ficava querendo brincar com a tesoura que eu estava usando, mas tudo bem, ficou legal)
- Meus coturnos pretos Doctor Marteens
- Um collant preto que sobrou daquele Dia das Bruxas em que eu me vesti de gata, e a nossa vizinha, Ronnie, disse que eu parecia uma coelhinha da Playboy sem peitos, então eu nunca mais usei
- Uma boina preta que a minha mãe costumava usar quando desempenhava atos de desobediência civil com as amigas dela do grupo Garotas Guerrilheiras
- E o sutiã com enchimento de água. Que eu nem enchi tanto assim, porque, sabe como é, eu estava com medo de que vazasse.

Além disso, passei batom vermelho e penteei o cabelo de um jeito todo sensual, igual ao da Lindsay Lohan quando ela sai de alguma casa noturna de Nova York como a Butter depois de quase esbarrar com o ex dela, o Wilmer.

Mas em vez de ficar tipo "você está a maior gostosa" a respeito do meu novo visual, o Michael — que ficou atendendo à porta quando os primeiros convidados dele foram chegando, só ergueu as sobrancelhas para mim, como se estivesse meio preocupado com alguma coisa.

E Lars até chegou a erguer os olhos do celular Sidekick dele quando eu cheguei e começou a dizer algo, mas daí parece que ele pensou melhor, já que voltou a se apoiar na parede e procurar coisas na internet.

E daí Lilly, que estava ocupada preparando a câmera dela para filmar as festividades para um quadro que ela está preparando para *Lilly manda a real* sobre a dinâmica moderna entre homens e mulheres no cenário urbano, falou assim:

"O que você quer ser? Mímica?"

Mas em vez de ficar brava com ela, eu joguei o cabelo para o lado, do jeito que a Lana faz, e falei:

"Mas como você é engraçada!"

Porque eu estava tentando agir de maneira madura na frente dos amigos do Michael que estavam entrando bem naquela hora.

E acho que deu certo, porque o Trevor e o Felix ficaram tipo:

"Mia?", como se não tivessem me reconhecido. Até o Paul ficou todo:

"Belos palitos", que eu acho que foi um elogio para as minhas pernas, que parecem bem compridas quando eu uso saia curta.

Até Doo Pak falou: "Ah, princesa Mia, você está muito bonita sem o seu macacão."

E J.P. — que apareceu um pouco mais tarde, na mesma hora que a Tina e o Boris — disse:

"Sua beleza deixaria até mesmo o mais lindo pôr do sol no Mediterrâneo envergonhado, minha senhora", que é uma das falas dele da peça, mas não faz mal, foi bem legal.

E ele acompanhou a frase com a mesma reverência cheia de cortesia da peça também. Quer dizer, do musical.

Michael foi o único que não disse nada. Mas achei que era porque ele estava ocupado demais colocando a música e fazendo todo mundo se sentir à vontade. Também não ficou muito feliz por a Lilly ter convidado o Boris e todo o pessoal sem pedir para ele primeiro.

Então eu tentei ajudar. Sabe, a fazer com que as coisas dessem certo. Fui até algumas garotas do alojamento dele que tinham chegado — nenhuma delas estava usando boina, nem roupa especialmente sensual. A menos que você considere sandálias com meias algo sensual — e falei assim:

"Oi, eu sou a namorada do Michael, a Mia. Querem patê?"

Eu não comentei que havia feito o patê pessoalmente, porque não achei que uma garota que gosta de festa de verdade faria seu próprio patê. Fazer patê foi um erro de cálculo péssimo da minha parte, mas nada impossível de ser remediado, porque eu não precisava *contar* para as pessoas que eu tinha feito o patê.

As garotas da faculdade disseram que não queriam patê, mesmo quando eu assegurei que havia feito com maionese de baixa caloria e creme azedo. Porque eu sei que as garotas universitárias estão sempre cuidando do peso, para evitar ganhar os sete quilos que todas ganham tradicionalmente no primeiro ano de faculdade. Eu não DISSE isto para elas, obviamente.

Mas eu não deixaria que a recusa delas me colocasse pra baixo. Quer dizer, aquilo só tinha sido uma desculpa para começar uma conversa com elas.

Só que parecia que elas não estavam muito a fim de conversar comigo. E o Boris e a Tina estavam se agarrando no sofá, e a Lilly estava mostrando para o J.P. como a câmera funcionava. Então eu não tinha ninguém com quem conversar.

Então eu meio que saí de fininho para a cozinha e peguei uma cerveja. Achei que era isto que uma menina festeira faria. Porque a Lana havia dito que sim. Tirei a tampa com o abridor que estava lá, e como vi que todo mundo estava bebendo cerveja direto da garrafa, fiz a mesma coisa.

E quase vomitei. Porque o gosto da cerveja era ainda pior do que eu me lembrava. Tipo pior do que o cheiro daquele gambá que o vovô atropelou.

Mas, como ninguém mais estava fazendo careta a cada vez que dava um gole na cerveja, tentei me controlar, e me contentei em dar golinhos bem pequenos. Isso fez com que a coisa fosse um pouco mais tolerável. Talvez seja isso que os bebedores de cerveja façam para aguentar. Tomando uma quantidade bem pequena de cada vez. Continuei tomando golinhos, até que reparei na câmera da Lilly e do J.P., que estava apontada bem para mim. E nessa hora eu escondi a garrafa nas costas.

J.P. abaixou a câmera. Ele disse:

"Desculpa", e pareceu todo sem graça.

Mas não tão sem graça quanto eu me senti quando Lilly, que estava do lado dele, falou assim:

"Mia. O que você está fazendo?"

"Nada", respondi para ela com voz aborrecida. Porque é assim que eu imaginei que uma menina festeira se sentiria se a amiga dela perguntasse o que ela estava fazendo. A menos que ela seja uma daquelas meninas festeiras daqueles vídeos de *Girls Gone Wild*, mas neste caso ela levantaria a blusa para a câmera.

Mas eu resolvi que não era esse tipo de menina festeira.

"Você está bebendo?", Lilly parecia meio chocada. Bom, talvez mais surpresa do que chocada, para falar a verdade. "*Cerveja?*"

"Só estou tentando me divertir", respondi. Eu estava bem ciente do olhar do J.P. sobre mim, e estava mal com isso. Por que aquilo me deixou tão pouco à vontade, não faço ideia. Simplesmente deixou. "Até parece que eu não bebo o tempo todo quando estou em Genovia."

"Certo", Lilly disse. "Brindes de champanhe com dignitários estrangeiros. Vinho no jantar. Não *cerveja*."

"Tanto faz", eu disse de novo. E me afastei dela...

... e fui esbarrar direto no Michael, que ficou tipo:

"Ei, oi. Achei você."

E daí ele olhou para a cerveja na minha mão e falou assim:

"O que você está fazendo?"

"Ah, você sabe", respondi, jogando o cabelo de novo, toda como quem não quer nada, com ar de festeira. "Só estou me divertindo."

"Desde quando você bebe cerveja?", o Michael quis saber.

"Caramba, Michael", eu disse, rindo. "Sei lá."

"Ela disse a mesma coisa para mim", a Lilly informou ao irmão, tirando a câmera da mão do J.P. e enfiando a lente na nossa cara.

"Lilly", o Michael disse. "Pare de filmar. Mia..."

Mas antes que ele pudesse dizer o que queria, a "seleção de festa" do computador (ele tinha ligado os alto-falantes da sala do apartamento dos pais ao disco rígido dele) começou a tocar a primeira música mais ou menos lenta da festa — "Speed of Sound", do Coldplay —, então eu falei assim:

"Ah, eu adoro esta música", e comecei a dançar, como a Lana havia dito para fazer.

A verdade é que eu não sou assim a maior fã do Coldplay, porque eu não acho nada bom o cantor deixar a esposa dele, a Gwyneth Paltrow, colocar o nome de Apple (que quer dizer maçã, em inglês) na filha deles. O que vai acontecer com essa pobre criança quando ela chegar ao ensino médio? Todo mundo vai fazer piada com ela.

Mas acho que a cerveja, por mais fedida que fosse, funcionou. Porque eu não estava me sentindo nem de longe tão acanhada quanto eu tinha me sentido antes de começar a dar os meus golinhos. Na verdade, eu estava me sentindo até bem. Apesar de eu ser a única pessoa na sala inteira que estava dançando.

Mas achei que tudo bem, porque, muitas vezes, quando uma pessoa começa a dançar, as outras se juntam a ela. Só ficam esperando que alguém quebre o gelo.

Mas eu não pude deixar de notar que, enquanto eu estava ali dançando, ninguém se juntou a mim. Principalmente Michael. Ele só ficou lá me olhando. Assim como Lars. Assim como Lilly, só que ela estava fazendo isso através da lente da câmera. Boris e Tina, no sofá, pararam de se beijar e, em vez disto, ficaram olhando para mim. As garotas universitárias também ficaram olhando para mim. Uma delas se inclinou para cochichar alguma coisa para a amiga, e a amiga deu uma risadinha.

Achei que só estavam com inveja porque eu tinha de fato me esforçado para colocar uma roupa legal para a festa, com a minha boina e tudo, e estava lá dançando.

E foi quando J.P. veio totalmente me salvar. Ele também começou a dançar.

Ele não estava exatamente dançando *comigo*, já que não estava encostando em mim nem nada. Mas ele meio que veio até onde eu estava e começou a movimentar os pés, sabe como é, do jeito que os caras altos dançam, como se não quisessem chamar muita atenção para si mesmos, mas com vontade de se juntar à diversão.

Eu fiquei tão animada por alguém finalmente resolver dançar que meio que comecei a ondular o corpo (a Feather havia ensinado a gente a fazer isso, mexendo os ombros) para mais perto dele, e sorri para ele, para agradecer. E ele retribuiu o sorriso.

O negócio é que, depois disso, acho — tecnicamente falando —, a gente meio que *começou* a dançar juntos. Acho que, tecnicamente, o que estava acontecendo era que eu estava dançando com outro cara. Na frente do meu namorado. Em uma festa que era *do* meu namorado.

O que, parece — tecnicamente falando —, é uma atitude muito errada da parte de uma namorada.

Mas na hora eu não percebi. Na hora eu só fiquei pensando que estava me sentindo muito idiota de ninguém dançar comigo, e como eu fiquei feliz pelo J.P. — diferentemente dos meus outros supostos amigos — não ter me deixado lá fazendo papel de boba, dançando sozinha, na frente de todo mundo... especialmente do Michael.

Que nem me disse que eu estava bonita. Nem que tinha gostado da minha boina.

J.P. havia dito que eu estava mais bonita do que o mais lindo pôr do sol no Mediterrâneo. J.P. tinha tomado a iniciativa de dançar comigo.

Enquanto Michael só ficou lá parado.

Vai saber quanto tempo o J.P. e eu teríamos ficado dançando — enquanto Michael ficava lá parado — se a porta da frente não tivesse aberto e os Drs. Moscovitz não tivessem entrado?

E, tudo bem, Michael havia pedido permissão para dar a festa, então eles não ficaram nem um pouco bravos.

Mas mesmo assim! Eles entraram bem quando eu estava dançando COM OUTRO CARA! Foi muito constrangedor!!! Quer dizer, eles são os PAIS do Michael!!!!

Isso me deu quase tanta vergonha quanto quando eles entraram e eu e Michael estávamos nos beijando, sabe como é, no sofá, durante as férias de inverno (bom, tudo bem, a gente estava MAIS do que se beijando. Tinha mais ação por baixo da camiseta e por cima do sutiã rolando. O que, reconheço, é uma atitude bem arriscada para uma menina que não quer fazer sexo antes da noite da formatura do último ano do ensino médio. Mas tanto faz. A verdade é que eu fiquei tão envolvida na coisa toda do beijo que nem notei o que as mãos do Michael estavam fazendo, até que já era tarde demais. Porque daí eu já estava GOSTANDO. Então, de certo modo, eu fiquei tipo GRAÇAS A DEUS que o Dr. e a Dra. Moscovitz chegaram naquela hora. Ou então quem pode dizer para ONDE as mãos do Michael iriam depois dali?).

Mesmo assim, desta vez eu fiquei com MAIS VERGONHA do que DAQUELA, acredite ou não. Porque, quer dizer... estava dançando! Com outro cara!

E eu nem sei se eles viram, porque falaram assim:

"Desculpem, não liguem para nós", e saíram apressados pelo corredor, para o quarto deles, antes que qualquer um de nós pudesse dar um oi.

Mesmo assim. Cada vez que penso no que eles PODEM ter visto, eu congelo — da maneira como o Alec Guinness disse que sempre se sentia quando se via na cena de *Guerra nas estrelas: Uma nova esperança*, quando Obi-Wan fala que está sentindo um grande desequilíbrio na Força, como se milhões de vozes estivessem berrando, aterrorizadas, e de repente fossem silenciadas.

Pior ainda, assim que os Drs. Moscovitz desapareceram para o quarto deles — eu totalmente parei de dançar quando os vi; na verdade, fiquei paralisada —, a Lilly chegou para mim e cochichou:

"Você estava tentando fazer uma dança sensual ou o quê? Porque parecia que alguém tinha colocado um cubo de gelo dentro da sua blusa e você estava tentando se livrar dele."

Dança sensual! Lilly achou que eu estava fazendo uma dança sensual! Com J.P.! Na frente do Michael!

Depois disso, é óbvio, ficou impossível manter o meu joguinho de menina festeira. Eu peguei e sentei direto no sofá.

E o Michael nem chegou perto para me perguntar se eu tinha perdido a cabeça, nem desafiou J.P. para um duelo nem nada. Em vez disso, ele foi atrás dos pais, acho que para ver se eles tinham voltado antes porque havia alguma coisa errada ou se a conferência simplesmente havia acabado mais cedo ou o quê.

Fiquei lá sentada uns dois minutos, escutando todo mundo ao meu redor dando risada e se divertindo, e sentindo a palma das minhas mãos suando frio. Eu estava rodeada de gente — rodeada! —, mas juro que nunca me senti mais sozinha na vida. Dança sensual! Eu estava fazendo uma dança sensual! Com outro menino!

Até Lilly havia parado de me filmar, porque achou a visão do Doo Pak experimentando Doritos com molho de raiz-forte pela primeira vez muito mais interessante do que o meu vexame completo.

J.P. foi o único que falou alguma coisa para mim depois daquilo — além da Tina, no sofá na frente do meu, que se inclinou e disse:

"A sua dança foi bem legal, Mia", como se eu tivesse feito um tipo de performance ou algo assim.

"Ei", J.P. disse, aproximando-se do lugar onde eu estava sentada. "Acho que você esqueceu isto."

Olhei para o que ele segurava. A minha cerveja, com um terço da garrafa bebido! A substância responsável por eu ter achado que era boa ideia fazer uma dança sensual com outro menino, para começo de conversa!

"Leve embora daqui!", murmurei e enfiei a cabeça nos joelhos.

"Ah", J.P. disse. "Desculpe. Hmm... tudo bem com você?"

"Não", respondi para as minhas coxas.

"Posso fazer alguma coisa para ajudar?, ele perguntou.

"Você pode criar uma brecha no espaço-tempo contínuo para que ninguém se lembre de como eu acabei de me fazer de idiota?"

"Hm. Acho que não. Como foi que você se fez de idiota?"

O que foi uma graça da parte dele, fingir que não tinha notado e tal. Mas, falando sério, isso só fez piorar as coisas.

E foi por isso que fiz a única coisa que julguei razoável: juntei as minhas coisas — e o meu guarda-costas — e fui embora antes que alguém pudesse me ver chorando.

O que eu fiz durante todo o trajeto até em casa.

E agora eu só posso torcer para que J.P. tenha dito uma mentira e que possa sim criar uma brecha no espaço-tempo contínuo para fazer com que todo mundo que estava naquela festa se esqueça de que eu também estava.

Principalmente Michael.

Que a esta altura já deve estar mais do que um pouco ciente de que eu sou, no pior sentido da palavra, uma festeira.

Ai, meu Deus.

Acho que preciso de uma aspirina.

Domingo, 7 de março, 9h, em casa

Nenhum recado do Michael. Nenhum e-mail. Nenhuma ligação. É oficial: ele tem nojo de me conhecer.

E eu não o culpo nem um pouquinho. Eu iria me jogar no rio East de tanta vergonha se não tivesse aquele ensaio para ir.

Acabei de ligar para o Zabar e, usando o cartão de crédito da minha mãe (hm, sem ela saber, porque ainda está dormindo, e o sr. G levou Rocky para comprar suco de laranja), pedi bagels com pasta de salmão para serem entregues no apartamento dos Moscovitz, como forma de pedir desculpa.

Ninguém pode ficar bravo depois de um bagel completo do Zabar.

Certo?

Dança sensual! Aonde é que eu estava com a CABEÇA?????

Domingo, 7 de março, 17h, Salão Nobre de Baile do Hotel Plaza

A gente nem precisava ter se preocupado em decorar nossas falas até segunda. Eu já sei todas de trás para a frente, de tantas vezes que já repetimos a peça.

E os meus pés estão me matando, depois de tanta dança (nada sensual). A Feather diz que nós todos precisamos arrumar uma coisa chamada sapatos de jazz. Ela vai trazer um monte deles para nós amanhã.

Só que, até amanhã, os meus pés vão ter caído.

Além do mais, a minha garganta está começando a doer de tanta cantoria. A madame Puissant mandou a gente tomar canecas de chazinho quente com vitamina C.

Phil, o pianista, parece que vai cair a qualquer momento. Até Grandmère parece estar desabando. Só o *Señor* Eduardo, que fica cochilando na cadeira dele, parece descansado. Bom, o *Señor* Eduardo e o Rommel.

Ah, meu Deus, ela está fazendo todo mundo cantar "Genovia, Minha Genovia" mais uma vez. Eu DETESTO essa música, mesmo. Pelo menos eu não faço parte desse número. Mesmo assim... Será que ela não percebe que está passando do limite? Meu Deus, por acaso não existem leis a respeito de trabalho infantil forçado?

Ah, sei lá. Pelo menos isso está mantendo a minha mente afastada da humilhação de ontem à noite. Mais ou menos. Quer dizer, Lilly continua tocando no assunto sempre que pode — "Ah, Mia, valeu pelos bagels" e "Ei, Mia, por que você não inclui aquela dança sensual na cena em que você mata o Alboin" e "Cadê a sua boina?".

O que, obviamente, fez com que todo mundo que não estava lá perguntasse: "Do que ela está falando?", e a Lilly só ficou sorrindo com cara de sabichona.

E daí tem a coisa do Michael. A Lilly diz que ele nem estava lá para RECEBER os bagels que eu mandei hoje de manhã. Ele voltou para o quarto do alojamento da faculdade ontem à noite, depois que a festa acabou, porque os pais dele estavam em casa e não precisavam mais dele para cuidar da Lilly.

Eu mandei para ele tipo três torpedos pedindo desculpa por ser tão esquisita.

A única coisa que recebi em resposta foi o seguinte:

A GENTE PRECISA CONVERSAR

O que só pode significar uma coisa, é lógico. Ele...

Ah, espere. J.P. acabou de me entregar um bilhete, para a gente não levar bronca por ficar cochichando, como aconteceu antes, quando ele se inclinou para o meu lado para dizer que o meu coturno estava desamarrado.

J.P.: Ei, você não está brava comigo, está?

Eu: Por que eu estaria brava com você?

J.P.: Por dançar com você.

Eu: Por que eu estaria brava por você DANÇAR comigo?

J.P.: Bom, se por acaso isso causou problemas entre o seu namorado e você, ou algo assim.

Estava parecendo, cada vez mais, que isso era totalmente verdade. Mas a culpa não era de ninguém além de mim... e com toda a certeza não era culpa do J.P.

Eu: Não, foi SUPERLEGAL da sua parte. Ajudou a fazer com que eu não parecesse a maior esquisitona do universo. Eu sou a maior IDIOTA. Não acredito que bebi aquela cerveja. É que eu estava supernervosa, sabe como é? Por não ser uma menina muito festeira.

J.P.: Bom, parecia que você estava se divertindo muito, se isso serve de consolo. Não como hoje. Hoje parece que você... bom, é por isso que achei que você podia estar brava comigo. Ou por causa de ontem à noite, ou talvez por causa daquela coisa que eu disse outro dia, sobre saber que você era vegetariana por causa do ataque que deu naquela vez no refeitório.

Eu: Não. Por que isso ia me deixar brava? É verdade. Eu tive MESMO um ataque quando descobri que tinham colocado carne na lasanha. Quer dizer, *supostamente* era uma lasanha vegetariana.

J.P.: Eu sei. Eles estragam TUDO naquele refeitório. Você já viu o que fazem com o chili?

Eu: Você está falando de colocarem milho nele de vez em quando?

J.P.: É, exatamente. Isso está simplesmente errado. Não se deve colocar milho no chili. Nao e natural. Você não acha?

Eu: Bom, nunca pensei nisso antes. Quer dizer, eu gosto de milho.

J.P.: Bom, eu não gosto. Nunca gostei. Desde que... sei lá. Tanto faz.

Eu: Desde que o quê?

J.P.: Não, não é nada. Mesmo. Deixa pra lá.

Mas, óbvio, agora eu TINHA que saber.

Eu: Não mesmo. Tudo bem. Pode me contar. Não vou dizer nenhuma palavra para ninguém. Juro.

J.P.: Bom, é que... lembra quando eu disse para você que a celebridade que eu mais queria conhecer era o David Mamet?

Eu: Lembro...

J.P.: Bom, os meus pais o conheceram, de verdade. Eles foram à casa dele para um jantar há uns quatro anos. E eu fiquei tão animado quando descobri que fiquei todo... como a gente fica quando tem 12 anos, sabe como é, e acha que o mundo gira em torno de você. Daí eu falei: "Você contou de mim para ele, pai? Você contou que eu sou o maior fã dele?"

Eu: Sei. E o que o seu pai disse?

J.P.: Ele disse: "Sim, meu filho, o seu nome foi mesmo citado." Acontece que o meu pai tinha falado de mim para ele sim. Ele contou a respeito da primeira vez que me deram milho para comer, quando eu era bebê.

Eu: E aí?

J.P.: E falou como ficaram surpresos de, na manhã seguinte, encontrarem os milhos inteiros na minha fralda.

!!!!!!!!!!!!!!!!

Na verdade, isso aconteceu na primeira — e única — vez que demos milho para o Rocky. Então eu sei EXATAMENTE como é nojento.

Eu: EEEEEEEEEEEEEEECA! Ops, quer dizer. Sinto muito. Deve ter sido mesmo a maior vergonha. Quer dizer, para você. Eles contarem para o seu ídolo uma coisa dessa sobre você. Mesmo que você só FOSSE um bebê quando aconteceu.

J.P.: Vergonha? Eu quis morrer! Desde então, nunca mais consegui olhar para um milho!

Eu: Bom, então isso explica tudo.

J.P.: Explica o quê?

Eu: Nada. A sua aversão a milho, quer dizer.

J.P.: É. Pais. Eles acabam com a gente, não é mesmo?

Eu: Nem me diga.

J.P.: Não dá para viver com eles. Não temos dinheiro para viver sem eles. Falando nisso, o que você acha deste poema:

> *Eles pagam a sua comida*
> *E a sua morada e a sua escola.*
> *Tudo o que pedem em troca*
> *É que você siga as regras deles.*
>
> *Você não tem controle*
> *O seu destino não é seu*
> *Pelo menos até os dezoito anos*
> *Quando finalmente pode sair de casa*

Eu: Uau! É ótimo! Você deveria mandar para a revista da Lilly.

J.P.: Obrigado. Talvez eu mande... com o poema da diretora Gupta. Você vai publicar alguma coisa? Na revista da Lilly, quer dizer?

Eu: Não.

Porque a única coisa que escrevi ultimamente (fora as anotações do meu diário) foi "Chega de milho!". E eu já disse para a Lilly que ela não pode publicar. E agora estou feliz por ter feito isso, porque realmente não acho que J.P. vai achar engraçado, levando em conta a história que ele acabou de me contar sobre POR QUE ele detesta milho. Estou falando do meu conto sobre ele.

Ai, meu Deus. Grandmère está me chamando para a cena do estrangulamento.

Eu queria que alguém ME estrangulasse. Porque daí o Michael não ia PRECISAR CONVERSAR. Porque eu simplesmente estaria morta.

Domingo, 7 de março, 21h, em casa

Não dá para acreditar. Por que tudo tem que ir de mal a pior? Para começar, eu não consegui falar com o Michael. Ele não atende o celular e não está on-line, e o Doo Pak diz que ele não está no quarto e que não faz ideia de onde "Mike" possa estar.

Só que eu tenho uma ideia, sim: o mais longe de mim possível.

E como eu sou mesmo a maior azarada, entre os dois irmãos Moscovitz, a parte com a qual eu *menos* quero falar é aquela que não para de mandar mensagens instantâneas. Acabei de receber isto da Lilly, em resposta ao meu lembrete de que não quero que ela coloque "Chega de milho!" na revista dela.

WomynRule: Hm, desculpa, vai ficar. É o melhor texto que tenho. Aliás, você vai usar a sua boina na festa?

FtLouie: Será que você pode calar a boca a respeito daquela boina idiota? E que festa? Do que você está falando? E, Lilly, você não pode publicar o meu texto sem a minha permissão. E estou retirando a minha permissão para que você o publique.

WomynRule: A FESTA DE AIDE DE FERME QUE A SUA AVÓ VAI DAR. E você não pode. Porque, uma vez que um texto é enviado para a redação de *A bundinha rosa do Fat Louie*, torna-se propriedade de *A bundinha rosa do Fat Louie*.

FtLouie: Certo, a) pare de chamar a revista por esse nome; e b) A SUA REVISTA NÃO TEM REDAÇÃO FÍSICA. A REDAÇÃO FICA NO SEU QUARTO. E o Aide de Ferme é um evento beneficente, não uma festa.

WomynRule: Eu falei redação no sentido figurado. Agora, falando sério... se você não for usar a sua boina, posso usar?

Que horror. Coitado do J.P.!

Qual é o PROBLEMA dos irmãos Moscovitz? Quer dizer, dá para entender por que o Michael me odeia, mas por que Lilly está agindo dessa maneira em relação ao meu conto?

Se eu não estivesse tão exausta, ia mandar a limusine voltar e me levar primeiro para a casa da Lilly, para ver se eu conseguia enfiar algum bom senso nela, e depois até o alojamento do Michael, para eu poder pedir desculpa pessoalmente.

Mas estou cansada demais para fazer algo além de tomar um banho e ir para a cama.

Sinceramente, não sei como a Paris Hilton consegue — participa de programas de TV, cuida da linha de joias e maquiagem dela E ainda faz festa toda noite, até de madrugada. Não é pra menos que ela perdeu o cachorro aquela vez e achou que ele havia sido sequestrado...

Mas as chances de que algum dia eu vá perder o Fat Louie estão perto do zero, porque ele é pesado demais para eu ficar carregando por aí em uma almofadinha, do jeito que a Paris carrega a Tinkerbell. Além do mais, se algum dia eu tentasse algo assim, ele arranharia a minha cara toda.

Segunda, 8 de março, Sala de Estudos

Então, hoje de manhã, eu "peguei emprestado" o cartão de crédito da minha mãe de novo e mandei um cookie gigante para o Michael. Só que, desta vez, eu me assegurei de mandar para o endereço do alojamento dele. Pedi para escreverem "Desculpa" com cobertura por cima de um cookie com pedacinhos de chocolate de trinta centímetros de diâmetro.

Percebo que enviar um cookie — mesmo que seja de trinta centímetros de diâmetro com a palavra "Desculpa" escrita por cima — é uma maneira terrível de expressar o remorso por ter feito uma dança sensual com outro menino na frente do namorado.

Mas não tenho como dar ao Michael o que ele realmente quer, que é um passeio no ônibus espacial.

Depois que encomendei o cookie, saí do meu quarto e achei o Rocky agarrado no pelo do Fat Louie, berrando:

"Ato! Ato! Ato!"

O coitado do Fat Louie estava com cara de quem acabou de engolir uma meia.

Mas o que ele realmente tinha engolido era sua vontade de transformar o meu irmãozinho em tirinhas. Fat Louie é um gato tão bom que estava DEIXANDO o Rocky puxar o pelo dele.

Mas isso não significa que ele não estava com um olhar de pânico na cara laranja enorme. Dava para ver que, com mais dez segundos, ele teria explodido.

Fui salvar o Rocky, é lógico, e falei assim:

"Mãe! Mas será que você não consegue cuidar do seu filho durante UM ÚNICO MINUTINHO?"

Mas é óbvio que a minha mãe ainda nem havia tomado o café dela, então não tinha capacidade para controlar o filho, menos ainda ver algo que estava acontecendo, a não ser que isso incluísse a Diane Sawyer na tela de TV na frente dela.

Ela não faz ideia de como teve sorte de eu ter aparecido quando apareci. Se o Fat Louie TIVESSE perdido o controle e atacasse o Rocky, ele poderia ter ficado com febre causada pelos arranhões de gato e morrer. Estou falando do

Rocky. A febre causada por arranhões de gato é uma doença muito séria e pouco divulgada. Pode causar anorexia, se a gente não tomar cuidado.

Não que, no caso do Rocky, alguém fosse notar, já que ele tem mais ou menos o tamanho de uma criança média de quatro anos, apesar de ele ainda não ter completado nem um ano.

Na verdade, se o Rocky fosse laranja, como o Fat Louie, ele ia ser igualzinho a um Umpa Lumpa.

Sinceramente não sei como, entre meu irmãozinho, meus amigos, meus pais, o negócio de princesa, minha avó e esse negócio de dança sensual, eu algum dia vou conseguir alcançar a autorrealização.

Segunda, 8 de março, Educação Física

A Lana chegou para mim quando eu estava no chuveiro, agorinha há pouco, e me perguntou onde estavam as entradas para o evento beneficente Aide de Ferme dela. Eu estava tão cansada — e os meus antebraços estão tão doloridos de estrangular o Boris, sem falar em bater naquela bola de vôlei idiota, apesar de eu só ter acertado uma vez... durante o resto do tempo, eu só desviei quando vi que estava vindo na minha direção — que falei:

"Não precisa ficar esquentadinha. Eu já passei o nome de todo mundo para a organizadora de festa da minha avó, certo? Você e a Trish vão entrar. Só precisam aparecer por lá."

Sabe, está ficando cada vez mais evidente para mim que as pessoas falam coisas sobre as atrizes que não são verdade. Tipo vivem dizendo que algumas estão sempre de "mau humor". Quer dizer, como a Cameron Diaz e tal. Se ela estiver sob a METADE do estresse que eu estou, não é surpresa o fato de ela ter ataques, chutar os fotógrafos e quebrar as câmeras deles e tal.

Isso só serve para mostrar que o que uma pessoa considera "má-educação" pode ser na verdade o reflexo da total frustração sobre ser empurrada até os limites da sua resistência mental e física.

É só isto que eu tenho a dizer.

Segunda, 8 de março, Economia

Elasticidade.

Elasticidade é o grau a que uma curva de procura ou de oferta reage a uma mudança no preço.

A elasticidade varia entre os produtos de acordo com a necessidade real que o consumidor tem em relação àquele produto.

Estou achando que eu perdi muita elasticidade aos olhos do Michael depois de toda aquela coisa de dança sensual.
Ou talvez tenha sido a boina.

Segunda, 8 de março, Inglês

Todo mundo está cansado demais para conversar ou até mesmo para passar bilhetinhos.
Além do mais, aparentemente nenhum de nós leu *O Pioneers!* no fim de semana.
A Srta. Martinez disse que está muito decepcionada com a gente.
Entre na fila, Srta. M. Entre na fila.

Segunda, 8 de março, almoço

O J.P. veio sentar com a gente de novo. Ele é o único na mesa (que está na peça — quer dizer, musical — pelo menos) que não está catatônico de exaustão. Ele até escreveu um poema novo. É assim:

> Eu sempre quis
> Estar em uma peça,
> Mas a emoção de passar as falas
> Diminui a cada dia que passa
>
> Agora que estou aqui,
> Só quero voltar
> Estou cansado de marcação,
> Cansado de ensaiar
>
> Alguém, por favor, ajude,
> Ouça as nossas súplicas,
> Tire a gente desta desvirtude
> Que é o musical Trança!

Que engraçado. Eu poderia rir se o meu diafragma não estivesse doendo tanto de levantar aquele piano idiota.

Ainda não tive notícias do Michael. Eu sei que ele tem uma prova de história da ficção científica distópica neste momento. Então isso explica por que ele não me ligou para agradecer pelo cookie.

Não é porque ele nunca mais vai querer saber de mim, nem ouvir falar de mim, por causa da dança sensual.

Provavelmente.

Segunda, 8 de março, S & T

Certo, ela enlouqueceu de vez.

Falando sério. Qual é o PROBLEMA dela? Ela espera que todos nós a ajudemos a publicar a revista literária idiota dela — rigorosamente: ela acabou de entrar com 3.700 páginas que nós aparentemente temos que juntar e grampear —, mas mesmo assim se recusa a tirar "Chega de milho!".

"Lilly", eu disse. "POR FAVOR. A gente conhece o J.P. agora. A gente ficou AMIGO dele. Você não pode publicar essa história. Só vai deixá-lo magoado! Quer dizer, eu o faço se MATAR no fim."

"O J.P. é poeta", a Lilly respondeu.

"E DAÍ, O QUE ISSO TEM A VER COM QUALQUER COISA?"

"Os poetas se matam o tempo todo. É um fato estatístico. Entre os escritores, os poetas são os que têm a menor expectativa de vida. Eles têm mais probabilidade de se matar do que os escritores de prosa ou de não ficção. J.P. provavelmente vai concordar com a maneira como você terminou "Chega de milho!", já que é a maneira como ele vai morrer mesmo, algum dia."

"Lilly!"

Mas ela não se abala.

Eu me recusei a ajudar a juntar e grampear com bases éticas, então ela conseguiu que Boris fizesse isto no meu lugar.

Dá para ver que ele não está com a mínima vontade. Ele simplesmente está cansado demais para ensaiar com o violino dele.

Sabe, estou começando a me perguntar se vender velas não teria sido mais simples do que tudo isso.

Segunda, 8 de março, Ciências da Terra

O Kenny não estava cansado demais ontem à noite para fazer a nossa ficha do laboratório.

Mas ESTAVA cansado demais para não derramar molho de tomate em cima do papel todo.

Eu copiei tudo de graça. Desisti do Alfred Marshall oficialmente. Ele pode dar certo para Grandmère e a Lana, mas não fez porcaria nenhuma por mim.

Ainda não tive nenhuma notícia do Michael. E a aula de história da ficção científica distópica no cinema dele já deve ter terminado.

Acho que é oficial.

Ele me odeia.

* DEVER DE CASA

Educação Física: LAVAR O SHORT DE GINÁSTICA!!! NÃO ACREDITO QUE EU ESQUECI!

Economia dos Estados Unidos: Sei lá. Estou cansada demais para me preocupar

Inglês: Ñ sei

Francês: Ñ sei

Superdotados & Talentosos: Até parece

Geometria: Ñ sei

Ciências da Terra: Ñ sei (depois o Kenny me diz)

Segunda, 8 de março, na limusine, indo do Plaza para casa

Não dá para acreditar.

Mesmo. É demais. Depois de tudo aquilo...

Certo. Eu preciso me controlar. PRECISO. ME. CONTROLAR.

A coisa começou de um jeito bem inocente. Todo mundo só estava lá deitado no chão do salão de baile, exausto da leitura final.

Daí alguém — acho que foi a Tina — falou assim:

"Hm, Vossa Alteza? Os meus pais querem saber onde eles podem comprar os ingressos para esse espetáculo, porque eles não querem perder."

"Os pais de todos vocês já estão na lista de convidados", Grandmère disse, do lugar onde estava sentada, fumando um cigarrinho pós-ensaio (parece que ela está se permitindo fumar depois dos ensaios, além de depois das refeições), "para quarta-feira."

"Quarta-feira?", a Tina perguntou com uma inflexão esquisita na voz.

"Precisamente", Grandmère disse, exalando um fio de fumaça azul. O *Señor* Eduardo deu uma tossidinha no meio do sono, já que um pouco da fumaça foi na direção dele.

"Mas quarta-feira à noite não é o evento beneficente Aide de Ferme?", outra pessoa, acho que foi o Boris, perguntou.

"Precisamente", Grandmère disse, de novo.

E foi aí que a coisa finalmente ficou clara.

A Lilly foi a primeira a se manifestar:

"O QUÊ?", ela exclamou. "Você vai fazer a gente encenar essa peça na frente de toda aquela gente que vai estar na sua FESTA?"

"É um musical", Grandmère respondeu, toda sombria. "Não uma peça."

"Quando eu perguntei na semana passada, você disse que a peça seria encenada dali a uma semana!", a Lilly gritou. "E era quinta-feira!"

Grandmère deu um trago no cigarro.

"Ah, que coisa", ela disse, sem parecer nem um pouco preocupada. "Eu me enganei por um dia, não foi mesmo?"

"Eu *não* vou", o Boris disse, levantando-se e ficando bem alto, "ser estrangulado com o cabelo de uma menina qualquer na frente do Joshua Bell."

"E *eu* não vou", Lilly declarou, "interpretar a amante de alguém na frente da Benazir Bhutto, não importa quanto tempo ela tenha dado apoio ao Talibã."

"Eu não quero fazer papel de criada na frente de celebridades", a Tina disse, toda ressentida.

Grandmère, com muita calma, apagou o cigarro em um prato que alguém havia deixado em cima do piano. Vi Phil olhando para o cigarro apagado todo nervoso, sentado ali ao teclado. Obviamente ele estava tão nervoso quanto eu com a possibilidade de contrair câncer de pulmão como fumante passivo.

"Então é assim que vocês me agradecem", Grandmère disse com sua voz rouca por causa de tantos cigarros Gitane, ecoando por todo o salão vazio, "por pegar a vidinha comum e tediosa de vocês e enchê-la de glamour e arte?"

"Hm. A minha vida já contém arte. Não sei se a senhora está ciente do fato, Vossa Ilustríssima Majestade, mas eu sou violinista de concerto e...", Boris disse.

"Eu tentei", a voz de Grandmère soou, quando ela o ignorou, "fazer algo para preencher seus dias monótonos de escola. Tentei dar-lhes algo significativo, algo para almejar. E é assim que vocês retribuem. Reclamando por não desejarem compartilhar o que nos esforçamos tanto para criar juntos com os outros. Que tipo de ATORES vocês são????"

Todo mundo ficou olhando pasmo para ela. Porque, é óbvio, nenhum de nós se considerava qualquer tipo de ator.

"Por acaso vocês não foram", Grandmère quis saber, "colocados nesta terra com a obrigação divina de compartilhar seus talentos com os outros? Vocês têm a coragem de NEGAR o plano de Deus ao PRIVAR o mundo do direito de vê-los representando sua arte? É ISSO que estão tentando me dizer? Que vão DESAFIAR Deus?"

Só a Lilly teve coragem de responder:

"Hm", ela disse. "Vossa Alteza, acho que eu não estou negando Deus — isto se Ele de fato existir — ao dizer que não estou muito a fim de me fazer de idiota na frente de um monte de líderes mundiais e estrelas de cinema."

"Tarde demais!", Grandmère exclamou. "Você já fez isso! Porque só uma idiota tem vergonha de alguma coisa. De onde você acha que o mundo veio, aliás? Um verdadeiro artista nunca se envergonha de seu trabalho. NUNCA."

"Beleza", a Lilly disse. "Eu não tenho vergonha. Mas..."

"Este espetáculo", Grandmère prosseguiu, "ao qual todos vocês deram o sangue é importante demais para não ser compartilhado com o maior número de pessoas possível. E qual evento poderia ser mais adequado para esta primeira e única apresentação do que um evento beneficente que tem como objetivo arrecadar fundos para os cultivadores de azeitonas pobres de Genovia? Vocês não percebem, pessoal? *Trança!* tem uma mensagem — uma mensagem de esperança — que é vital para as pessoas — especialmente para os agricultores de Genovia. Nessa época sombria, nosso espetáculo mostra que as pessoas más no final nunca vencem, e que até mesmo os mais fracos entre nós têm seu papel no esforço de derrotá-las. Será que se negássemos essa mensagem aos outros não estaríamos, em essência, permitindo que as pessoas más vencessem?"

"Ai, caramba", ouvi a Lilly resmungar bem baixinho.

Mas todo o restante do pessoal pareceu ficar bastante inspirado.

Até todo mundo se dar conta de que quarta-feira à noite é depois de amanhã.

E alguns de nós — tudo bem, o Kenny — ainda nem sabem a coreografia.

E é por isso que Grandmère mandou a gente se preparar para ensaiar a noite toda amanhã, se for necessário.

Bom, mas o discurso de Grandmère foi MESMO bem inspirador. A gente realmente NÃO PODE deixar as pessoas maldosas vencerem.

Mesmo se as pessoas maldosas por acaso forem... bom, nós mesmos.

E é por isso que eu acabei de falar para o Hans me levar para o Eagle Hall, onde o Michael mora na Universidade de Columbia. Vou fazer com que ele me perdoe, mesmo que eu precise me esparramar no chão como o Rommel faz quando percebe que é hora de tomar banho.

Segunda, 8 de março, na limusine, voltando do alojamento do Michael

Uau. Uau, uau, uau, uau, uau, uau, uau, uau, uau, uau, uau.
Essa é a única coisa que eu posso pensar em dizer.
E também: como eu sou burra.
Fala sério. Quer dizer. Todas as indicações estavam lá, e eu simplesmente não juntei uma com a outra.
Certo, talvez, se eu escrever tudo de maneira lúcida, vou conseguir processar.
Então eu entrei no Eagle Hall, onde o Michael mora, e chamei o quarto dele pelo interfone, da recepção. Para variar, ele estava mesmo em casa — graças a Deus. Ele pareceu meio surpreso quando ouviu a minha voz no aparelho, mas disse que ia descer logo, porque os seguranças do campus vigiam as portas do alojamento e não deixam ninguém passar pela recepção, a não ser que a pessoa esteja acompanhada por um residente. Nem mesmo que seja uma princesa com seu guarda-costas. O residente precisa descer e dar autorização, os visitantes têm que deixar a identidade com o segurança e tal.
Achei que era bom sinal o fato de o Michael se mostrar disposto a descer para autorizar a minha entrada.
Até eu o ver.
Daí percebi que não tinha absolutamente nada de bom naquilo.
Porque o Michael parecia triste DE VERDADE por causa de alguma coisa. Quer dizer, triste MESMO.
E eu comecei a ter um pressentimento muito ruim.
Porque, sabe como é, eu sei que ele está em prova nesta semana e tal. E isso já seria suficiente para deixar qualquer pessoa deprimida.

Mas o Michael não estava com cara de quem estava deprimido por causa de provas.

Ele estava mais com cara de deprimido porque tinha acabado de descobrir que a namorada dele era uma louca completa e agora ia ter que terminar tudo com ela.

Mas achei que talvez eu só estivesse... sabe como é. Fazendo uma projeção ou algo assim.

Mesmo assim, durante todo o trajeto até o quarto dele, no elevador, eu fiquei ensaiando na cabeça o que eu ia dizer. Sabe como é, como eu agiria quando ele mencionasse a Dança Sensual. E a cerveja. Eu estava pensando que não ia ser muito difícil convencê-lo de que eu estava sofrendo de desequilíbrio hormonal temporário na hora, porque a esta altura eu já devia estar acostumada a atuar, já que faz uma semana que eu não faço nada além disso.

Além do mais, sabe como é, por eu ser a maior mentirosa do mundo.

Mas o negócio do J.P. ia ser mais difícil de explicar. Porque eu não sabia bem se eu mesma entendia.

Daí, quando chegamos ao andar do Michael, Lars discretamente se sentou na sala de TV, onde estava passando um jogo, e Michael e eu fomos para o quarto dele, que por sorte estava vazio, porque o colega de quarto dele, o Doo Pak, estava em uma reunião da Associação dos Alunos Coreanos.

"Então", eu disse, tentando parecer natural, depois de me sentar na cama bem arrumadinha do Michael. Só que eu não estava me sentindo nem um pouco à vontade. Aliás, parecia que o sangue das minhas veias tinha congelado. Se alguém tivesse cortado o meu braço fora naquele momento, tenho bastante certeza de que ele teria se despedaçado em mil fragmentos em vez de sangrar, como se eu fosse um daqueles caras congelados da prisão criogênica de *O demolidor* (mais um filme de ficção científica distópica).

Porque, de repente, eu tive a certeza de que o Michael ia terminar comigo por ter agido como uma louca imatura na festa dele.

E, antes que eu me desse conta, eu me ouvi falando:

"Olha, sinto muito por aquela dança sensual idiota. Sinto muito, muito mesmo. E não tem nada rolando entre mim e o J.P. É sério. Mas é que eu estava HISTÉRICA. Quer dizer, com todas aquelas garotas universitárias superinteligentes lá..."

Michel, que tinha se sentado na cadeira da escrivaninha, na minha frente, ficou olhando para mim com cara de quem não estava entendendo nada.

"Dança sensual?"

"É", respondi. "Aquela que eu fiz com o J.P."

Michael ergueu as sobrancelhas.

"Era *isso* que você estava fazendo? Uma dança sensual?"

"Era", deu para sentir as minhas bochechas ficando vermelhas. Mas preciso dizer uma coisa: quando a Buffy fez aquela dança sensual no Bronze para deixar o Angel com ciúme naquele episódio de *Buffy, a caça-vampiros*, tenho bastante certeza de que o Angel saiu de lá e matou um monte de vampiros só para trabalhar sua frustração sexual. Pode deixar que o MEU namorado nem reconhece uma dança sensual quando vê uma na frente.

Tentei não pensar na insinuação que ele fez, para o bem do futuro do nosso relacionamento. Isso sem falar nas minhas capacidades de fazer uma dança sensual.

"A culpa não é só minha", insisti. "Bom, quer dizer, a parte da dança sensual é. Mas você me convida para essa festa já sabendo que eu vou ser a pessoa mais nova e menos inteligente lá. Como você ACHA que eu ia me sentir? Eu me senti totalmente acuada!"

"Mia", o Michael disse, um tanto seco. "Você não era, nem de longe, a pessoa menos inteligente lá. E você é princesa. E *você* se sentiu acuada?"

"Bom", respondi. "Posso ser princesa, mas mesmo assim eu me sinto acuada. Principalmente por garotas mais velhas. Garotas universitárias. Que sabem... coisas de faculdade. E sinto muito por ter dado uma de boba. Mas será que o que eu fiz foi mesmo assim tão imperdoável? Quer dizer, eu só tomei UMA cerveja e fiz uma dança sensual com outro cara. E, tecnicamente, eu nem estava dançando com ele, só estava meio que na frente dele. E, tudo bem, talvez não tenha sido assim tão sensual, em última instância. E agora eu vejo que aquela boina foi um erro. A coisa toda foi completamente imatura, eu sei. Mas..." dava para sentir as lágrimas se acumulando nos meus olhos. "Mas você podia ter me ligado, em vez de me dar o tratamento de silêncio durante dois dias."

"Tratamento de silêncio?", Michael repetiu. "Do que você está falando? Eu não dei nenhum tratamento de silêncio para você, Mia."

"Dá licença", eu disse, fazendo força para não me desmanchar em lágrimas. "Eu deixei, tipo, uns cinquenta recados para você, e ainda mandei bagels e um cookie gigante, e a única coisa que recebi de você foi um texto enigmático, A GENTE TEM QUE CONVERSAR..."

"Dá um tempo, Mia", Michael disse. Agora ele parecia meio aborrecido. "Eu ando um pouco preocupado..."

"Eu sei bem que o seu curso de história da ficção científica distópica no cinema é muito intenso e tal", interrompi. "E sei que eu agi como uma boba na sua festa. Mas você pelo menos podia..."

"Não é com dever de casa que eu estou preocupado, Mia", Michael disse, interrompendo a minha interrupção. "E é verdade, você agiu *mesmo* como uma boba na minha festa. Mas o problema também não é esse. A verdade é que eu ando tentando dar conta de um drama familiar. Os meus pais... vão se separar."

Hm. **O QUÊ??????**

Fiquei olhando pasma para ele. Achei que eu não tinha ouvido direito.

"Como assim?", perguntei.

"É." Michael se levantou, ficou de costas para mim e passou a mão pelo cabelo escuro cheio. "Os meus pais querem terminar. Eles me contaram na noite da festa." Ele se virou para mim e eu vi que, apesar de ele estar tentando esconder, estava chateado. Chateado de verdade.

E não porque a namorada dele não é uma menina festeira. Nem porque gosta DEMAIS de fazer festa. Não tem absolutamente nada a ver com nenhuma dessas coisas.

"Eu poderia ter dito para você naquele dia", ele falou. "Se você não tivesse ido embora. Mas, quando eu saí do quarto deles, você não estava mais lá."

Fiquei olhando para ele horrorizada, percebendo a verdadeira magnitude da minha estupidez naquela noite. Eu tinha fugido da festa dele, com vergonha de ter sido pega pelos pais do Michael, fazendo uma dança sensual com outro cara, e achando que ele também tinha sentido a mesma coisa por causa disto... Por que outro motivo ele poderia ter saído da sala e me deixado sozinha daquele jeito?

Mas agora eu percebi que ele teve uma boa razão para desaparecer do jeito que desapareceu. Ele estava conversando com os pais. Que não estavam dizendo para ele terminar com a namorada vagabunda dele, que fica fazendo danças sensuais.

Em vez disso, estavam dizendo para ele que *eles* iam se separar.

"Eles não tinham ido para conferência nenhuma no fim de semana", o Michael disse. "Eles mentiram para mim. Eles foram a uma sessão-maratona com um conselheiro matrimonial. Foi o último recurso que eles encontraram para ver se conseguiam resolver as coisas. E não deu certo."

Fiquei olhando para ele. Parecia que alguém tinha me dado um chute no peito. Eu mal conseguia respirar.

"Ruth e Morty", eu me ouvi falando baixinho. "Vão se separar?"

"Ruth e Morty", ele confirmou. "Vão se separar."

Pensei em uma coisa que Lilly havia dito no dia que batemos a cabeça na limusine. "Acho que Ruth e Morty têm mais coisas com que se preocupar", foi o que ela disse.

Lancei um olhar assustado para o Michael.

"Lilly sabe?"

"Meus pais estão esperando o momento certo para contar para ela", Michael disse. "Eles nem queriam contar para *mim*, só que... eu percebi que tinha alguma coisa errada. Mas, bom, parece que eles acham que, por causa dessa revista em que a Lilly está trabalhando, e a peça de que vocês estão participando..."

"Musical", eu disse.

"... ela parece estressada agora, então acharam melhor falar depois. Eu não concordo exatamente com a decisão deles, mas eles me pediram para deixar que façam do jeito deles. Então, por favor, não diga nada a ela."

"Acho que ela sabe", respondi. "Na limusine, outro dia... ela fez um comentário."

"Eu não me surpreenderia", Michael disse. "Ela deve ter desconfiado, pelo menos. Quer dizer, ela passou o ano todo em casa, com os dois brigando, enquanto eu fiquei aqui no alojamento, meio afastado de tudo."

"Ai, meu Deus", eu disse, sentindo uma pontada de pena da Lilly. De repente compreendi por que ela estava meio esquisita com aquele negócio da revista literária. Quer dizer, se ela sabia que os pais estavam se separando, isto totalmente explicaria as variações de humor e a esquisitice generalizada dela.

Pena que eu não tinha desculpa para a MINHA esquisitice.

"Michael", eu disse, "eu não fazia a mínima ideia. Eu achei... Eu achei que você estava bravo comigo por eu ter me comportado como uma maluca completa naquela noite. Achei que você estava com nojo de mim. Ou decepcionado comigo. Por eu não ser uma menina festeira."

"Mia", Michael disse, sacudindo a cabeça... quase como se ELE também não estivesse acreditando que tudo aquilo estava acontecendo. "Eu *estava* chateado com você. Eu não *quero* uma menina festeira. Eu só quero..."

Mas, antes que ele pudesse dizer qualquer outra coisa, a porta do quarto abriu e o Doo Pak entrou, com aquela cara alegre dele de sempre... principalmente depois de me ver.

"Ah, oi, princesa!", ele exclamou. "Achei mesmo que você estava aqui, porque vi o sr. Lars na sala de TV! Como vai nesta noite? Obrigado pelo cookie gigante de "Desculpa". Estava delicioso. Mike e eu passamos o dia inteiro comendo."

Eu ia dizer:

"De nada." Eu ia dizer: "Estou ótima, Doo Pak. E você?"

Mas não era isso que eu QUERIA dizer. O que eu QUERIA dizer era:

"Saia daqui, Doo Pak! Saia daqui! Michael, termine de dizer o que você estava dizendo. O que você *quer*? O QUE VOCÊ QUER???"

Porque, sabe como é, parecia que o assunto era levemente importante — principalmente levando em conta a parte do "Eu *estava* chateado com você" que precedeu a última sentença.

Mas daí o telefone tocou, Doo Pak atendeu e disse:

"Ah, olá, sra. Moscovitz! Sim, o Mike está aqui. Quer falar com ele? Toma, Mike."

E apesar de o Michael estar fazendo gestos por baixo do queixo para sinalizar "eu não estou aqui" para o Doo Pak, já era tarde demais. Ele teve que pegar o telefone e falar assim:

"Hm, mãe? É, oi. Agora eu não posso falar, posso ligar para você mais tarde?"

Mas eu ouvi a mãe dele falando sem parar.

E Michael, sempre um filho prestativo, ficou ouvindo. Enquanto eu ficava lá sentada, pensando: "O Dr. e a Dra. Moscovitz vão se separar? NÃO PODE ser. Não é possível. Isso simplesmente não é NATURAL para eles. É como... bom, é como se o Michael e eu fôssemos nos separar."

E, aliás, pode ser que seja exatamente isso que a gente esteja fazendo. Porque, sabe como é, ele não chegou a dizer que me perdoava. Pela coisa do J.P. Ele reconheceu que havia ficado chateado comigo, mas não disse que CONTINUAVA chateado.

Ai, meu Deus. Será que o casal Moscovitz não é o único que está se separando neste momento?

Só que não tinha jeito de eu descobrir. Pelo menos não naquele momento, porque o Michael estava com o telefone colado no rosto e dizia:

"Mãe. Mãe, eu sei. Não se preocupe."

E daí eu entendi que aquilo que estava acontecendo com ele — e conosco — era muito mais grave do que algo que pudesse ser solucionado com um cookie de "Desculpa".

Eu também compreendi que não podia fazer absolutamente mais nada.

E foi por isso que eu me levantei e fui embora.

Afinal, o que mais eu podia fazer?

Do Gabinete de
Vossa Majestade Real

Princesa Amelia Mignonette Grimaldi Thermopolis Renaldo

Caro Dr. Carl Jung,

Estou ciente de que o senhor continua morto. No entanto, as coisas repentinamente pioraram muito.

E agora eu não estou tão preocupada em transcender o meu ego e alcançar a autorrealização.

Em vez disso, estou preocupada com os meus amigos.

Não que eu não tenha os meus próprios problemas, é óbvio, mas agora que eu fiquei sabendo que os pais do meu namorado vão se separar, dr. Jung, e isto pode acabar com um jovem no seu melhor momento, como o Michael. Além de essa coisa obviamente estar fazendo com que ele fique muito magoado, também pode fazer com que ele internalize questões de abandono que, temo, podem acabar repercutindo na MINHA relação com ele. Quer dizer, e se, com o exemplo dos pais, o Michael aprender que a maneira de lidar com um conflito é sair do relacionamento?

Isso é algo que pode acontecer, totalmente. Eu sei porque vi uma vez naquele programa de relacionamentos da TV, o *Dr. Phil*.

E a verdade é que existe um conflito no nosso relacionamento NESTE MOMENTO, por causa de uma dança sensual em situação inoportuna da minha parte.

Será que tem COMO as coisas piorarem?

POR FAVOR, ENVIE AJUDA.

Sua amiga,
Mia Thermopolis

Segunda, 8 de março, meia-noite, em casa

Sabe o que tudo está me lembrando? "Chega de milho!" É sério. A parte em que o personagem sem nome está vagando pelas ruas de Manhattan, rodeado por pessoas e, em última instância, sentindo-se solitário ao extremo. Tão solitário que percebe não ter escolha além de se jogar na frente do metrô da linha F.

Mas isso, se você pensar bem, é uma coisa muito egoísta de se fazer, porque o condutor do trem vai ficar traumatizado pelo resto da vida por causa disso.

Mesmo assim, parece que a minha vida começou a imitar a minha ARTE!!! É sério!!! A minha história de ficção está se tornando verdade, só que não para o J.P.

Para MIM.

O negócio é que, quando entrei na limusine, mandei um e-mail bem comprido para o Michael com o celular novo do Lars, dizendo como eu o amo e como sinto muito, tanto por causa da coisa com os pais dele tanto por eu ser tão imatura e só pensar em mim. E pela dança sensual.

Eu achava que ia chegar em casa e encontrar um e-mail bem comprido dele também, dizendo que me perdoava por ter agido daquele jeito tão esquisito na festa dele.

Mas ele não respondeu.

Nada.

Não dá para acreditar. Quer dizer, o que eu faço AGORA? Eu já mandei um cookie de "Desculpa" para ele. Não tenho a mínima ideia sobre o que mais fazer. Se eu achasse que podia ajudar, eu compraria uma passagem para ele andar no ônibus espacial. Mas não acho que ajudaria.

Além do mais, não tenho dinheiro para uma viagem no ônibus espacial. Não tenho dinheiro nem para comprar um ônibus espacial de BRINQUEDO.

E como se isso já não bastasse, as palavras de despedida do Michael para mim ficam ecoando na minha cabeça: "Eu não quero uma menina festeira. Eu só quero..."

Eu só quero... O QUÊ?

Provavelmente eu nunca vou saber. Mas não posso deixar de me preocupar com o fato de que, seja lá o que o Michael quer, eu não sou essa coisa.

E, neste momento, não posso dizer que o culpo.

Terça, 9 de março, na limusine, a caminho da escola

Então Lilly ficou toda:

"Ai, meu Deus, o que aconteceu com VOCÊ?", quando entrou no carro.

E eu falei, tipo: "Como assim?"

E ela falou, tipo:

"Você parece péssima. O que foi? Você não dormiu na noite passada ou o quê? A sua avó vai matar você. Hoje à noite temos o ensaio com o figurino."

Então, obviamente, ela não sabe que eu sei sobre os pais dela. É possível que o Michael esteja errado, e a própria Lilly não esteja sabendo de nada. Não de verdade.

A menos que ela seja mesmo tão boa atriz quanto acha que é.

O que significa que eu não posso dizer para ela por que estou parecendo péssima. Quer dizer, a Lilly só me mataria LEVEMENTE se soubesse que eu sei que os pais dela vão se separar antes de ELA saber que os pais dela vão se separar. Além do mais, o Michael pediu para eu não comentar nada.

Acho que posso dizer que acho que o Michael e eu vamos terminar por causa da minha dança sensual com o J.P.

Mas será que isso não é um pouco mais do que ela seria capaz de suportar? Quer dizer, e se SOUBER sobre os pais dela? Será que é justo da minha parte achar que ela vai ter como encarar a separação deles JUNTO com a minha? Isso se for mesmo o que está acontecendo comigo e com o Michael?

Não. Não é.

Então, em vez de dizer a verdade, eu só falei assim:

"Não sei. Acho que estou ficando resfriada."

"Que droga", a Lilly disse. Daí ela me contou como já tinha conseguido montar quase vinte revistas, que já estavam até grampeadas. Só faltam mais novecentas e oitenta. Porque, obviamente, a Lilly acha que todo mundo na escola inteira vai querer comprar um exemplar.

Eu nem me dei o trabalho de contradizê-la. Por um lado, eu me sinto totalmente vazia por dentro, então não estou nem aí.

E, por outro, ela foi totalmente má comigo quando pedi, MAIS UMA VEZ, para não publicar "Chega de milho!". Ela ficou toda:

"Onde é que nós estaríamos hoje se Woodward e Bernstein tivessem pedido para o jornal *Post* não publicar a reportagem deles sobre Watergate? Hein? Onde é que nós estaríamos?"

Mas revelar o escândalo de Watergate é COMPLETAMENTE diferente de "Chega de milho!". Uma coisa serviu para derrubar um presidente eleito. A outra só vai magoar os sentimentos de alguém. O que é mais importante?

Tanto faz. Lilly só falou assim:

"O seu texto é a CHAMADA DE CAPA. Está logo ali, embaixo de *A bundinha rosa do Fat Louie*. 'Um conto da princesa da EAE, Mia Thermopolis.' Não posso TIRAR agora, sem ter que refazer a CAPA, sem falar no sumário. Eu teria que diagramar a capa de novo, daí imprimir, depois tirar mil cópias. TUDO DE NOVO. NÃO vou fazer isso. Simplesmente NÃO vou fazer."

Eu disse a ela que ia ajudar a tirar as cópias. Mas ela só balançou a cabeça. Não dá para acreditar que ela está disposta a magoar um amigo só porque é preguiçosa demais para aguentar uma máquina de xerox mais um pouco. E ainda mais depois de tudo o que eu já fiz por ela. Como proteger o estado mental frágil dela de saber da separação dos pais, e provavelmente do Michael e eu. Caramba.

Terça, 9 de março, Sala de Estudos

Ainda não consigo acreditar. Quer dizer, é como se a Wilma e o Fred Flintstone fossem se separar. Ou o Homer e a Marge Simpson. Ou a Lana Weinberger e o Josh Richter.

Bom, só que eu não fiquei nem um pouco mal quando ELES se separaram.

CASAIS QUE DEIXARIAM A GENTE TOTALMENTE DEPRIMIDA SE FOSSEM SE SEPARAR:

Sarah Michelle Gellar e Freddie Prinze Jr.

Kelly Ripa e Mark Consuelos

Scooby Doo e Salsicha

Melissa Etheridge e Tammy Lynn Michaels

Bruce Springsteen e Patti Scialfa

Russell e Kimora Lee Simmons

Ben Affleck e Matt Damon

Danny DeVito e Rhea Perlman

Will e Jada Pinkett Smith

Rainha Elizabeth e príncipe Philip

Kevin Bacon e Kyra Sedgwick

Gwen Stefani e Gavin Rossdale

Ellen DeGeneres e Portia de Rossi

Hermione e Ron

Jay-Z e Beyoncé

Téa Leoni e David Duchovny

Sandy e Kirsten Cohen

Tina Hakim Baba e Boris Pelkowski

Minha mãe e o sr. G

Não acredito que os Moscovitz vão se separar. Quer dizer, eles são PSIQUIATRAS JUNGUIANOS. Se eles não conseguem fazer um relacionamento dar certo, que tipo de esperança o restante de nós pode ter?

Do Gabinete de
Vossa Majestade Real

Princesa Amelia Mignonette
Grimaldi Thermopolis Renaldo

Caro Dr. Carl Jung,

Bom, agora eu entendi. Entendi completamente.

Demorou um pouco. Reconheço. Mas eu finalmente absorvi a verdade.

É engraçado como, durante todo esse tempo, eu achei que a transcendência me deixaria feliz. Sabe, que por meio do conhecimento derradeiro de mim mesma eu conquistaria a felicidade total no fim. Caramba, como o senhor me enganou. Agora deve estar morrendo de rir aí no céu ou no lugar onde está. Porque o senhor sempre soube, não é mesmo? O senhor sabia a verdade.

E a verdade é que não existe árvore junguiana de autorrealização. Não *existe* transcendência do ego. O fato de os Drs. Moscovitz estarem se separando só comprova isso.

A verdade é que a gente está sozinha.

E daí a gente morre.

Não se preocupe. Agora eu entendi.

Esta é a última carta que escreverei para o senhor. Adeus para sempre.

Sua ex-amiga,
Mia Thermopolis

Terça, 9 de março, Economia dos Estados Unidos

Utilidade marginal = a satisfação adicional, ou quantidade de utilidade, conquistada em cada unidade extra de consumo. A utilidade marginal diminui com cada crescimento adicional no consumo de um bem.

Em outras palavras, quanto menos se tem de uma coisa, mais se quer ter. Fenômeno com o qual eu estou muito familiarizada.

Terça, 9 de março, Inglês

Mia, tudo bem com você? Está com cara de quem está ficando doente.

Ah, eu estou ótima, Tina. Ótima.

    É?

Certo, é mentira. O Michael está chateado com a minha dança sensual com o J.P. Mas ele está MAIS chateado com uma coisa que não tem nada a ver comigo. Uma coisa que eu não posso contar para você. Mas ele mal está falando comigo. Eu já mandei um cookie de "Desculpa" para ele. Não sei mais o que fazer.

    Talvez você não deva fazer mais nada. Os meninos não são iguais às meninas, sabe, Mia? Eles não gostam de falar sobre sentimentos. Provavelmente a melhor coisa que você pode fazer é deixar o Michael em paz. Seja o que for, ele vai falar com você assim que tiver resolvido tudo. Tipo o Boris e o Bartók dele.

Você acha mesmo? É muito difícil só ficar aqui sentada, sem fazer nada! E quem é que não gosta de FALAR sobre sentimentos????

    Eu sei. Mas os meninos são assim. Eles são, tipo, esquisitos por natureza.

    Do que vocês duas estão falando?

    Nada.

Nada.

    Ah, sei. Nada, de novo. Tanto faz. Olha. Almoço. Vocês me ajudam a montar as revistas?

    Pode ser.

NÃO!!!! O J.P. VAI VER O CONTO SOBRE ELE!!!! Agora ele senta com a gente no almoço!

> É, que história é essa, aliás? Isso é tipo algo permanente ou algo tipo só até que o espetáculo passe?

> Acho que é do tipo alguém está a fim da Mia.

O QUÊ????

> Você acha?

NÃO ESTÁ NADA!!!!

> Não sei, Mia. Tem a coisa da dança sensual. E eu vejo que ele fica olhando muito para você quando você não está prestando atenção.

> Hum, e como é que você sabe que ele não está olhando para MIM, Tina?

> Hum... bom, PODERIA ser você que ele olha, Lilly. Mas eu achei mesmo...

Você QUER que ele esteja olhando para você, Lilly?

> EU NÃO DISSE ISSO. Só perguntei como é que a Tina pode ter tanta certeza de que NÃO sou eu. Quer dizer, você e eu ficamos juntas muito tempo. Ele podia estar a fim de MIM, não da Mia.

Ai, meu Deus. Você gosta do J.P.

> NÃO GOSTO!

Gosta, gosta sim. Gosta super!

> AI, MEU DEUS, SERÁ QUE DÁ PARA VOCÊ SER MAIS IMATURA??? NÃO VOU MAIS PARTICIPAR DESTA CONVERSA.

> Ai, meu Deus. Ela gosta dele sim. Total.

Eu sei! Ela não podia ter sido mais óbvia.

> Estou surpresa. O J.P. não parece ser do tipo dela.

Porque ele é bonito, fala inglês e vem de uma família rica?

> Certo. Mas ele É do tipo criativo. E é alto. E dança muito bem.

Uau. Então não entendo. Se ela gosta dele, por que ela vai publicar uma história minha que só vai servir para deixá-lo magoado?

> Não sei. Eu adoro a Lilly, mas não posso dizer que entendo as coisas que ela faz.

É. Posso dizer o mesmo a respeito de TODOS os Moscovitz.

> Ah, Mia. O que você vai fazer a respeito do Michael?

Fazer? Nada. Quer dizer, o que eu POSSO fazer?

> Uau. Você está mesmo aceitando muito bem essa atual desavença. Quer dizer, tirando o fato de que você está com cara de quem está com ânsia de vômito.

Eu ESTOU vomitando, Tina. Por dentro.

Terça, 9 de março, almoço

Hoje, no almoço, o J.P. ficou todo:
"Tudo bem com você, Mia?"
E eu fiquei tipo:

"Tudo. Por quê?"

E ele ficou tipo:

"Porque você está toda pálida."

E eu fiquei tipo:

"Eu estou PÁLIDA? Do que você está falando?"

E ele ficou tipo:

"Não sei. Só que você não parece estar bem."

Isso não parece que alguém com uma paixão ardente e oculta por mim, diria.

Então a Tina deve estar errada. No fim, o J.P. deve mesmo estar interessado pela Lilly.

Seria legal se eles começassem a sair. Porque daí a Lilly ia ter algo para se sentir feliz, sabe, quando ela descobrir a verdade a respeito dos pais dela. E sobre o Michael e eu.

Além do mais, talvez assim a Lilly tenha menos tempo para ficar fazendo análise psicológica comigo à mesa do almoço, como começou a fazer agora mesmo.

Lilly: Qual é o problema, PDG? Por que você não terminou de comer o seu bolo de chocolate recheado de creme?

Eu: Porque não estou a fim de comer um bolo de chocolate recheado de creme.

Lilly: Desde quando você pode não estar a fim de comer um bolo de chocolate recheado de creme?

Eu: Desde hoje, tá bem?

O restante da mesa: Uuuuuuu.

Eu: Sinto muito. Não quis falar assim.

Lilly: Está vendo? Todo mundo sabe que tem alguma coisa errada. Fala logo.

Eu: NÃO TEM NADA DE ERRADO. EU SÓ ESTOU CANSADA, CERTO?

J.P.: Ei, alguém quer ver as minhas bolhas? Por causa dos sapatos de jazz novos? São bem legais. Deem uma olhada.

Será a minha imaginação ou o J.P. estava simplesmente tentando distrair a Lilly para ela não implicar mais comigo?

Meu Deus, COMO ele é legal.

Eu PRECISO tirar aquele conto da revista da Lilly. Mas como? COMO????

Terça, 9 de março, S & T

Bom. AQUILO não deu certo.

E, tudo bem, talvez eu devesse ter deixado pra lá a coisa toda de ela gostar dele.

Mas mesmo assim. Ela não tinha nada que contar para a Sra. Hill que eu estava tentando sabotar a revista dela e pegar tudo e ir grampear sozinha na sala dos professores.

Tenho o sangue de muitas gerações de mulheres fortes e independentes correndo pelas minhas veias. Como é que elas lidariam com essa situação? Além de estrangular a Lilly, quer dizer.

Terça, 9 de março, na escada do terceiro andar

O Kenny pegou o passe para ir ao banheiro e, alguns minutos depois, eu peguei o passe também, e nós dois matamos ciências da Terra e encontramos a Tina, que matou geometria, e o Boris, que matou inglês, e a Ling Su, que matou artes, e nos encontramos aqui para repassar a coreografia que a gente ainda não conseguiu aprender muito bem.

Eu fiquei mal por matar aula, e admito que estudar é importante. Mas também é importante não se fazer de boba na frente do Bono.

Terça, 9 de março, Salão Nobre de Baile do Hotel Plaza

Quando entramos no salão nobre de baile hoje à tarde, havia uma orquestra completa lá.

Também tinha um monte de técnicos de som e iluminação correndo de um lado para o outro, falando:

"Um, dois, teste. Um, dois, um, dois, teste."

Também tinha um palco.

Isso mesmo. Um palco de verdade tinha aparecido em uma ponta do salão. Parecia que o Ty do *Extreme Makeover: Reconstrução Total* tinha entrado ali à noite e construído um palco gigantesco, completo, com um cenário rotativo com muros de castelo, uma cena de praia, lojas de vilarejo e a forja de um ferreiro.

Era incrível.

E o mesmo vale para o mau humor de Grandmère quando nós chegamos.

"Vocês estão atrasados!", ela berrou.

"Hm, é, desculpe, Grandmère", eu disse. "Houve um acidente com uma daquelas carruagens puxadas por cavalo na Quinta Avenida."

"Que tipo de profissionais vocês são?" Grandmère, aparentemente preferindo me ignorar, gritou. "Se este aqui fosse um verdadeiro espetáculo da Broadway, vocês todos estariam demitidos! Não há desculpa para atrasos!"

"Hm", J.P. disse. "O cavalo caiu em um bueiro. Precisou de dez motoristas de táxi para tirá-lo dali, mas ele vai ficar bem."

Essa informação fez com que Grandmère se transformasse completamente. Ou melhor, a culpa foi da pessoa que FORNECEU a informação.

"Ah, John Paul", ela disse. "Eu não o vi aí. Venha até aqui, querido, e conheça a responsável pelo figurino. Ela vai ajustar a sua roupa de ferreiro."

!!!!!

Caramba!!! Se o J.P. gosta de mim ou da Lilly não faz a menor diferença. De todo modo, está bem evidente de quem GRANDMÈRE gosta.

Então nós todos vestimos as nossas roupas e começamos a ensaiar com elas. Para impedir que a nossa voz ficasse abafada com todos os violinos e a seção de metais e tal, tivemos que colocar uns fones de ouvido minúsculos, como se este espetáculo fosse profissional, ou qualquer coisa assim. Foi bem esquisito cantar em um microfone — um DE VERDADE, e não uma escova de cabelo, que é o que eu geralmente uso. A voz fica ALTA de verdade.

Estou até meio feliz de ter treinado levantar aquele piano com a madame Puissant tantas vezes. Porque pelo menos agora eu consigo alcançar aquelas notas altas.

Mas todo o ensaio na escada não ajudou muito o Kenny com a parte da dança. Ele é um caso perdido. Parece que os pés dele não estão conectados às pernas, ou algo assim, e não obedecem aos comandos do cérebro. Grandmère agora está fazendo com que ele fique bem atrás nas cenas do coro.

Neste momento, ela está nos passando as "notas de elenco". É o que ela faz depois de cada passagem. Ela toma notas durante a apresentação e, em vez de parar para corrigir alguém, ela lê as anotações para cada um de nós no final. Neste momento, ela está instruindo Lilly a não levantar a cauda do vestido comprido dela com as DUAS mãos quando ela sobe a escada do palácio para cumprimentar Alboin. Uma lady, Grandmère diz, levantaria o vestido com UMA das mãos.

"Mas eu não sou uma lady", Lilly está dizendo. "Sou uma prostituta, está lembrada?"

"Uma amante", Grandmère diz, "não é uma prostituta, mocinha. Por acaso Camila Parker Bowles era prostituta? E madame Chiang Kai-Shek? Evita Perón? Não. Algumas das mulheres de mais destaque no mundo começaram sendo amantes de algum homem. Isso não significa que algum dia elas tenham se prostituído. E faça a gentileza de não discutir comigo. Você vai usar apenas UMA DAS MÃOS para erguer o seu vestido."

Agora ela está passando para o J.P. É óbvio que tudo o que ELE faz é perfeito.

Mas eu realmente não sei como ela acha que agradar o filho do John Paul Reynolds-Abernathy vai fazer com que ele desista de comprar a ilha da falsa Genovia.

Mas, bom, eu já parei de tentar entender as coisas que Grandmère faz. Quer dizer, essa mulher obviamente é um enigma embalado em um mistério. Bem quando eu acho que estou começando a entendê-la, ela aparece com algum plano louco novo.

Então, a esta altura, eu já devia pensar assim: "Por que me importar?" Ela nunca vai me dizer qual é a motivação real por trás da maior parte das ações dela — tipo por que ela insiste tanto que *eu* faça o papel de Rosagunde, e não alguém que de fato possa ser boa nisso, como a Lilly.

E ela nunca vai confessar por que essa coisa toda de ser legal com J.P. vai ajudá-la com a ilha dela. A gente só tem que ficar sentado quietinho enquanto ela fala:

— Eu realmente gostei daquela mesura que você fez durante o número final, John Paul. Mas posso dar uma sugestão? Acho que seria adorável se, depois da mesura, você tomasse a Amelia nos braços e a beijasse, com o corpo dela inclinado para trás — pronto, Feather, mostre a ele o que eu quero dizer...

ESPERE. O QUÊ?

Terça, 9 de março, na limusine, indo para casa do Plaza

AI, MEU DEUS!!!!!!!!!! J.P. VAI TER QUE ME BEIJAR!!!!!!!!!!! NA PEÇA!!!!!!!!!! QUER DIZER, MUSICAL!!!!!!!!!!!!!!

Não consigo nem acreditar. Quer dizer, o beijo nem está no roteiro. Grandmère com toda a certeza só incluiu isso porque... nem sei por quê. Não ACRESCENTA nada ao enredo. É só um beijo idiota no fim, entre Rosagunde e Gustav.

Duvido até que seja historicamente preciso.

Mas, bom, o fato de todas as pessoas do vilarejo e o rei da Itália se reunirem depois de Rosagunde matar Alboin e cantarem sobre como estão felizes por ele estar morto provavelmente também não é historicamente preciso.

Mesmo assim. Grandmère SABE que o meu coração pertence a outro homem — mesmo que neste momento possa ser que estejamos atravessando uma fase estranha.

Mesmo assim. O que ela tem na cabeça para me pedir para beijar outro menino?

"Pelo amor de Deus, Amelia", ela disse, quando eu fui até ela — DISCRETAMENTE, porque é óbvio que eu não queria que J.P. soubesse que eu não estava apoiando cem por cento a coisa toda do beijo. Não quero trair o meu namorado beijando outro cara — principalmente um cara com quem ele me viu fazendo uma dança sensual há menos de uma semana —, mas também não quero magoar J.P — e perguntei se ela tinha perdido a cabeça.

"As pessoas esperam um beijo entre os protagonistas no final de um musical!", Grandmère explodiu. "É uma crueldade deixar o público decepcionado."

"Mas, Grandmère..."

"E, por favor, não tente me dizer que você acha que beijar John Paul seja uma grande traição do seu amor por Aquele Rapaz." ("Aquele Rapaz" é como Grandmère chama o Michael.) "Isso se chama ATUAR, Amelia. Você acha que *Sir* Lawrence Olivier se importou quando a mulher dele, a Vivien Leigh, teve que beijar Clark Gable em... *E o vento levou*? Com certeza não. Ele compreendeu que aquilo era ATUAÇÃO."

"Mas..."

"Ah, Amelia, por favor! Não tenho tempo para isso! Tenho um milhão de coisas para fazer antes da apresentação amanhã, programas para repassar, quituteiras com quem conversar. Realmente não estou disposta a ficar aqui discutindo com você a respeito disso. Vocês dois vão se beijar e ponto final. A menos que você deseje que eu tenha uma conversinha com uma certa integrante do coro..."

Lancei um olhar de pânico na direção da Amber Cheeseman. Não tenho saída. E Grandmère sabe disto.

E deve ser por isso que ela estava com um sorrisinho maligno no rosto quando saiu batendo os pés para acordar o *Señor* Eduardo e mandá-lo para casa.

Mas como se tudo isso já não fosse bem ruim, quando eu saí do hotel, agora mesmo, e comecei a andar na direção da limusine, J.P. saiu das sombras e disse o meu nome.

"Ah", respondi, toda confusa. Quer dizer, ele estava esperando por mim? Bom, obviamente. Só que... Por quê? "Qual é o problema? Precisa de carona? A gente pode levar você, se quiser."

Mas J.P. falou assim:

"Não, não preciso de carona. Quero conversar com você sobre o beijo."

!!!!!!!!!!!!

Certo. ISSO não me deixou assim tão histérica.

Mas eu não podia demonstrar nada, porque Lilly estava na limusine, esperando por mim, e ela totalmente viu a gente ali no tapete vermelho, abaixou a janela e falou assim:

"Andem logo vocês dois, eu preciso chegar em casa e montar revistas!"

Caramba, às vezes ela consegue mesmo ser irritante.

"Olha, Mia", J.P. disse, ignorando Lilly completamente, o que era absolutamente adequado. "Sei que você anda tendo problemas com o seu namorado, e que eles têm um pouco a ver comigo. Não, não tente negar. A Tina já me contou. Eu estava mesmo preocupado com você, porque parecia tão deprimida o dia inteiro, então eu forcei até ela me contar. A gente não precisa se beijar. Quando estivermos lá, no meio da apresentação, poderemos fazer o que bem entendermos, de todo modo. Quer dizer, a sua avó não vai poder fazer nada para nos impedir. Então eu só queria dizer que se você, sabe como é, não quiser, a gente não precisa. Eu não vou ficar ofendido nem nada. Eu compreendo totalmente."

AI, MEU DEUS!

Essa não é a coisa mais fofa que já se ouviu em toda a vida?????

Quer dizer, é tão maduro e atencioso e tão nada a ver comigo da parte dele!

Acho que foi por isso que eu fiz o que fiz em seguida:

Que foi ficar na ponta dos pés e dar um beijo na bochecha do Cara que Detesta Quando Colocam Milho no Chili.

"Obrigada, J.P.", eu disse.

J.P. pareceu extremamente surpreso.

"Por quê?", perguntou com a voz um pouco esganiçada. "Eu só disse que você não precisa me beijar se não quiser."

"Eu sei", respondi, apertando a mão dele. "Foi por isso que eu dei um beijo em você."

Daí eu pulei para dentro do carro.

Onde Lilly imediatamente me cobriu de perguntas. Já que a gente ia deixá-la em casa, a caminho do loft.

Lilly: Que negócio foi aquele?

Eu: Ele disse que eu não precisava dar um beijo nele.

Lilly: Então por que você fez isso? Por que você deu um beijo nele, quer dizer?

Eu: Porque eu achei que ele foi fofo.

Lilly: Ai, meu Deus. Você gosta dele.

Eu: Só como amigo.

Lilly: E desde quando você dá beijos nos seus amigos? Você nunca deu um beijo no Boris.

Eu: Eca! Você ouviu aquela vez que ele falou que tinha problemas de salivação excessiva, ou sei lá o quê? Não sei como a Tina aguenta.

Lilly: O que está rolando entre vocês, Mia? Você e o J.P.?

Eu: Nada. Eu já disse. Somos só amigos.

E o negócio é que, apesar de eu saber que não devia entrar neste assunto, porque Lilly está prestes a receber a pior notícia da vida dela, na forma da separação dos pais — quer dizer, quando alguém finalmente contar para ela e tal —, eu totalmente toquei no assunto. Porque eu estava muito brava.

Eu: A questão é: o que está rolando entre VOCÊ e o J.P.?

Lilly: EU? Não fui *eu* que beijei o J.P. Nem fiz uma dança sensual com ele. Eu só gosto dele como amigo, como você AFIRMA gostar.

Eu: Então por que você não tira o conto que eu escrevi sobre ele da sua revista? Quer dizer, você sabe que isso só vai servir para magoá-lo. Se você gosta mesmo dele como amigo, por que deseja magoá-lo?

Lilly: Não vou ser *eu* que vou magoá-lo. Vai ser *você*. Não fui *eu* quem escreveu aquele conto.

Meu Deus. Por que ela tem que esfregar isso na minha cara?

Quarta, 10 de março, meia-noite, em casa

Nenhum e-mail do Michael. Nenhuma mensagem também.

Sei que ele tem muita coisa na cabeça neste momento e não pode, tipo, se concentrar totalmente em mim e nas MINHAS necessidades. Eu não estava achando que ia chegar em casa e encontrar um buquê de rosas enorme com um cartãozinho dizendo: "Eu te amo."

Mas um telefonema para garantir que a gente continua sendo, de fato, um casal teria sido bem legal.

É. Só que não aconteceu. Cheguei em casa e todo mundo já estava dormindo. De novo.

Ser atriz, dedicada à sua arte, não é brincadeira. Quer dizer, agora eu sei como a Meryl Streep deve se sentir, chegando em casa tardíssimo da noite, depois de ensaiar qualquer um dos filmes vencedores de Oscars que esteja estrelando. Nunca mais vou achar que a carreira de atriz é fácil.

Mas, bom, vou aceitar o conselho da Tina e dar espaço para o Michael. Do mesmo jeito que ela faz com o Boris quando ele precisa aprender alguma peça nova de Bartók.

E não posso dizer que condeno o Michael por não me ligar, nem me mandar e-mail, porque eu obviamente não sou a pessoa mais *estável* que ele conhece. Não sei onde eu estava com a cabeça com a ideia de provar que sou uma menina festeira, se não sou. Basicamente eu só estava tentando manipular o Michael, e isto nunca é boa ideia. Quer dizer, a menos que você seja Grandmère ou a

Lana, que são mestras na arte da manipulação — especialmente a manipulação das leis de oferta e procura.

Mas isso não significa que seja certo.

É sério. Só porque você É CAPAZ de fazer alguma coisa bem, isto não quer dizer que DEVE fazer.

Tipo o meu conto, por exemplo. Quer dizer, com certeza eu escrevo bem. Mas será que isso me dá o direito de escrever um conto baseado em uma pessoa que existe de verdade, que possivelmente vai ler essa história e ficar incomodada por causa dela?

Não. Só porque você TEM o poder, isto não significa que você deva USÁ-LO. Ou pelo menos que deva ABUSAR dele.

E é exatamente o que Grandmère e a Lana fazem com a coisa da economia. Se você tiver sorte o bastante para TER um talento — como o meu para a escrita —, tem a obrigação moral de usar o seu talento para o BEM.

Foi o que aconteceu com a coisa do Michael. Sabe, quando eu fiz a dança sensual? Foi aí que as coisas deram para trás. Porque eu estava tentando manipular as pessoas. O que é mau, não bom.

Eu sou uma aproveitadora da economia maligna. Eu...

ALGUÉM ESTÁ ME MANDANDO UMA MENSAGEM INSTANTÂNEA!!!!!!!!!!
TOMARA QUE SEJA O MICHAEL
TOMARA QUE SEJA O MICHAEL
TOMARA QUE SEJA O MICHAEL
TOMARA QUE
Ah. É a Lilly.

WomynRule: Sabe, foi mesmo muita presunção da sua parte dar um beijo nele, daquele jeito, se você não gosta dele desse jeito. E se ele ficar com a impressão errada? Você já fez uma dança sensual com ele, e agora sai por aí dando beijo nele? Para alguém que se preocupa tanto em magoá-lo, parece mesmo que você não pensou muito sobre o assunto.

!!!!!

FtLouie: Ah, é? Bom, para alguém que afirma não gostar dele como nada mais além de um amigo, você parece mesmo muito preocupada com a possibilidade de ele gostar de mim.

WomynRule: Só porque eu PENSEI que você namorava o meu irmão. Mas parece que um cara só não basta para você. Você quer ficar com TODOS os caras.

FtLouie: O QUÊ??? Do que você está falando? EU NÃO GOSTO DO J.P.

WomynRule: É óbvio que não gosta. Aposto que, se eu olhasse para as suas narinas neste exato momento, elas estariam abanando.

FtLouie: AI, MEU DEUS, não estou MENTINDO. Lilly, eu amo o seu irmão, e APENAS o seu irmão. Você SABE disso. Qual é o seu PROBLEMA?

WomynRule: Log off.

Uau. Ainda bem que os pais dela não vão contar sobre a separação deles para ela por enquanto. Se ela age assim ANTES de saber, não quero nem pensar no que ela vai fazer DEPOIS de saber.

A menos que ela JÁ saiba, como o Michael desconfia, e só esteja FINGINDO que não sabe. Isto explicaria muito sobre a atitude que ela está tendo agora.

Mas, independentemente disso, pelo menos eu sei o que tenho que fazer agora. A minha missão, finalmente, está clara. Uma sensação de calma se instalou em mim.

Ah, espera. É só o Fat Louie dormindo em cima dos meus pés.

Mesmo assim. Tenho um plano.

Sobre como eu vou impedir que o J.P. leia "Chega de milho!", quer dizer. Não sei o que vou fazer a respeito da confusão do resto da minha vida.

Mas eu sei o que vou fazer a respeito de *A bundinha rosa do Fat Louie*.

E, de verdade, acho que o Carl Jung E o Alfred Marshall iriam aprovar a minha solução.

Do Gabinete de
Vossa Majestade Real

Princesa Amelia Mignonette
Grimaldi Thermopolis Renaldo

Caro Dr. Carl Jung,

Oi. Peço desculpas pela minha última carta. Eu estava meio, sabe como é, lelé da cuca.

Bom, o senhor conhece essas coisas, quer dizer, o senhor dedicou toda a carreira para estudar gente lelé da cuca como eu.

Bom, mas eu só queria dizer que não precisa se preocupar. As coisas estão melhores agora. Acho que eu finalmente entendi tudo. Sabe, a coisa toda da transcendência. Não tem a ver com o que acontece DENTRO da gente. O que a gente LIBERA é o que importa.

Bom, sabe como é, não que a pessoa deva se *liberar* e fazer sexo. Mas estou falando do que a gente solta no universo. Tem a ver com ser gentil com os outros, e dizer a verdade, em vez de mentir o tempo todo, e usar as suas capacidades para o bem, não para o mal. Tipo se o seu namorado vai dar uma festa, você deve tentar ir lá e se divertir, em vez de criar planos mirabolantes para tentar fazer com que ele ache que você é uma festeira.

E se a sua amiga vai publicar um conto em uma revista que pode magoar alguém, você deve impedi-la.

Certo?

Bom, é sério. Vou dedicar o resto da minha vida a Dizer a Verdade e Fazer Boas Ações. É sério mesmo. Porque agora eu sei que essa é a única maneira por meio da qual posso alcançar a autorrealização, e que pessoas como a minha avó e a Lana Weinberger, que recorrem a mentiras e chantagens e se aproveitam da lei da oferta e da procura, nunca encontrarão a iluminação espiritual.

Bom, tendo em vista como agora eu me comprometi a percorrer o caminho da verdade e tal, será que existe alguma possibilidade de que uma parte do meu processo de autorrealização, quando ocorrer depois de eu desempenhar todas as minhas boas ações, possa ser o meu namorado me perdoar por eu ser tão dramática? Porque é sério: eu estou sentindo muito a falta dele.

Espero que isso não seja pedir demais. Eu sinceramente não quero ser egoísta. É só que, sabe como é, eu amo o Michael e tal.

Cheia de esperança,
Sua amiga,
Mia Thermopolis

Quarta, 10 de março, Sala de Estudos

Então, parece que a Lilly não vai mais falar comigo. Não estava esperando na frente do prédio dela hoje de manhã para pegar uma carona conosco para a escola. E quando eu entrei e pedi para a chamarem pelo interfone, ninguém respondeu.

Mas eu sei que ela não está doente em casa, porque acabei de vê-la na frente da Ho's Deli, comprando um café com leite de soja.

Quando eu acenei, ela só deu as costas para mim.

Então, agora os DOIS Moscovitz estão me ignorando.

Esse não é um jeito muito bom de dar início ao meu primeiro dia no caminho da virtude.

Quarta, 10 de março, Educação Física

Certo, eu sei que matar a aula de ginástica provavelmente não é o caminho mais direto para alcançar a transcendência do ego.

Mas foi por uma causa totalmente boa!

Até Lars concorda. O que é conveniente, porque eu vou precisar da ajuda dele para carregar as coisas. Quer dizer, eu não tenho força na parte superior do corpo para carregar 3.700 folhas de papel.

Pelo menos não de uma vez só.

Quarta, 10 de março, Economia dos Estados Unidos

Certo. Acho que eu ainda tenho muito chão a percorrer no caminho da virtude. Quer dizer, eu ACHEI mesmo que estava fazendo a coisa certa. No começo.

Eu totalmente me lembrei da combinação do armário da Lilly, da vez que ela ficou gripada e tive que levar os livros para ela em casa.

E, quando eu abri a porta do armário dela, a pilha de mil cópias de *A bundinha rosa do Fat Louie*, número I, 1ª edição, estava bem ali, esperando para ser vendida no almoço de hoje.

Foi muito fácil pegar.

Bom, tudo bem, não tão fácil ASSIM, porque é pesada. Mas o Lars e eu dividimos a pilha e eu saí desesperada, procurando um lugar para esconder tudo — algum lugar onde Lilly jamais encontraria, porque dá para saber que ela vai procurar, quando vi o banheiro masculino.

Bom, fala sério! Como é que ela poderia entrar ali para procurar?

Então Lars e eu entramos cambaleando lá dentro, carregando aquele monte de papel, e eu mal tive tempo de registrar o fato de que nos banheiros masculinos da EAE não tem espelho em cima das pias, e também não tem porta nos reservados (que é uma coisa completamente sexista, se quer saber a minha opinião, por que por acaso os meninos não precisam de privacidade nem de olhar como está o cabelo deles também?), e logo percebi que nós não estávamos sozinhos ali.

Porque John Paul Reynolds-Abernathy IV estava lá, parado na frente de uma pia, enxugando as mãos com uma toalha de papel!!!!!

"Mia?", J.P. ficou olhando do Lars para mim e vice-versa. "Hm. Oi. O que é isso aí?"

Tanto o Lars quanto eu ficamos paralisados. Eu falei:

"Hm. Nada."

Mas J.P. não acreditou em mim. É óbvio.

"O que é esse monte de papel?", ele perguntou, apontando com a cabeça para as pilhas enormes que estavam fazendo com que a gente quase perdesse o equilíbrio. Daí eu me lembrei de que eu supostamente deveria percorrer o caminho da verdade e tal.

"Hm", respondi, tentando desesperadamente pensar em algum tipo de desculpa para dar a ele.

Mas daí eu me lembrei de que eu supostamente deveria percorrer o caminho da verdade e tal, e que eu tinha prometido para a memória do dr. Carl Jung que não ia mais mentir.

Então eu não tive escolha além de dizer:

"Bom, a verdade é que estas são cópias do meu conto para *A bundinha rosa do Fat Louie*, que eu roubei do armário da Lilly e estou tentando esconder no banheiro masculino, porque não quero que ninguém leia."

J.P. ergueu as sobrancelhas.

"Por quê? Você não acha que o seu conto é bom?"

Eu fiquei MESMO com vontade de responder que não.

Mas como eu jurei que só diria a verdade daqui pra a frente, fui obrigada a dizer:

"Não exatamente. A verdade é que eu escrevi um conto, hm, sobre você. Mas muito antes de a gente se conhecer! E a coisa é realmente idiota e me dá muita vergonha, então eu não quero que você leia."

As sobrancelhas do J.P. subiram AINDA MAIS.

Mas ele não parecia bravo. Parecia... na verdade, parecia que ele estava meio que lisonjeado.

"Você escreveu um conto sobre mim, é?" Ele se escorou em uma das pias. "Mas não quer que eu leia. Bom, dá para entender o seu dilema. Mesmo assim, não acho que esconder os exemplares, mesmo no banheiro masculino, vai dar certo. Ela vai pedir para alguém procurar aqui, você não acha? Quer dizer, este seria o primeiro lugar em que *eu* procuraria, se eu fosse a Lilly."

O negócio é que, depois que ele disse isso, eu vi que ele tinha razão. Esconder os exemplares no banheiro masculino não ia impedir que Lilly os encontrasse.

"O que mais eu posso fazer com tudo isso?", choraminguei. "Quer dizer, onde a gente pode colocar para ela não encontrar?"

Parece que J.P. refletiu sobre o assunto por um instante. Então ele aprumou o corpo e disse:

"Siga-me", e passou por nós, retornando ao corredor.

Olhei para Lars. Ele deu de ombros. Então nós seguimos J.P. pelo corredor, onde vimos que ele estava apontando...

... para um dos cestos de lixo reciclável. Um daqueles que eu havia encomendado, que dizia PAPEL, VIDRO E BALA por cima.

Meus ombros desabaram de decepção.

"Ela vai olhar aí direto", choraminguei. "Quer dizer, até está escrito PAPEL por cima."

"Não", J.P. disse, "se a gente colocar tudo no esmagador."

E foi aí que ele jogou a toalha de papel que usara para enxugar as mãos na parte das latas do cesto de lixo...

... que imediatamente ganhou vida e deu início à sua ação esmagadora, transformando a toalha de papel em frangalhos.

"*Voilà*", J.P. disse. "O seu problema está resolvido. Para sempre."

Mas quando o mecanismo interno de esmagamento do cesto de lixo finalmente se aquietou, olhei para a pilha de revistas nos meus braços.

E compreendi que não conseguiria fazer aquilo. Simplesmente seria impossível. Por mais que eu detestasse aquela capa horrorosa, e o conto que eu havia escrito por baixo dela, eu sabia que não seria capaz de destruir algo a que a Lilly tinha se dedicado tanto.

"Princesa?", o Lars trocou de braço o peso das revistas e fez um gesto com a cabeça para o relógio do corredor. "O sinal já vai tocar."

"Eu...", fiquei olhando da capa rosa brilhante da revista para o rosto de J.P. e vice-versa. "Eu não vou conseguir fazer isso, J.P., sinto muito. Mas eu simplesmente sou incapaz. Ela ficaria tão magoada... e ela está passando por um período muito difícil agora. Mesmo que ela não saiba disso."

J.P. assentiu com a cabeça.

"Ei", ele disse. "Eu compreendo."

"Não", respondi. "Acho que não compreende. A minha história sobre você é realmente idiota. E todo mundo vai ler. E saber que é sobre você. O que, reconheço, vai fazer com que EU pareça idiota, não você. Mas as pessoas podem... sabe como é. Rir. Quando lerem. E eu realmente não quero que você fique magoado, mas tambem não quero magoar a Lilly."

"Eu não me importaria muito comigo", J.P. disse. "Eu sou uma pessoa solitária, está lembrada? Eu não ligo para o que os outros pensam sobre mim. Com exceção de algumas poucas pessoas especiais."

"Então...", eu fiz um sinal para a pilha de revistas nos meus braços. "Se eu colocar isto aqui de volta onde encontrei, e a Lilly vender durante o almoço, você não vai se importar?"

"Nem um pouco", J.P. respondeu.

E ele ajudou o Lars e eu a colocarmos tudo de volta no armário da Lilly.

Daí o sinal tocou e todo mundo começou a sair das salas para o corredor e a ir em direção aos armários, e então a gente teve que se despedir, ou então chegaríamos atrasados na próxima aula.

A parte mais triste de tudo é que a Lilly não faz ideia do sacrifício que J.P. vai fazer em nome dela. Ele gosta dela, TOTAL. É completamente ÓBVIO.

Quarta, 10 de março, Inglês

Ei, você está nervosa com hoje à noite? Com a nossa grande estreia? Eu sei que eu estou!

Para dizer a verdade, eu ainda não tive oportunidade de pensar bem sobre isso.

> É mesmo? Ai, meu Deus — você ainda não teve notícias do Michael?

Não.

> Provavelmente porque ele vai fazer uma surpresa para você com um buquê enorme de rosas depois da apresentação hoje à noite!

Eu gostaria de viver na Tinalândia.

Quarta, 10 de março, almoço

Entrei no refeitório e lá estava ela. No balcãozinho que ela montou, embaixo de um monte de cartazes que tinha preparado, anunciando a venda hoje da primeira edição da primeira revista literária da escola.

Eu sabia como eu tinha que me comportar, sabe como é. Ser simpática. Por conta de a vida doméstica da Lilly ser insatisfatória. Ou porque vai ficar assim, de todo modo, se ela ainda não estiver sabendo.

Então eu cheguei para ela e falei assim:

"Um exemplar, por favor."

E a Lilly respondeu, toda séria:

"São cinco dólares."

Eu não consegui me segurar. Falei, tipo:

"CINCO DÓLARES??? ESTÁ DE BRINCADEIRA????"

E Lilly falou: "Bom, não é nada barato lançar uma revista, sabe como é. E foi você mesma que disse que a gente precisava recuperar o dinheiro que desperdiçamos com os cestos de lixo."

Entreguei meus cinco dólares. Mas fiquei em dúvida se ia valer a pena.

Não valeu. Além do meu conto, e da tese anã do Kenny, tinha alguns mangás, o poema do J.P. e...

... todos os cinco contos que Lilly havia escrito para o concurso da revista *Sixteen*. Cinco. Ela colocou CINCO contos que ela mesma escreveu na revista dela!

Mal dava para acreditar. Quer dizer, eu sei que a Lilly tem a si mesma em alta conta, mas...

Foi bem aí que a diretora Gupta chegou. Ela NUNCA entra no refeitório. Segundo os boatos, uma vez ela pisou em uma batatinha que alguém deixara cair e ficou com tanto nojo que nunca mais colocou os pés no refeitório.

Mas hoje ela atravessou o refeitório e, sem se importar com qualquer batatinha que pudesse estar em seu caminho, foi direto para o balcãozinho da Lilly!

"Oh-oh", Ling Su, do meu lado, disse. "Parece que alguém se danou."

"Talvez a Gupta seja contra a ilustração da capa", Boris sugeriu.

"Hm, acho que ela é mais contra uma história que Lilly escreveu", Tina disse, segurando o exemplar dela. "Vocês leram? É totalmente pornográfica!"

Na verdade, eu não tinha chegado a ler nenhum dos contos da Lilly. Ela só tinha me falado deles. Mas até mesmo uma passada de olhos por cima deles me revelou que...

Ah, sim, Lilly tinha se ferrado, muito mesmo.

E todos os exemplares de *A bundinha rosa do Fat Louie* estavam sendo confiscados pelo treinador Wheeton, que estava segurando um saco de lixo preto enorme para isso.

"Esta é uma infração do nosso direito de expressão!", Lilly berrava enquanto a diretora Gupta a levava para fora do refeitório. "Pessoal, não fiquem aí parados! Levantem-se e protestem! Não deixem que o sistema os derrube!"

Mas todo mundo só ficou sentado onde estava, mastigando. Os alunos da AEHS estão totalmente acostumados a deixar o sistema nos derrubar.

Quando o treinador Wheeton, ao ver o exemplar da revista da Lilly nas minhas mãos, chegou com o saco de lixo dele e disse assim:

"Desculpe, Mia. Vamos providenciar para que o seu dinheiro seja devolvido." E eu coloquei a revista lá dentro.

Afinal, o que mais eu podia fazer?

J.P. e eu só ficamos trocando olhares.

Eu não tinha certeza se estava imaginando coisas ou não, mas parecia que ele estava dando RISADA.

Fico feliz por ALGUÉM conseguir enxergar alguma coisa engraçada nisso tudo.

Daí a Tina me puxou de lado...

"Olhe, Mia", disse baixinho. "Eu não queria falar nada na frente dos outros, mas acho que acabei de descobrir uma coisa. Uma vez eu li um romance em que a heroína e a gêmea maldosa dela estavam apaixonadas pelo mesmo cara, o herói. E a gêmea má ficava fazendo um monte de coisas para fazer a heroína ficar mal na frente dele. Do herói, quer dizer."

"Ah, é?" O que isso tinha a ver comigo? Fiquei imaginando. Eu não tenho irmã gêmea.

"Bom, você sabe como ficou pedindo para a Lilly tirar 'Chega de milho!', e ela não tirou, apesar de saber que o J.P. ia ficar magoado se lesse?"

Aonde é que ela queria chegar com isso?

"E daí?"

"Bom, e se a razão por que Lilly se recusou a tirar a sua história foi porque ela QUERIA que J.P. lesse? Porque ela sabia que, se ele lesse, ele ia ficar chateado com você por ter escrito aquilo. E daí ele ia parar de gostar de você. E ficaria livre para gostar DELA."

No começo eu fiquei tipo:

"De jeito nenhum. A Lilly nunca faria algo assim comigo."

Mas daí eu me lembrei da última coisa que ela havia dito para mim durante o trajeto de limusine até a casa dela, do Plaza:

"Não vou ser *eu* que vou magoá-lo. Vai ser *você*. Não fui *eu* quem escreveu aquele conto."

Ai, meu Deus! Será que a Tina pode ter razão? Será que a Lilly gosta do J.P., mas acha que ele gosta de mim? Será que é mesmo por isso que ela demonstrou tanta teimosia para publicar "Chega de milho!"?

Não. Não, não pode ser verdade. Porque a Lilly não FICA toda esquisita e possessiva quando se trata de meninos. Simplesmente não tem a ver com ela.

"Não estou dizendo que ela fez de maneira CONSCIENTE", a Tina disse quando eu fiz esse comentário. "Provavelmente ela nem confessou para SI MESMA que gosta do J.P. Mas, no SUBCONSCIENTE dela, essa pode ser a razão por que ela se recusou a tirar o seu conto."

"Não", respondi. "Fala sério, Tina. Isso é loucura."

"Será que é?", Tina quis saber. "Pensa bem, Mia. O que foi que a Lilly NÃO perdeu para você ultimamente? Primeiro, a presidência da escola. Depois, o papel de Rosagunde. Agora isso. Só estou dizendo. Explicaria muita coisa."

Bom, explicaria muita coisa *sim*. Se fosse verdade. Mas não é. J.P. não gosta de mim desse jeito, e Lilly não gosta DELE desse jeito.

E, mesmo se gostasse, ela nunca faria algo assim comigo. Quer dizer, ela é a sétima pessoa de quem eu mais gosto no mundo inteiro. E tenho certeza de que ela gosta de mim em terceiro. Ou talvez em quarto. Porque ela não tem namorado, irmão mais novo, padrasto ou madrasta, nem animal de estimação só dela.

Quarta, 10 de março, S & T

A Lilly voltou. Ela está pálida de verdade. Parece que a diretora Gupta ligou para os pais dela.

Que foram até a escola. Para uma reunião.

Não sei sobre o que eles falaram. Na reunião, quer dizer. Mas parece que a Lilly vai ter que pedir a aprovação da Srta. Martinez para todo o conteúdo da próxima edição de *A bundinha rosa do Fat Louie* antes de ter permissão para vender os exemplares. Porque a Lilly nem chegou a mostrar os contos dela para a Srta. Martinez.

Nem o meu.

Nem o nome da revista. Que vai ser trocado para *A Revista*.

Só *A Revista*.

Que é, como eu disse para a Lilly, um nome legal e que chama a atenção.

A Lilly não respondeu nada, tipo "obrigada" nem "sinto muito".

E eu é que não vou dizer para ela algo do tipo:

"Quer conversar?" ou "sinto muito".

Mas eu bem que gostaria de poder fazer isso.

É que estou com medo do que ela vai responder.

Quarta, 10 de março, escada do terceiro andar

Hoje deve ser algum tipo de recorde de desrespeitar as regras da escola. Porque o Kenny e eu matamos totalmente ciências da Terra e estamos aqui com a Tina, repassando a coreografia mais uma vez, antes da apresentação de hoje à noite.

O Kenny diz que está tão nervoso que sente vontade de vomitar. A Tina também.

Eu? Para dizer a verdade — e é minha missão pessoal SÓ contar a verdade daqui por diante —, eu seria capaz de vomitar os intestinos de tão apavorada que estou.

Porque hoje à noite vou ter que fazer uma coisa que nunca fiz na vida. E essa coisa é beijar um menino.

Um menino que não é Michael, quer dizer.

Bom, tudo bem, tirando o Josh Richter, mas ele não conta, porque isso foi antes de o Michael e eu começarmos a sair.

Mas, basicamente, hoje à noite eu vou trair o meu namorado.

E, tudo bem, eu sei que não é traição de verdade, porque é só uma peça — quer dizer, um musical — e nós só estamos representando um papel e não gostamos um do outro de verdade nem nada.

Mas mesmo assim. Eu vou ter que beijar OUTRO HOMEM. Um homem com quem eu fiz uma dança sensual, e apenas no último sábado. Na frente do meu namorado.

Que não gostou muito daquilo. Tanto que, parece, ele nem quer mais falar comigo. Então, se ele descobrir sobre essa coisa do beijo, eu vou morrer DE VERDADE.

E, mesmo que ele não descubra, EU VOU SABER.

O que mais eu posso fazer além de achar que o estou traindo de alguma maneira?

Principalmente se — e isto é o que mais me preocupa — eu acabar por GOSTAR da coisa. De beijar o J.P., quer dizer.

Ai, meu Deus. Não dá para acreditar que eu tive coragem de ESCREVER isso.

É ÓBVIO que eu não vou gostar. Eu só amo um menino, e é o Michael. Mesmo que neste momento ele não corresponda o meu amor, necessariamente. Eu NUNCA poderia gostar de beijar outra pessoa. NUNCA.

Ai, meu Deus. POR QUE ELE NÃO ME LIGA?????

Quarta, 10 de março, a grande apresentação

Ele ainda não ligou.
E tem gente demais aqui.

Estou falando sério.

Na verdade, não consigo enxergar exatamente quem são as pessoas, porque Grandmère não nos deixa espiar por trás da cortina, porque ela diz:

— Se vocês enxergarem o público, eles vão poder enxergar vocês. — Ela disse que não é nada profissional ser visto com a roupa do espetáculo antes de a apresentação começar.

Considerando que essa é uma produção amadora, Grandmère realmente está insistindo um tanto demais para que a gente aja de maneira profissional.

Mesmo assim, deu para ver que tem tipo umas 25 fileiras de cadeiras, e cada uma delas está ocupada. Isso dá umas... cinco mil pessoas!

Ah, não, espere. Boris disse que são só umas 650 pessoas.

Mesmo assim. Isso é MUITA gente. Nem TODAS elas podem ser nossos parentes, sabe como é? Quer dizer, obviamente tem CELEBRIDADES ali. De acordo com a internet, que eu consultei logo antes de sair para o Plaza, o evento beneficente Aide de Ferme de Grandmère está com os ingressos esgotados — doações para os cultivadores de azeitonas de Genovia entraram a semana toda, vindas de atores de cinema e cantores de rock. Parece que o evento beneficente de Grandmère — com seu tributo musical à história de Genovia — é O lugar para se estar nesta noite.

Posso estar totalmente errada, mas acho que vi o Prince — o artista anteriormente conhecido como Prince, quer dizer — pedindo um assento de corredor agora mesmo.

E o que dizer dos REPÓRTERES? Tem uma tonelada deles, agachados atrás da orquestra, com as câmeras a postos para nos fotografar no minuto em que a cortina subir. Já estou vendo a manchete de amanhã estampada no *Post*: PRINCESA FAZ PAPEL DE PRINCESA. Ou pior: PRINCESA FAZ PAPELÃO.

Calafrio.

Com a sorte que eu tenho, vão colocar uma foto do J.P. e eu nos beijando, e vai ser ESSA a foto que vão escolher para a primeira página.

E o Michael vai ver.

E daí ele vai terminar comigo, TOTAL.

Certo, eu sou mesmo uma pessoa muito superficial, preocupada com se o meu namorado vai terminar comigo, quando ele está no momento passando pelo que é provavelmente a crise pessoal mais dolorosa da vida dele, com coisas claramente bem mais importantes com que se preocupar do que a namorada boba de escola dele.

E por que eu estou preocupada com isso se deveria estar concentrada na apresentação? Pelo menos é o que Grandmère diz.

Todo mundo está MUITO nervoso no camarim. A Amber Cheeseman está no canto, fazendo algum tipo de aquecimento com movimentos de *hapkido* para se acalmar. A Ling Su está fazendo os exercícios de respiração que ela aprendeu nas aulas de ioga no clube. O Kenny está andando de um lado para o outro, balbuciando: "Passo, passo, troca a perna. Abanar a mão, abanar a mão, abanar a mão. Passo, passo, troca a perna." A Tina está ajudando o Boris a repassar as falas dele. A Lilly só está sentada quietinha, sozinha, tentando não estragar a cauda comprida do vestido branco dela.

Até Grandmère desrespeitou suas próprias regras de novo e está fumando, apesar de a última refeição dela ter sido há horas.

Só o *Señor* Eduardo parece calmo. Isso porque está dormindo em uma cadeira na primeira fila, com sua mulher igualmente anciã cochilando ao lado dele. Eles foram as únicas duas pessoas que eu reconheci antes de Grandmère me pegar espiando.

Faltam dois minutos para a cortina subir.

Grandmère acabou de nos chamar para perto dela. Ela apaga o cigarro e diz: "Bom, crianças. Chegou a hora. O momento da verdade. Tudo por que nos esforçamos tanto nesta semana culmina nisto aqui. Vocês vão obter sucesso? Ou vão cair de cara no chão e se fazer de bobos na frente dos seus pais e dos seus amigos, isto sem mencionar um sem-número de celebridades? Só vocês podem decidir. Depende unicamente de vocês. Mas eu fiz tudo o que pude por vocês. Escrevi o que é, talvez, um dos melhores musicais de todos os tempos. Não podem culpar o material. Apenas vocês mesmos, daqui para a frente. Agora chegou a vez de vocês, crianças. Sua vez de abrir as asas, como eu fiz... e voar! Voem, crianças! VOEM!"

Daí ela falou em um walkie-talkie, que nenhum de nós tinha percebido que ela estava carregando até aquele momento:

"Pelo amor de Deus, são sete horas. Comecem a abertura logo!"

E a música começa...

Quarta, 10 de março, a grande apresentação

Ai, meu Deus, todo mundo AMOU! É sério! Devoraram tudo com os olhos! Nunca vi um público aplaudir tanto! Está todo mundo ENLOUQUECIDO! E ainda nem chegamos no *grand finale*!

Todo mundo está TÃO bem! Boris não esqueceu nenhuma fala dele — ele cantou a música do Senhor da Guerra perfeitamente...

Sair para matar e esquartejar
É o que faço todo dia

> *Não queria nenhum outro trabalho adotar*
> *Eu gosto mesmo é de pilhar*
>
> *Refrão:*
> *Percorrendo as florestas à noite*
> *Quando apareço sou uma tremenda visão*
> *Vejo o medo nos olhos de cada aldeão*
> *Ah, como isso me deixa feliz!*

E Kenny não errou nenhuma coreografia. Bom, tudo bem, errou, mas não tanto para que alguém notasse de verdade.

E dava para ouvir um alfinete cair quando a Lilly cantou a canção da amante!

> *Como eu podia saber*
> *Quando a minha mãe me vendeu*
> *Para ele, que um dia eu*
> *Poderia amá-lo tanto?*
>
> *Apesar de ele só estuprar e roubar,*
> *Para mim é sempre uma surpresa,*
> *Quando depois de toda a sua destreza*
> *Ele sempre volta para me amar*

A plateia ficou na palma da mão dela! A voz dela PULSAVA de tanta força, igualzinho ao que madame Puissant havia ensinado para ela! *E* ela se lembrou de usar uma das mãos só para erguer a saia ao subir a escada.

E o J.P. quase foi aplaudido de pé pela canção do ferreiro dele:

> *Como alguém como ela*
> *Pôde amar um homem simples como eu?*
> *Se ela pode escolher qualquer um,*
> *Por que resolveu ficar com este homem comum?*

Como é que ela
Pode me amar?

E a música logo antes de eu estrangular o Boris foi tão PODEROSA!!!! Dava para ouvir as pessoas na plateia — as que não conhecem a história de Genovia — engolirem em seco quando eu cantei: "*Então, com esta trança, faço a volta / No pescoço dele, para que queime.*" É sério.

O crepúsculo coloca fim neste dia
E o que o amanhã trará ninguém pode saber.
Estou aqui nesta cama de ódio
E espero que a noite meu futuro me faça ver...

Refrão:
Pai, Genovia, juntos vamos lutar!
Pai, Genovia, o futuro acabou de chegar!

Juro por Deus e pela minha vida,
A morte do meu pai vingarei,
Então com esta trança, matarei
Para que à luz da manhã ele não mais exista!

E, quando eu cantei o segundo refrão de "*Pai, Genovia, juntos vamos lutar! / Pai, Genovia, o futuro acabou de chegar!*", tenho quase certeza de que ouvi Grandmère — GRANDMÈRE, ninguém menos — fungar!

Bom, tudo bem, talvez ela esteja sofrendo de coriza. Mas mesmo assim.

Ah, chegou a hora do *grand finale*! É agora. A hora do beijão.

Espero mesmo que a Tina tenha razão e que o J.P. não goste de mim desse jeito. Porque, independentemente do que pode acontecer, o meu coração pertence ao Michael e sempre pertencerá.

Não que beijar alguém em uma peça — quer dizer, musical — seja a mesma coisa que o trair. Porque não é, de jeito nenhum. O que o J.P. e eu...

Aliás, cadê o J.P.? A gente precisa dar as mãos e correr para o palco juntos, com cara de alegres, e daí ele me dá o beijão.

Mas como é que eu posso dar a mão para ele e entrar correndo no palco se ele DESAPARECEU????

Que loucura. Ele estava aqui depois do último número. Onde é que ele pode...

Ah, lá vem ele, finalmente.

Espera... tem outra pessoa com a roupa do J.P. Esse aí não é o J.P....

Quarta, 10 de março, a grande festa

Ai, meu Deus, não dá para acreditar em NADA do que está acontecendo. Falando sério. Tudo parece um sonho. Porque quando eu estiquei a mão para pegar a do J.P. e correr para o palco com ele, eu me vi pegando a mão do MICHAEL, em vez disso.

"MICHAEL?", eu não pude deixar de exclamar. Apesar de a gente não poder falar na coxia, porque a voz pode sair pelo microfone. "O que você..."

Mas o Michael colocou o dedo por cima dos lábios, apontou para o meu microfone, pegou a minha mão e me arrastou para o palco...

Exatamente do jeito que o J.P. havia feito nos nossos ensaios.

Daí, enquanto todo mundo cantava "Genovia! Genovia!", o Michael, com a roupa de Gustav do J.P., me pegou nos braços, inclinou o meu corpo para trás e tascou o maior beijão de cinema que você já viu nos meus lábios.

Ninguém nem reparou que não era o J.P. até voltarmos para o palco para agradecer, quando todos nos demos as mãos e nos curvamos.

"*Michael!*", exclamei de novo. "O que você está fazendo aqui?"

A gente não precisava mais se preocupar com os microfones naquele ponto, porque o público estava aplaudindo tanto que ninguém ia ter escutado mesmo.

"Como assim o que eu estou fazendo aqui?", o Michael perguntou com um sorrisinho. "Você acha mesmo que eu não ia fazer nada e só ficar olhando enquanto você beijava outro cara?"

E foi bem aí que o J.P. passou por nós e falou assim:

"E aí, cara? Valeu", e ergueu a mão, e o Michael faz um "toca aqui" de levinho com ele.

"Esperem", eu disse. "O que está acontecendo aqui?"

E foi quando a Lilly apareceu e colocou o braço em volta do meu pescoço.

"Ah, PDG", ela disse. "Fica fria."

Daí ela começou a contar como ela e o irmão — com a ajuda do J.P. — fizeram esse plano para o J.P. e o Michael trocarem de lugar durante o *grand finale*, para o Michael, e não o J.P., me beijar.

E foi exatamente o que eles fizeram.

Mas como eles conseguiram fazer isso pelas minhas costas eu nunca vou saber. Quer dizer, estou falando sério.

"Isso significa que você me perdoa por causa do negócio da dança sensual?", perguntei ao Michael depois que tinham tirado os nossos microfones e a minha trança e nós estávamos sozinhos na coxia enquanto, na frente do palco, todo mundo estava recebendo os parabéns da família — ou conhecendo as celebridades dos seus sonhos.

Mas para que eu precisava de celebridades se a pessoa que mais me importava no mundo estava parada LOGO ALI NA MINHA FRENTE?

"Sim, eu perdoo você pela coisa da dança sensual", o Michael disse, e me deu um abraço bem forte. "Se você me perdoar por ter sido um namorado tão ausente nos últimos dias."

"A culpa não é sua. Você estava chateado por causa dos seus pais. Eu compreendo perfeitamente."

Ao que ele respondeu simplesmente:

"Obrigado."

O que me fez perceber, ali mesmo naquele instante, que estar em uma relação madura não tem nada a ver com beber cerveja e fazer dança sensual. Em vez disto, tem tudo a ver com poder contar com o fato de que alguém não vai terminar com você só porque você dançou com outro cara em uma festa uma noite, ou quando não leva para o lado pessoal se não ligou tantas vezes quanto a outra pessoa gostaria porque está muito ocupado, dando conta de provas e de uma crise na família.

"Sinto muito mesmo, Michael", eu disse. "Espero que as coisas deem certo com os seus pais. E, hm, falando sério... sobre o que aconteceu na sua festa: a cerveja, a boina, a dança sensual. Nada disso vai voltar a acontecer."

"Bom", o Michael confessou. "Eu meio que gostei da dança sensual."

Fiquei olhando de olhos arregalados para ele.

"GOSTOU?"

"Gostei", o Michael disse e se inclinou para me beijar. "Mas você tem que prometer que, da próxima vez, vai fazer só pra mim."

Eu prometi. Se é que IA haver próxima vez.

Quando o Michael finalmente ergueu a cabeça para respirar, ele disse, com a voz meio trêmula:

"A verdade, Mia, é que eu não quero uma menina festeira. Tudo o que eu sempre quis foi você."

Ah. Então era ISSO o que ele queria dizer.

"Agora, o que você acha de a gente tirar essas fantasias idiotas e ir para a festa?"

Eu disse que parecia uma ótima ideia.

Quarta, 10 de março, ainda a grande festa

Agora estão fazendo discursos. Os criadores de O Mundo, quer dizer. E eu demorei um minuto para me lembrar de que é por isso que Grandmère organizou esta festa, para começo de conversa. NÃO é para levantar fundos para os cultivadores de azeitonas de Genovia, nem para apresentar uma peça. Quer dizer, musical.

Essa coisa toda foi para amaciar o pessoal que decide quem fica com qual ilha.

Não posso dizer que tenho inveja deles — o pessoal responsável, quer dizer. Como é que se decide quem merece mais a Irlanda, o Bono ou o Colin Farrell? Como decidir quem deve ficar com a Inglaterra, o Elton John ou o David Beckham?

Acho que, em última instância, tudo se resume a quem paga mais. Mesmo assim, fico feliz por não ser responsável por tomar a decisão se, digamos, alguém se recusar a oferecer mais dinheiro.

Uma coisa EU SEI que já foi decidida: quem vai ficar com Genovia. ISSO ficou bem evidente quando J.P., todo vermelho e envergonhado, foi arrastado até onde eu estava, perto de Grandmère, por um cara enorme e careca.

"Aqui está ela!", o careca grandão exclamou — o John Paul Reynolds-Abernathy III, eu logo percebi, o pai do J.P. "A mocinha que eu estava louco para conhecer, a princesa de Genovia, a responsável por tirar o meu garoto da concha dele! Como vai, querida?"

Eu achei que o pai do J.P. devia estar falando de Grandmère. Sabe como é, porque havia sido ela que colocara o J.P. na peça dela, e acho que isto pode ser considerado "tirar o meu garoto da concha dele".

Mas, para a minha surpresa, eu vi que o sr. John Paul Reynolds-Abernathy III estava olhando para MIM, não para Grandmère.

Grandmère, da parte dela, parecia que tinha sentido um cheiro ruim. Provavelmente foi o charuto.

Mas a única coisa que ela disse foi:

"John Paul. Esta aqui é a minha neta, Sua Alteza Real Princesa Amelia Mignonette Grimaldi Thermopolis Renaldo." (Grandmère sempre inverte meus dois últimos nomes. É uma coisa entre ela e a minha mãe.)

"Como vai, senhor", eu disse, e estendi a mão direita...

Que foi engolida pela pata enorme e carnuda do sr. Reynolds-Abernathy III.

"Não poderia estar melhor", ele disse, sacudindo o meu braço para cima e para baixo enquanto o J.P., parado ao lado do pai, com as mãos enfiadas bem no fundo dos bolsos, parecia que queria morrer. "Não poderia estar melhor. Fico feliz em conhecer a menina que — desculpe, a *princesa* que — é a primeira pessoa naquela escola de gente metida em que vocês estudam que já convidou o meu garoto para almoçar!"

Eu só fiquei lá parada, olhando do J.P. para o pai dele e vice-versa. Eu meio que não estava acreditando. Quer dizer, que ninguém na EAE nunca havia convidado o J.P. para almoçar antes.

Por outro lado, ele tinha *mesmo* dito que não é muito de se misturar. E ele sempre FOI esquisito com a coisa do milho no chili. E, quando a gente não sabe por que ele odeia milho... bom, pode ficar achando que ele é meio esquisito. Até a gente o conhecer melhor, quer dizer.

"E olhe só o que isso fez por ele!", o sr. Reynolds-Abernathy III prosseguiu. "Um almocinho e ele já consegue o papel principal em um musical da escola! E agora ele até tem amigos! Amigos de faculdade! Como é mesmo o nome daquele garoto, J.P.? Aquele com que você passou a noite de ontem inteira ao telefone? Mike?"

J.P. não tirava os olhos do chão. Eu não o culpo.

"É", ele respondeu. "Michael."

"Certo, Mike", o sr. Reynolds-Abernathy III prosseguiu. "E a nossa princesa aqui." Ele me deu um beliscão no queixo. "Este garoto almoça sozinho desde que começou a estudar naquela escola de esnobes. Eu ia fazer com que ele fosse transferido se isso continuasse. Agora, ele almoça com uma princesa! Que coisa espetacular. A sua neta é ótima, Clarisse!"

"Muito obrigada, John Paul", Grandmère disse, toda graciosa. "E devo dizer, seu filho é um rapazinho muito encantador. Tenho certeza de que ele irá muito longe na vida."

"Ah, mas vai sim, com certeza", o sr. Reynolds-Abernathy disse, e agora foi a vez do J.P. receber um beliscão no queixo. "Almoçando com princesas... Bom, eu só queria agradecer. Ah, e também queria dizer que eu retirei meu lance por aquela ilha... como chama mesmo? Ah, certo! Genovia! 'Juntos vamos lutar.' Aliás, adorei essa frase. Mas, bom, Clarisse, ela é toda sua, tendo em vista o favor que a sua neta fez a mim e ao meu garoto aqui."

Os olhos de Grandmère quase saltaram das órbitas. O mesmo aconteceu com o Rommel, porque ela o estava apertando com força demais.

"Você tem certeza disso, John Paul?", Grandmère perguntou.

"Cem por cento", o Sr. Reynolds-Abernathy III respondeu. "Para começo de conversa, foi um erro da minha parte fazer um lance. Eu nunca quis Genovia — mas precisei ver a peça de hoje à noite para perceber isso. É a outra que eu quero, a da corrida automobilística..."

"Mônaco", Grandmère sugeriu, com frieza, com cara de quem tinha sentido o cheiro de alguma coisa pior ainda do que fumaça de charuto. Mas, bom, ela SEMPRE fica com essa cara quando alguém fala do vizinho mais próximo de Genovia.

"É, é essa aí mesmo." O pai do J.P. parecia feliz. "Preciso me lembrar disso. Vou comprar para a mãe do J.P., sabe como é, de presente de aniversário de casamento. Ela adora aquela atriz, a que era princesa lá. Qual é mesmo o nome dela?"

"Grace Kelly", Grandmère respondeu, com ainda mais frieza.

"Essa mesma." O sr. Reynolds-Abernathy III pegou o filho pelo braço. "Vamos, menino", ele disse. "Vamos lá dar o nosso lance antes que alguma dessas outras, hm, *pessoas*" — ele estava olhando direto para a Cher, que estava com uma roupa coladinha, mas que mesmo assim era humana e tal, "queira ficar com a ilha".

Assim que eles se afastaram o suficiente, eu me virei para Grandmère e disse:

"Tudo bem, pode confessar. A razão por que você montou esta peça NÃO foi para divertir as massas que viriam doar dinheiro para os cultivadores de azeitonas de Genovia, mas para agradar ao pai do J.P. e fazer com que ele desistisse de comprar a ilha da falsa Genovia, não foi?"

"Talvez de início", Grandmère disse. "Depois, confesso, entrei no espírito da coisa. Quando o bichinho do teatro morde a gente, o veneno fica no sangue, sabe como é, Amelia? Eu nunca serei capaz de dar as costas completamente para as artes dramáticas. Principalmente agora que o meu espetáculo", ela olhou na direção de todos os repórteres e críticos teatrais que estavam esperando para que ela fizesse um pronunciamento, "fez tanto sucesso".

"Tanto faz", respondi. "Só responda uma coisa para mim. Por que era tão importante para você que J.P. e eu nos beijássemos no fim? E diga a verdade pra variar, não aquela bobagem de o público esperar um beijo no fim de um musical ou sei lá o quê."

Grandmère tinha trocado o Rommel de braço para poder examinar o reflexo dela no espelhinho incrustado de diamantes que ela tirou da bolsa.

"Ah, pelos céus, Amelia", ela disse, conferindo se a maquiagem estava perfeita antes de dar entrevistas. "Você já tem quase 16 anos e só beijou um menino a vida toda."

Dei uma tossida.

"Dois, na verdade", respondi. "Lembra o Josh..."

"*Pfft!*", Grandmère respondeu, fechando o espelhinho com um estalo. "De todo modo, você é nova demais para levar um menino tão a sério. Uma princesa precisa beijar muitos sapos antes de poder dizer com certeza que encontrou o seu príncipe."

"E você queria que o John Paul Reynolds-Abernathy IV fosse o meu príncipe", eu disse. "Porque, diferentemente do Michael, o pai dele é rico... e também por acaso estava disputando a compra da ilha da falsa Genovia com você."

"A ideia de fato passou pela minha mente", Grandmère disse, distraída. "Mas do que você está reclamando? Aqui está o seu dinheiro."

E assim, sem mais nem menos, ela me entregou um cheque de exatamente cinco mil, setecentos e vinte e oito dólares.

"O dinheiro de que você precisa para resolver seus probleminhas de finanças", Grandmère prosseguiu. "É só uma pequena porcentagem do que arrecadamos nesta noite. Os agricultores de Genovia nem vão perceber que está faltando."

A minha cabeça começou a rodar.

"Grandmère! Você está falando sério?" Eu não precisava mais me preocupar com a Amber Cheeseman mandando a minha cartilagem nasal esmagar o meu lobo frontal! Parecia um sonho se tornando realidade!

"Sabe, Amelia", Grandmère disse, toda presunçosa. "Você me ajudou, e eu ajudei você. É assim que os Renaldo fazem."

Isto, aliás, me fez rir.

"Mas *eu* consegui a sua ilha para você", eu disse, sentindo uma borbulha de triunfo — sim *triunfo* — emergir dentro de mim. "Eu convidei o J.P. para almoçar comigo e foi por isso que o pai dele desistiu da comprar a ilha. Eu não tive que inventar mentiras, nem fazer planos mirabolantes de chantagem ou de estrangulamento — que parece ser o jeito como os Renaldo fazem as coisas. Mas tem outro jeito, Grandmère. Você devia dar uma olhada. Ele se chama ser *legal* com os outros."

Grandmère ficou olhando para mim, pasmada.

"Aonde você acha que Rosagunde teria chegado se tivesse sido *legal* com lorde Alboin? A simpatia, Amelia", ela disse, "não leva a lugar nenhum na vida."

"*Au contraire, Grandmère*", eu disse. "A simpatia fez com que você conseguisse a sua ilha falsa de Genovia, e com que eu conseguisse o dinheiro de que eu precisava."

E, acrescentei em silêncio, *meu namorado de volta!*

Mas Grandmère só revirou os olhos e falou assim:

"Meu cabelo está bom? Vou ali falar com os jornalistas agora."

"Você está ótima", eu disse a ela.

Afinal, qual é o mal em ser legal?

Assim que Grandmère foi engolida pela horda de jornalistas que estavam à espera dela, o J.P. apareceu, segurando uma taça de espumante para mim, que eu peguei dele e bebi inteira com gosto. Aquela cantoria toda deixa a gente com sede.

"Então", o J.P. disse. "Aquele lá era o meu pai."

"Ele parece gostar mesmo muito de você", eu disse, toda diplomática. Porque não ia ser nada simpático dizer: 'Caramba, você tinha razão! Ele dá MESMO muita vergonha!' "Apesar do negócio do milho."

"É", o J.P. respondeu. "Acho que sim. Mas, bom. Você está brava comigo?"

"Brava com você?", eu exclamei. "Por que você vive perguntando se eu estou brava com você? Acho que você é o cara mais legal que eu já conheci!"

"Tirando o Michael", o J.P. me lembrou, olhando para o lugar onde o Michael estava, conversando em um *tête-à-tête* com o Bob Dylan... não muito longe, aliás, de onde a Lana Weinberger e a Trish Hayes estavam sendo ignoradas pelo Colin Farrell. E fazendo bico por causa disto.

"Bom, é óbvio", eu disse ao J.P. "Falando sério, o que você fez por mim... e pelo Michael, foi MUITO LEGAL. Sinceramente, não tenho como agradecer. Não sei como vou poder retribuir algum dia."

"Ah", J.P. disse, com um sorriso. "Tenho certeza de que eu vou pensar em alguma coisa."

"Mas eu tenho uma pergunta", eu disse, finalmente conseguindo reunir a coragem para perguntar uma coisa que já estava me incomodando fazia um tempinho. "Se você odeia milho tanto assim, por que você PEGA chili? Quer dizer, no refeitório?"

J.P. ficou olhando para mim, piscando os olhos.

"Bom, porque eu odeio milho. Mas eu adoro chili."

"Ah. Certo. A gente se vê amanhã", eu disse e dei um tchau para ele. Apesar de eu não ter entendido absolutamente nada.

Mas, sabe como é, eu meio que cheguei à conclusão de que só entendo uns 15 por cento das coisas que as pessoas falam para mim. Tipo o que a Amber Cheeseman disse para mim agora há pouco, perto do bufê de caviar:

"Sabe, Mia, você é uma pessoa bem divertida. Depois de tudo o que eu li sobre você, eu achava que você ia ser meio travada. Mas você, no final das contas, é uma menina bem festeira!"

Então, acho que a definição de "menina festeira" meio que varia, dependendo da pessoa com quem a gente está conversando, entende?

Um segundo depois, a Lilly apareceu do meu lado toda sorrateira. Se eu não soubesse a verdade — sobre os pais dela, sabe como é —, eu teria dito:

"Lilly, o que você está fazendo, chegando assim de fininho? Você não faz essas coisas!"

Mas, pela chegada de fininho dela, ficou óbvio que agora ela já sabia a verdade sobre eles — então eu só disse:

"Oi."

"Oi." Lilly estava olhando para o outro lado do salão, para Boris, que apertava a mão do Joshua Bell com tanta força que estava na cara que ele podia quebrá-la. Atrás dele estavam duas pessoas que só podiam ser o Sr. e a Sra. Pelkowski, os dois olhando fixo e envergonhados para o herói do filho enquanto, atrás DELES, a minha mãe e o sr. Gianini e os pais da Lilly estavam ouvindo atentamente alguma coisa que Leonard Nimoy contava. "Como está tudo?"

"Tudo bem", respondi. "Você conseguiu falar com a Benazir?"

"Ela não veio", Lilly disse. "Mas eu bati um bom papinho com o Colin Farrell."

Ergui as sobrancelhas. "Bateu?"

"Bati", Lilly respondeu. "Ele concorda comigo que o IRA precisava se desarmar, mas ele tem algumas ideias bem radicais a respeito de como deviam ter feito isso. Ah, e depois eu conversei um monte de coisas com a Paris Hilton."

"Sobre o que você e a Paris *Hilton* conversaram?"

"Principalmente sobre o processo de paz no Oriente Médio. Mas ela disse que achou os meus tênis o máximo", a Lilly respondeu.

E nós duas olhamos para o All Star preto de cano alto da Lilly, sobre os quais ela tinha desenhado um monte de estrelas de davi prateadas para homenagear a ascendência judia dela, e que ela tinha calçado nesta noite, especialmente para a ocasião.

"São *mesmo* legais", reconheci. "Olha, Lilly. Obrigada. Por ajudar a resolver as coisas entre mim e o Michael, quer dizer."

"Para que servem as amigas?", Lilly perguntou com um dar de ombros. "E não se preocupe. Eu não contei para o Michael sobre aquele beijo que você deu no J.P."

"Aquilo não significou nada!", exclamei.

"Tanto faz", Lilly respondeu.

"Não significou", eu insisti. E daí, como parecia a coisa certa a fazer, eu completei: "Olha. Sinto muito mesmo por causa dos seus pais."

"Eu sei", Lilly respondeu. "Eu deveria... Quer dizer, já faz um tempo que eu sei que as coisas não estão bem entre eles. Morty está se afastando da escola neopsicanalítica de psiquiatria desde que terminou a pós-graduação. Há anos ele e Ruth brigam por causa disso, mas a coisa chegou ao extremo com um artigo recente da *Psicanálise Hoje*, falando mal dos junguianos por causa do essencialismo. Ruth acha que a atitude do Morty em relação ao movimento da neopsicanálise não passa de um sintoma da crise de meia--idade e que, daqui a pouco, Morty vai sair por aí comprando uma Ferrari e passando férias nos Hamptons. Mas Morty insiste que está prestes a fazer uma descoberta inovadora. Nenhum deles arreda pé. Então Ruth pediu para Morty sair de casa até que ele retome suas prioridades. Ou publique sua tese. O que acontecer primeiro."

"Ah", eu disse. Porque eu não consegui encontrar nenhuma outra maneira de responder. Quer dizer, será mesmo que os casais se separam por coisas assim? Já ouvi falar de gente que se divorcia porque uma das pessoas sempre perde a tampa da pasta de dentes.

Mas terminar um casamento por causa de uma diferença metodológica?

Ah, sei lá. Pelo menos isso é algo com que eu não preciso me preocupar, porque isso nunca vai acontecer entre mim e o Michael!

"Mesmo assim, eu não devia ter ficado remoendo tudo isso", a Lilly prosseguiu. "Eu devia ter falado para você. Pelo menos assim você poderia ter tentado entender... sabe como é. Por que eu ando agindo igual a uma maluca ultimamente."

"Pelo menos", eu disse, toda séria, "você tem uma desculpa. Por ter se descontrolado e tal. Qual é a minha justificativa?"

Lilly riu, bem do jeito que eu queria que ela risse.

"Desculpa por eu me recusar a tirar o seu conto da revista", ela disse. "Você estava totalmente certa. Teria sido uma maldade com o J.P. Isso sem falar que teria sido o maior insulto ao seu gato."

"É", eu disse, olhando para onde o J.P. estava parado, meio perto do Doo Pak, que estava contando alguma coisa para o Elton John, quase sem respirar. "J.P. é um cara legal de verdade. E sabe..." Bom, por que não? A coisa de ser simpática ainda não tinha dado errado para mim: "... acho que ele gosta de você, de verdade."

"Fica quieta", Lilly disse. Mas não com aquela voz desanimada que estava usando antes. "Eu desisti dos meninos. Você sabe disso. Eles só causam problemas e mágoas. É o que eu estava falando para o David Mamet há um minuto, que..."

"Espere", eu disse. "O *David Mamet* está aqui?"

"Está", a Lilly respondeu. "Ele vai comprar a falsa de ilha Massachusetts ou algo assim. Por quê?"

"Lilly", eu disse, toda animada. "Vá até o J.P. e diga a ele que você quer apresentá-lo a alguém. Daí, leve ele até o David Mamet."

"Por quê?"

"Não pergunte. Só faça. Juro que você não vai se arrepender. Aliás, aposto que, depois disso, ele vai convidar você para sair."

"Você acha mesmo que ele gosta de mim?", a Lilly quis saber, olhando para o J.P. cheia de incerteza.

"Total", respondi.

"Então eu vou lá fazer isso", Lilly disse com determinação repentina. "Agora mesmo."

"Vá em frente", eu disse a ela.

E ela foi.

Mas eu não vi como o J.P. reagiu, porque, naquele instante, Michael chegou e colocou o braço em volta da minha cintura.

"Oi", eu disse. "Que tal o Bob?"

"O Bob", Michael respondeu, "é o máximo. E *você*, tudo bem?"

"Sabe de uma coisa? Tudo ótimo."

E eu nem estava mentindo, pra variar.

A Princesa no limite

Para Abby,
com amor e gratidão

Agradecimentos

Muito obrigada a Beth Ader, Jennifer Brown, Barbara Cabot, Sarah Davies, John Henry Dreyfuss, Michele Jaffe, Laura Langlie, Amanda Maciel, Abigail McAden e, especialmente, Benjamin Egnatz.

"Imagino", digo para Sara, "que agora você voltou a sentir que é uma princesa."

"Tentei não ser nada mais", respondeu ela em voz baixa. "Mesmo quando estava com mais frio e com mais fome. Tentei não ser."

A P<small>RINCESINHA</small>
F<small>RANCES</small> H<small>ODGSON</small> B<small>URNETT</small>

EU, PRINCESA???? CERTO, ATÉ PARECE
Um roteiro de Mia Thermopolis

(primeiro rascunho)

Cena 12

INTERIOR/DIA — The Palm Court, no hotel Plaza, Nova York. Uma garota sem peito com cabelo no formato de um triângulo invertido (MIA THERMOPOLIS, 14 anos), está sentada a uma mesa toda enfeitada, na frente de um homem careca (o pai dela, PRÍNCIPE PHILLIPE). Dá para ver pela expressão de MIA que seu pai lhe diz algo perturbador.

PRÍNCIPE PHILLIPE
Você não é mais Mia Thermopolis, querida.

MIA
(piscando, estupefata)
Não sou? Então quem eu sou?

PRÍNCIPE PHILLIPE
Você é Amelia Mignonette Grimaldi Thermopolis Renaldo, princesa de Genovia.

Terça, 7 de setembro, Introdução à Escrita Criativa

Ah, ela SÓ PODE estar de brincadeira. Descrever um quarto? *Esta* é a nossa primeira tarefa? DESCREVER UM QUARTO? Será que ela faz ideia de quanto tempo que eu tenho descrito quartos de maneira criativa? Quer dizer, já descrevi quartos no ESPAÇO — por exemplo, na minha fanfic de *Battlestar Galactica* sobre quando Starbuck e Apollo finalmente Fazem Aquilo.

Sabe no que eu não consigo acreditar? Não acredito que ela me enfiou em introdução à escrita criativa. Eu devia estar na turma intermediária, pelo menos. Quer dizer, com o resultado que eu tive no simulado do vestibular — que, tudo bem, foi o mais baixo possível em matemática, mas foi ÓTIMO em inglês —, devia ter pelo menos feito um teste para ver em qual eu cairia.

E, tudo bem, o vestibular não mede a criatividade (a menos que a gente deva acreditar que aquele pessoal que dá nota à redação realmente lê o que está escrito).

Mas só a minha nota oral em inglês já devia servir para provar que sou capaz de descrever um QUARTO. Será que ela não sabe que eu já passei da descrição de quartos — e até de escrever romances — para escrever roteiros inteiros?

Porque Lilly está coberta de razão, não tem outro jeito de eu jamais conseguir que a verdadeira história da minha vida receba uma representação verdadeira na telona, a não ser que eu a escreva pessoalmente. E que Lilly a dirija. Eu sei que vai ser complicado arrumar financiamento e tudo o mais, mas o J.P. disse que vai ajudar. E ele conhece CENTENAS de pessoas em Hollywood. Outro dia mesmo ele e os pais jantaram com um primo do Steven Spielberg.

Por que a Srta. Martinez não consegue ver que, ao me colocar em introdução à escrita criativa, e não na turma intermediária, que é o meu lugar, está reprimindo meu crescimento criativo? Como o botão da minha criatividade vai poder desabrochar se ninguém o REGA?

Descrever um quarto. Tudo bem, aqui está um quarto para você, Srta. Martinez:

As quatro paredes de pedra se apertam umas contra as outras, brilhando com a umidade que pinga do teto. A única luz que penetra ali vem da pequena janela com grades próxima ao teto. A única peça de mobília é um catre estreito com um colchão fino coberto de tecido listrado e um balde. A razão por que o balde está ali se torna óbvia pelo cheiro que exala dele. Será que é isso que atrai os ratos que espreitam dos cantos, tremendo os focinhos cor-de-rosa?

Mia, quando eu disse para descrever um quarto, eu quis dizer que você deveria descrever um quarto que conhece bem. Tenho certeza de que calabouços, como o descrito, de fato existem no seu palácio de Genovia, mas duvido muito de que você tenha passado muito tempo neles. Além do mais, por eu ser membro da Anistia Internacional, sei que Genovia não está na lista dos países suspeitos de maltratar seus prisioneiros, o que leva à minha próxima pergunta: quando foi a última vez que os calabouços do seu palácio foram usados? E acredito que uma pessoa de pensamento avançado como o seu pai já teria instalado um sistema de esgoto adequado no palácio a esta altura, transformando o uso de baldes para excrementos humanos em algo obsoleto.

— C. Martinez

Terça, 7 de setembro, Inglês

MIA!!!! Você não está ANIMADA???? Estamos começando um ano letivo totalmente novo! Estamos no PENÚLTIMO ANO!!! SÓ FALTA MAIS UM ANO PARA A GENTE MANDAR NA ESCOLA!!!! Ah, o seu cabelo está lindo, aliás. — T

Você acha mesmo, Tina? Sobre o meu cabelo? A minha mãe e eu levamos o Rocky ao Astor Palace Cabeleireiros ontem para cortar pela primeira vez, porque era o único lugar aberto, já que era feriado do Dia do Trabalho. Ele não parava de gritar feito um condenado, então eu me ofereci para deixar cortarem o meu cabelo primeiro, para mostrar a ele que não doía. Preciso reconhecer que fiquei um pouco surpresa quando tiraram os grampos.

> Acho que está ótimo. Você está igualzinha a Audrey Hepburn em Férias em Roma. O que Michael disse quando viu????

A gente ainda não se encontrou desde que eu voltei de Genovia. Mas vamos nos encontrar hoje à noite, no restaurante Number One Noodle Son. Não aguento mais ESPERAR!!! Ele disse que tem uma coisa MUI-TO IMPORTANTE para me contar, que não pode falar por telefone ou mensagem.

> O que você acha que é???? E no Number One Noodle Son? Não é meio contramão para ele? Ele ainda não se mudou para o alojamento?

Não, ainda não. Tem alguma coisa a ver com o lugar em que ele vai morar. Acho que é isso que ele quer me contar. Vai ver que vai arrumar um apartamento para ele ou algo assim.

> AI, MEU DEUS!!! Já imaginou se ele tiver uma casa só dele???? Nenhum colega de quarto para chegar na hora H. E uma cozinha só para ele!!! Ele poderia fazer jantares românticos para você!!!!!

Não SEI se é isso. Ele não deu muitos detalhes pelo telefone.

> É melhor que arrume mesmo um apartamento só para ele. Por acaso ele acha que vocês vão ficar se agarrando na casa dos pais dele, na frente da Lilly... sem falar na MÃE dele????

Ha. Mas a mãe do Michael provavelmente nem ia notar de tanto tempo que ela passa no apartamento do pai do Michael.

> Os Drs. Moscovitz vão voltar???

Espero que sim! Michael disse que eles começaram a "namorar". Um ao outro!

> Bom, é melhor do que se eles estivessem namorando outras pessoas, acho. Mesmo assim, se esse for o caso, eles podiam simplesmente voltar a morar juntos. Iam economizar o dinheiro do aluguel. Meu Deus, ainda bem que os meus pais se ignoram, igual a qualquer casal normal.

Total. Falando de cabelo, o que você achou das luzes da Lilly?

> Ela disse que o J.P. prefere as loiras. Não sei. Nunca achei que LILLY mudaria o visual por causa de um CARA. J.P. deve ser um deus do sexo!

TINA!!! Eles não fizeram Aquilo!!!!!

> Ah. Achei que tivessem feito.

AI, MEU DEUS. POR QUÊ????

> Bom, ele foi MESMO passar o fim de semana na casa dela em Albany.

Nada a ver, foi só porque os pais dele foram dar uma olhada em umas empresas de temporada de teatro de verão na região norte do estado! Quer dizer, você não acha que ela teria nos contado?

> Talvez tivesse contado para você. Nunca iria contar para MIM. Lilly acha que eu sou uma fresca.

Não acha nada!!!!

> Acha sim. Mas tudo bem. Eu sou MESMO fresca. Não quero nem VER Aquilo. Muito menos Pegar Naquilo. Já imaginou se você tivesse um? Eu morreria. Você acha que Lilly pegou no do J.P.?

DE JEITO NENHUM!!!! Ela teria me contado. Quer dizer, é verdade que a gente não se encontrou desde que eu voltei das férias de verão em Genovia. Mas mesmo assim. Ela teria me contado se... você sabe. Pelo menos eu *acho* que sim...

>Ela pegou no do Boris.

O QUÊ????? E também: AAAAAAAAAAAAHHHHHHHHHHHHHH!!! POR QUE VOCÊ ME CONTOU ISSO??????

>Bom, eu também não queria saber!!!! Foi o Boris que me contou!!!!

POR QUE ELE FOI CONTAR ISSO PARA VOCÊ????

>Por causa daquele livro que a minha tia me deu — sabe qual, Seu dom precioso.

Ah, certo. Aquele que diz que a sua virgindade é um dom precioso, que você só deve dar para a pessoa com quem se casar, porque só pode dar uma vez, e não seria bom dar para alguém que não vai valorizar.

>É. Só que o livro não diz nada sobre o que se deve fazer se depois que você casa com a pessoa descobre que o cara é gay, algo que já saberia antes de se dar ao trabalho de casar e tudo o mais, se não tivesse esperado. Mas tanto faz. Boris viu o livro na minha estante e ficou preocupado de eu me incomodar com o fato de Lilly já ter pegado antes de mim. Mas ele continua sendo, sabe como é. Virgem. Ela só deu uma pegadinha.

Ela pegou POR CIMA ou POR BAIXO da calça?

>Por baixo.

Sinto muito, Tina. Eu sei que o Boris é seu namorado. Mas agora eu vou ali vomitar, total.

> Eu sei. Vamos encarar, Mia. Você e eu vamos ser As Últimas Virgens da Albert Einstein.

Uau. Parece título de livro.

> Você devia escrever essa história, total!!!! AS ÚLTIMAS VIRGENS.

— Duas garotas amaldiçoadas por guarda-costas treinados em Israel, pagos pelo pai delas para proteger o dom precioso de suas filhas... com a vida!

> Nenhum homem as conhecerá — ATÉ A NOITE DO BAILE DE FORMATURA!!!!

Ops, a Sperry está olhando para cá. Acho que a gente devia prestar atenção. Você faz alguma ideia do que ela está falando?

> Quem se importa? Isto aqui é muito mais interessante.

Totalmente. Então... você acha mesmo que ela também pegou no do J.P.?

> Eu já disse! Acho que eles Fizeram Aquilo por completo!

Não. Ela teria me contado. Você não acha que ela contaria para mim?

> É você que a conhece desde a primeira série ou sei lá o quê. Só você pode saber a resposta para essa pergunta. Mas agora ela ESTÁ loira.

Ei! Eu sou loira! E ainda tenho o meu dom precioso!

> Ah, é. Desculpa. Eu esqueci.

Terça, 7 de setembro, Francês

Não acredito que Tina acha que a Lilly e o J.P. fizeram Aquilo no verão. Isso é simplesmente ridículo. Lilly teria TOTALMENTE contado para mim se tivesse dado seu dom precioso.

Não teria?

Além do mais, o J.P. ainda nem tinha dito a palavra com A para ela. Será que Lilly realmente transaria pela primeira vez com alguém que nem admitiu amá-la? Quer dizer, ela já disse a ele que o ama, tipo nove milhões de vezes, e tudo o que ele sempre responde é "obrigado". Ou, às vezes, "eu sei".

Mas Lilly acha que esse foi só o jeito que ele encontrou para homenagear o Han Solo.

Está bem óbvio que o J.P. tem problemas com intimidade. Quer dizer, já faz seis meses que ele e Lilly estão juntos. E ele ainda nem se refere a ela como namorada. Ele só a chama de Moscovitz.

Michael costumava me chamar de Thermopolis. Mas isto foi ANTES de a gente começar a ficar.

Será que Lilly transaria com alguém que a chama de Moscovitz e a apresenta como "amiga", e não "namorada"?

De jeito nenhum. Não a Lilly.

Mas é verdade que ela ficou *mesmo* loira. Ela DIZ que é porque um dos produtores que está disposto a fazer o programa de TV dela disse que, com cabelo claro emoldurando o rosto dela, ele parece menos irregular.

Mas não é segredo que J.P. gosta de loiras. Quer dizer, a Keira Knightley é, tipo, a garota dos sonhos dele. Ele é o único menino que eu conheço que assistiu a *Orgulho e preconceito* inteiro tantas vezes quanto a Lilly, Tina e eu assistimos. Achei que era só porque ele admirava a adaptação para o cinema, mas depois até chegou a confessar que era porque ele admirava uma certa loira magra e alta (o que é estranho, porque a Keira nem estava loira naquele filme).

Coitada da Lilly. Ela pode perder peso e tingir o cabelo, mas nunca vai ESTICAR. Pelo menos não até chegar a 1,75 metro, como a Keira.

Ei, será que é sobre ISSO que Michael quer falar comigo hoje à noite, no jantar...? Que ele descobriu que a Lilly e o J.P. fizeram Aquilo!

Melhor, TOMARA que não seja. Se a Lilly fez Aquilo e contou para o Michael, ele nunca mais vai parar de falar no assunto.

Ah, maravilha. Precisamos *décrire un soir amusant avec les amis* em duzentas palavras.

> *Un autre soir palpitant, et mes camarades et moi nous nous sommes installés devant la télé. Les choix ont paru interminable, les chaines, san fin. Avec le cable, n'impote quoi a été possible. Et qu'est-ce que nous avons vu? La chaine des nouvelles? La chaine des sports? La chaine des "rock--videos"? Non — la chaine douze. Oui! La chaine religieuse et ridicule...*

61 palavras. Faltam 139.

Cruzei com Lana no corredor, a caminho desta aula. Ela não mudou nada nas férias de verão, a não ser pelo fato de ter ficado ainda mais nojenta — se é que isto é possível.

Ah, e parece que ela adquiriu um clone pequenininho, um tipo de Aspirante a Lana que é igualzinha a ela, só que um pouco mais baixa.

Mas, bom, quando eu passei, Lana olhou para a minha cabeça, cutucou o clone dela com o cotovelo e começou a rir.

"Olha, é o Peter Pan!", ela berrou para todo mundo no corredor escutar.

É bom saber que, seja lá o que tenha feito durante o verão, Lana conservou seu charme e audácia pelos quais é tão amplamente conhecida em toda a Escola Albert Einstein.

Será que eu pareço mesmo o Peter Pan com este corte de cabelo?

Est-ce que je vraiment ressemble Peter Pan dans cette coupe de cheveux?

Terça, 7 de setembro, Almoço

Eu TOTALMENTE agarrei a Lilly na frente do bufê de tacos e perguntei se ela e o J.P. tinham feito Aquilo no verão.

A resposta muito insatisfatória dela: "Você acha mesmo que, se eu tivesse feito, não teria contado para VOCÊ, seu Peixão de Boca Grande?"

Preciso confessar que essa doeu. Guardei com muita lealdade cada segredo que ela já me contou na vida. Nunca falei sobre a vez que ela conseguiu tirar o exemplar de *A prostituta feliz* da mãe dela do apartamento e levar para a escola na quinta série, quando leu as partes sobre sexo em voz alta para nós no recreio, falei?

E aquela vez que ela disse para Norman, o stalker dela, que se ele conseguisse para ela ingressos para ver *Avenida Q* ela daria para ele suas sandálias Steve Madden, e Norman arrumou os ingressos, mas ela nunca deu as sandálias pra ele, porque nunca nem teve sandálias Steve Madden?

E eu nunca contei para ninguém como Lilly jogou a minha boneca Moranguinho no telhado da casa de campo dos pais dela e nunca mais a vi até o verão seguinte, quando Michael estava limpando as calhas e a jogou no quintal, e os olhos da coitada da Moranguinho tinham sido devorados por esquilos e o cabelo dela estava todo cheio de limo e o sol tinha derretido o rosto dela, transformando-o em um grito silencioso, apesar de aquela visão ter me deixado uma cicatriz emocional para a vida toda. Eu realmente adorava aquela boneca.

Mas eu não queria que Lilly percebesse quanto o comentário dela tinha me magoado, então eu só dei de ombros e disse: "Tanto faz. Eu sei que você pegou no 'você sabe o quê' do Boris. Ele contou pra Tina."

Mas Lilly, em vez de ficar com ânsia de vômito, o que teria sido a reação adequada, só olhou para o teto e disse: "Você é tão infantil..."

"Falando sério, Lilly." Não pude evitar que um pouco da mágoa transparecesse na minha voz. "Não acredito que você não me contou."

"Porque não foi nada de mais", Lilly disse.

"Nada demais? Você PEGOU naquilo."

"Será que a gente precisa mesmo discutir isso no meio do refeitório?", Lilly perguntou.

"Bom, onde mais a gente vai discutir? Lá na mesa, na frente do seu NAMORADO?"

"Tudo bem", Lilly disse, virando-se de novo para o bufê de tacos. "Então eu peguei naquilo. O que você quer saber sobre o assunto?"

Não dava para acreditar que estávamos tendo essa conversa por cima de barris de creme azedo e queijo cheddar ralado. Mas a culpa era toda da Lilly. Ela não podia mesmo ter tocado no assunto em uma das vezes que nós dormimos uma na casa da outra, como qualquer menina normal. Ah, não, a Lilly não. Ela tinha que guardar um enorme segredo, até que o BORIS, ninguém menos, fizesse a revelação.

O negócio é que, apesar de ter sido totalmente vergonhoso e meio nojento e tudo o mais, eu realmente queria saber.

Eu sei. É doentio. Mas eu queria.

"Bom", eu disse. Por sorte, não tinha mais ninguém por perto, já que parecia que todo mundo preferia os refogados. "Para começar, qual foi a sensação?"

Lilly só deu de ombros. "De pele."

Fiquei olhando para ela. "Só isso: só... *pele*?"

"Hm, é disso que é feito", Lilly respondeu. "Que sensação você achou que daria?"

"Não sei", respondi. É meio difícil julgar essas coisas através de uma camada grossa de jeans. Principalmente se for de botão. São muitos obstáculos. "Nos livros de romance da Tina, sempre dizem que parece a maciez do cetim por cima de uma vara de aço de desejo."

Lilly pensou sobre o assunto. Então deu de ombros de novo e falou: "Bom, é. Isso aí também."

"Certo", respondi. "Vou oficialmente vomitar."

"Bom, não vomite em cima do guacamole. Você pode ir embora agora?"

"Não", eu disse. "Sobre o que Michael quer falar hoje à noite comigo no Number One Noodle Son?"

"Provavelmente", Lilly respondeu, "que ele quer que você pegue Naquilo."

Quando tirei a colher de servir do creme azedo e a apontei para ela, ela deu um berro e disse, brincando: "É sério, eu não sei. A gente mal se viu no verão, ele anda muito ocupado com um projeto idiota de engenharia elétrica."

Então larguei a colher. Eu sabia que ela estava dizendo a verdade. Michael andava ocupado com o curso de temas avançados na teoria do controle, que ele explicou, quando perguntei que diabo isto significava, tratar-se de robôs. O projeto final dele para a matéria havia sido um braço robotizado que podia ser usado para fazer cirurgias cardíacas não invasivas com o coração ainda batendo. "O objetivo supremo", Michael havia dito, "no campo da cirurgia robotizada".

É. Eu tenho um namorado que constrói robôs. É TÃO LEGAL!!!!!

Quando Lilly e eu voltamos para a mesa, tive mesmo muita dificuldade de olhar para a cara do Boris — apesar de ele estar quase bonito agora que não usa mais aparelho preso à cabeça, ter começado a se consultar com um dermatologista, ter feito cirurgia de Lasik nos olhos e tudo o mais.

Mesmo assim, quando eu olho para ele agora, só consigo ver a mão da Lilly enfiada dentro da calça dele. Bem ali, junto com o suéter.

"Ai, meu Deus, Mia!", Ling Su gritou assim que eu me sentei. "O que aconteceu com o seu cabelo?"

Esse realmente não é o tipo de coisa mais agradável de ouvir quando você acabou de cortar o cabelo.

"Astor Palace Cabeleireiros", respondi. "Por quê? Você não gostou?"

"Ah, não, eu gostei", Ling Su disse rapidinho. Mas reparei bem quando ela trocou olhares com Perin, que, devo completar, tem o cabelo ainda mais curto do que o meu. E o meu já está bem curto.

"Acho que Mia está ótima", J.P. disse. Ele estava sentado na outra ponta da mesa, na frente da Lilly. Também não estava exatamente feio, se é que você me entende. O cabelo desgrenhado loiro dele tinha alguns fios ainda mais loiros por causa do sol: os pais dele têm uma casa em Martha's Vineyard, que foi onde ele passou a maior parte do verão, aprimorando suas habilidades no windsurfe.

E tinha totalmente valido a pena. Quer dizer, se é que um bronzeado de arrasar e músculos dos braços bem definidos contam para alguma coisa.

Não que eu estivesse olhando. Porque já tenho um namorado com seus próprios músculos dos braços de arrasar.

E tudo bem, Michael provavelmente não pegou bronzeado nenhum neste verão, porque estava ocupado demais com o projeto do robô.

Mas ele continua sendo mais gato que J.P.

Que, além do mais, é namorado da Lilly.

Ou algo assim.

"Muito Joãozinho", J.P. disse, apontando para a minha cabeça com a dele.

"Eu sei o que isso quer dizer", Tina disse, toda animada. "Tipo a Audrey Hepburn em *Férias em Roma*!"

"Estava pensando mais na Keira Knightley em *Domino — A caçadora de recompensas*", J.P. disse. "Mas isso aí também vale."

É legal ter amigos que dão tanto apoio assim.

Bom, ALGUNS amigos que dão apoio, pelo menos. Não dá pra acreditar que Lilly não quer me dizer se ela e J.P. fizeram Aquilo. Se fizeram, não dá para saber só de olhar para eles. Se eles tivessem se dado um ao outro seu dom precioso, seria de esperar que pelo menos trocassem uns carinhos com os pés por baixo da mesa.

Mas a única coisa íntima que eu vi os dois fazendo foi quando J.P. dividiu um biscoito com a Lilly. E *eu* já dividi biscoitos com a Lilly!

Mas isso não significa que eu esteja prestes a dar a ela o meu dom precioso.

Terça, 7 de setembro, S & T

Certo, realmente não é justo que, além da coisa toda de "ter sido colocada na aula de introdução à escrita criativa, e não em escrita criativa intermediária", eu ainda seja obrigada a seguir um horário de tarde tão horrível quanto este. Dá uma olhada. Dá só uma OLHADA:

Período:	Disciplina:
1º tempo	Sala de estudo
2º tempo	Introdução à Escrita Criativa
3º tempo	Inglês
4º tempo	Francês
Almoço	
5º tempo	Superdotados & Talentosos
6º tempo	Educação Física

7º tempo Química

8º tempo Pré-Cálculo

Educação física, depois QUÍMICA, depois PRÉ-CÁLCULO??? Será que é demais pedir para ter UMA AULA DIVERTIDA à tarde? UMA COISA QUE DÁ VONTADE DE FAZER???

Mas não, tem que ser a ZONA HORRÍVEL das 13h25 em diante.

Falando sério.

Isso simplesmente está errado.

E quem eles acham que estão enganando ao me colocar em álgebra avançada? EU?

Tanto faz. Levando em conta a minha nota horrível no simulado do vestibular em matemática, talvez eu consiga convencer meu pai a não me obrigar a ir às aulas de princesa neste ano e ter aulas particulares obrigatórias.

E MICHAEL PODIA SER O MEU PROFESSOR PARTICULAR!!!!

Ei, não é totalmente impossível. Ele me deu aulas durante todo o curso de álgebra e de geometria. E eu passei nos dois. Por que meu pai não pode contratá-lo também para me ensinar pré-cálculo?

E quem sabe ele também possa me dar aula de química. Porque ouvi dizer que essa matéria não é brincadeira.

Ah, maravilha. Lilly quer conversar sobre a eleição estudantil. Ela disse que vai me indicar hoje no auditório.

Francamente. É que eu não sei. Quer dizer, ela já planejou a nossa plataforma toda e tal. Eu só preciso disputar a eleição.

Mas eu mal tive um minuto para mim mesma no ano passado! E se eu quiser mesmo ser escritora de romances — ou roteirista, ou até mesmo escritora de CONTOS, ou sei lá o quê —, PRECISO ter um tempo só pra mim para REALMENTE ESCREVER ALGUMA COISA. Quer dizer, além do meu diário e as fanfics de *Battlestar Galactica*.

E daí tem Michael. A gente mal conseguiu se ver no ano passado de tão ocupados que estávamos com a escola. Além de tudo isso, eu ainda tinha coisas de princesa para fazer, isso sem falar do meu irmãozinho, que ainda é bebê. Neste ano, vou ter que largar alguma coisa.

E estou achando que vai ser o conselho estudantil.

Por que a LILLY não se candidata ao cargo de presidente? Quer dizer, eu sei que ela acha que todo mundo a detesta, mas isto simplesmente não é verdade. Tenho certeza de que todo mundo já se esqueceu de que ela tentou convencer o conselho a incluir mais um tempo no horário para que todo mundo pudesse ter aula obrigatória de latim.

Mas como é que eu vou informar a ela que não quero concorrer ao cargo? Principalmente porque ela já mandou fazer 75 camisetas de *Vote em Mia*, e está vendo se aluga o telhado da escola para colocarem antenas de celular — ela quer usar a renda extra para comprar laptops para os bolsistas da escola.

Cara. Ser responsável é a maior chatice.

Terça, 7 de setembro, Química

Uau. Kenny Showalter está nesta aula. Será que é impossível fazer uma matéria de ciências nesta escola SEM Kenny Showalter estar nela?

Parece que não.

De algum modo, ele ficou MAIS ALTO durante o verão. Agora está do tamanho do Lars.

Infelizmente para ele, no entanto, acho que continua pesando menos do que eu.

Ele simplesmente se sentou do meu lado. Será que vai querer ser meu parceiro de laboratório de novo? Até que não seria a pior coisa do mundo, já que, se no ano passado ele não tivesse sido meu parceiro em ciências da Terra, eu provavelmente teria reprovado. Ou pelo menos teria tirado alguma coisa muito pior do que um 6.

Ei! O J.P. acabou de entrar. O J.P. também está nesta aula!

Graças a Deus. Pelo menos tem UMA pessoa normal para quem eu posso perguntar o que está acontecendo. Quer dizer, Kenny é ótimo e tudo o mais, mas sabe como é. Sempre existe aquela TENSÃO entre nós, por ele ter me dado um fora quando achou que eu estava apaixonada pelo Boris Pelkowski. Meu Deus, já faz tanto tempo! Era de pensar que nós dois já teríamos superado, mas ela continua lá, essa leve tensão entre nós, quando ele faz o dever de casa para mim.

Acabei de acenar para J.P. sentar do meu lado, o que ele rapidamente fez. Meu Deus, ele é superlegal. Fico TÃO feliz pela Lilly estar saindo com ele... Preciso confessar que eu passei um bom tempo sem confiar muito no gosto dela por caras, com o Jangbu, o Franco e tudo o mais. Mas ela realmente se redimiu com...

Uau. Kenny acabou de me passar um bilhete.

> *Mia — eu não sabia que você ia fazer química neste ano. Quer ser minha parceira de laboratório de novo? Por que romper a tradição?*

POR QUE KENNY QUER SER O MEU PARCEIRO DE LABORATÓRIO???? Quer dizer, tirando o fato de a minha letra ser melhor do que a dele, não vejo nenhuma vantagem possível em ele ser meu parceiro de laboratório. É verdade, ele não sabe como a minha nota no simulado do VESTIBULAR de matemática foi horrível.

Mas ele SABE que eu sou horrível em ciências. Só sirvo para atrapalhar nossas iniciativas grupais!

Ah, não, espera. J.P. acabou de me passar um bilhete.

> **Oi, Mia. Não sabia que você ia fazer química com o Hipskin neste semestre. Parece que ele é bom. Quer ser minha parceira de laboratório? Acho que foi isso que o Showalter acabou de perguntar para você no bilhete que ele passou. Deixa ele pra lá, ele só impede seu avanço com os protestos constantes sobre l'amour. Eu sou o que você precisa.**

O que é engraçado, mas... ai, meu Deus. O que eu faço? Eu QUERO ser parceira de laboratório do J.P. porque eu gosto mesmo do J.P. Ele é muito divertido e, além do mais, só tira 10 — menos em inglês no ano passado, já que ele TAMBÉM pegou a Srta. Martinez (só que em um horário diferente do meu) e ela deu 8 para ele, como deu para mim, porque — nós chegamos à conclusão de que — ela não gosta do nosso estilo de escrita.

Mas Kenny pediu primeiro. E Kenny e eu somos SEMPRE parceiros. Ele tem razão, não podemos romper a tradição.

POR QUE ESSAS COISAS SEMPRE ACONTECEM COMIGO????

Espera, eu posso dar um jeito; quer dizer, eu não passei DOIS ANOS recebendo instruções sobre diplomacia pra nada.

Eu sei... vamos ser nós TRÊS parceiros de laboratório, certo? — Mia

Ao que Kenny respondeu:

> *Legal! Aliás, gostei do seu corte de cabelo. Você está igualzinha ao Anakin Skywalker em A ameaça fantasma. Sabe qual, aquele em que ele faz corrida de pods?*

Beleza. Estou igual a um menino de nove anos.

J.P. acabou de escrever:

> Muito habilidoso da sua parte, pequeno gafanhoto. Vejo que o seu sensei a ensinou bem.

Sensei! É a primeira vez que vejo alguém se referir à minha avó ASSIM.

> Será que ela ficaria ofendida se soubesse?

Está de brincadeira? Já consigo imaginá-la vestida com um daqueles uniformes de caratê, com um bastão comprido, dizendo para mim que "algumas lições não podem ser ensinadas. Precisam ser vividas para serem compreendidas".

> À la Terence Stamp em Elektra. Legal. Só que isso se chama gi.

O que se chama assim?

> O uniforme de caratê. Você não é iniciada em artes marciais?

Desculpe. Mas sei servir um chá formal.

Bom, então obviamente você está pronta para encarar a vida.

Êêê. É divertido conversar com J.P. É como conversar com uma menina, só que é melhor, porque ele é menino. Mas não tem tensão sexual, porque eu sei que ele gosta da Lilly.

Acho que isto aqui não vai ser assim tão ruim. Quer dizer, tirando toda a parte da química.

— Matéria —   — Substâncias puras —   — Misturas —

Elementos   Compostos   Homogêneas
                                            Heterogêneas

Substância pura — composição constante

Elemento — composto de um único átomo

Composto — dois ou mais elementos em um coeficiente específico

Mistura — combinações de substâncias puras

Só faltam seis horas até eu encontrar Michael. Por favor, Deus, não permita que eu morra de tédio antes disso.

Terça, 7 de setembro, Pré-Cálculo

Diferencial — encontrar a derivada
Derivada = variação
Derivada também taxa

Integração
Série infinita

Série divergente
Série convergente

Espera.
Certo.
O quê?

Eles só podem estar brincando.
Só faltam cinco horas para eu encontrar Michael.

Terça, 7 de setembro, Auditório

Certo, foi TOTALMENTE ridículo. Só uma pessoa foi indicada para presidente do conselho estudantil:
Eu.
Parece que estou disputando o cargo sem oposição.
A diretora Gupta está superdecepcionada com a gente. Dá pra ver.
Acho que eu também estou. Quer dizer, eu sabia que a nossa escola era ridícula e tudo o mais. É só ver como todo mundo saiu para comprar o CD novo do Diddy, apesar de SABEREM que ele está escondendo informação sobre o assassinato do Biggie Small da polícia de Los Angeles.
Mas isso é ridículo.
Lilly praticamente chorou. Acho que na verdade não é uma vitória quando não há ninguém a derrotar. Tentei dizer a ela que foi porque fizemos um trabalho tão bom no ano passado que as pessoas acharam que não adiantava nada ir contra nós, porque a gente venceria de todo jeito.
Mas daí Lilly observou que todo mundo só estava trocando mensagens, falando o que iria fazer depois da escola, sem prestar a mínima atenção ao que estava acontecendo, então é bem provável que não fizessem mesmo NENHUMA IDEIA. Provavelmente acharam que era só mais uma convocação para uma palestra antidroga.

* DEVER DE CASA

<u>Sala de Estudo</u>: Nada

<u>Introdução à Escrita Criativa</u>: Descreva uma cena vista da sua janela

<u>Inglês</u>: *Franny e Zoey*

<u>Francês</u>: Terminar de *décrire un soir amusant avec les amis*

<u>Superdotados & Talentosos</u>: Preparar um resumo para a Sra. Hill dizendo qual é o seu objetivo para Superdotados & Talentosos neste semestre

<u>Educação Física</u>: Lavar o short de ginástica

<u>Química</u>: Perguntar para Kenny ou J.P.

<u>Pré-Cálculo</u>: Fala sério. Esta aula só pode ser piada.

EU, PRINCESA???? CERTO, ATÉ PARECE
Um roteiro de Mia Thermopolis

(primeiro rascunho)

Cena 13

INTERIOR/DIA — The Palm Court, no hotel Plaza, em Nova York. Close-up no rosto de MIA enquanto ela tenta digerir o que o seu pai, o PRÍNCIPE PHILLIPE, acaba de lhe dizer.

MIA
(lutando contra as lágrimas e os soluços)
Eu NÃO vou me mudar para Genovia.

PRÍNCIPE PHILLIPE
(usando seu tom de voz grave, de "vamos ser razoáveis")
Mas, Mia, achei que você tinha entendido...

MIA
Só entendi que você *mentiu* para mim durante toda a minha vida. Por que eu deveria ir morar com *você*?

MIA se levanta num salto, derruba a cadeira e sai correndo do restaurante, quase jogando no chão o porteiro esnobe pelo caminho.

Terça, 7 de setembro, W Hotel

Estão transformando o Plaza em um prédio de apartamentos luxuosos. E Grandmère já comprou a cobertura.

Mas o lugar ainda está em reforma. E Grandmère não pode ficar lá com tanto pó por causa da sinusite. Isso sem falar no barulho, que começa impreterivelmente às 7h30 da manhã.

Então ela adotou o W Hotel como sua residência provisória.

E parece que não está gostando muito.

"Isto", Grandmère ia dizendo, quando eu entrei na suíte dela — que, posso dizer? É simplesmente legal pra caramba? Quer dizer, não é bem o estilo dela (é mais moderna do que extravagante— com listras e couro em vez de estampas florais e rendas), mas tem vista para cima e para baixo da ilha de Manhattan, e muita madeira brilhante — "é completamente inaceitável".

Ela estava dizendo isso para um cara de terno com um pequeno crachá dourado que dizia *Robert*.

Robert estava com cara de que queria se matar.

Eu me solidarizei. Eu sei como Grandmère é quando começa a dar chilique.

E este parecia ser dos grandes.

"Margaridas?" A voz de Grandmère estava em tons gélidos. "Os seus funcionários acham mesmo que *margaridas* são as flores apropriadas para adornar o quarto da princesa viúva de Genovia?"

"Sinto muito, madame", Robert respondeu. Eu vi quando ele deu uma olhadinha para mim, toda esparramada em cima do sofá branco de arrasar na frente da TV de plasma que — sim — aparece do nada quando a gente aperta um botão, como o Joey sempre quis ter em *Friends*.

Dava para ver que Robert estava precisando de uma mãozinha.

Mas eu não ia me deixar envolver nessa coisa de jeito nenhum. Eu me debrucei por cima do meu roteiro e fiquei escrevendo, muito compenetrada. J.P. disse que, quando eu terminar, ele conhece um produtor que teria muito interesse em ler. Muito interesse! Isso quer dizer que já está praticamente vendido!

"Nós colocamos gérberas em todos os nossos quartos", Robert prosseguiu, ao ver que não ia obter a minha ajuda. "Ninguém nunca reclamou."

Grandmère olhou para ele como se tivesse acabado de dizer que ninguém também nunca pegou um punhal e cometeu suicídio na frente dele.

"Por acaso alguma PRINCESA já ficou hospedada neste hotel antes?", ela perguntou.

"Na verdade, a princesa da Tailândia esteve aqui na semana passada mesmo, antes de se acomodar em seu alojamento da Universidade de Nova York", Robert começou.

Eu fiz uma careta. Resposta errada, Robert! Que pena. Obrigada por ter participado.

"TAILÂNDIA?" Grandmère só ficou olhando com fúria para ele. "Você tem alguma ideia de QUANTAS PRINCESAS DA TAILÂNDIA EXISTEM?"

Robert pareceu entrar em pânico. Ele sabia que tinha agido mal. Simplesmente não sabia o que tinha feito. Coitado. "Hm... não?"

"Dúzias. Pode-se dizer até mesmo centenas. Sabe quantas princesas viúvas de Genovia existem, rapazinho?"

"Hm." Robert estava com cara de quem desejava pular pela janela. Eu não o culpo. "Uma?"

"Uma. Está correto", Grandmère disse. "Você não acha que se a ÚNICA PRINCESA VIÚVA DE GENOVIA pede rosas para o quarto dela — rosas cor-de-rosa e brancas, NÃO margaridas-gérberas cor de laranja, que podem até ser as flores do momento, mas ROSAS nunca saem de moda —, você não acha que DEVE FORNECÊ-LAS PARA ELA? Principalmente levando-se em conta que o cachorro dela é alérgico a *plantas do campo*?"

O olhar de todo mundo foi para Rommel, que, longe de parecer estar sofrendo algum tipo de reação alérgica a qualquer coisa, roncava todo contente em sua caminha de cachorro folheada a ouro, tremendo um pouco enquanto sonhava com sei lá o quê que os cachorros sonham — no caso de Rommel, fugir de sua dona, sem dúvida.

"Como se", Grandmère acrescentou, "já não fosse bem ruim o fato de vocês terem capim de verdade PLANTADO no lobby".

Ai. Essa doeu. Eu tinha reparado nisso quando entrei. É um pouco *moderno demais* ter capim plantado no lobby. Quer dizer, para o gosto de Grandmère pelo menos. Ela prefere balinhas de menta em recipientes de cristal.

"Compreendo, madame", Robert disse, fazendo mesmo uma pequena mesura. "Vou... vou providenciar para que rosas brancas e cor-de-rosa sejam enviadas imediatamente. Não tenho como me desculpar por essa falha..."

"Não", Grandmère disse, erguendo uma das sobrancelhas desenhadas. "Não tem mesmo. Adeus."

Robert, engolindo em seco, deu meia-volta e saiu correndo do quarto. Grandmère esperou até que ele desaparecesse para se jogar em uma das poltronas cromadas de couro preto na frente do meu sofá.

Mas é claro que este não é exatamente o tipo de poltrona em cima da qual é possível se jogar com tanta facilidade assim. Porque o couro é meio escorregadio.

"Amelia!", Grandmère gritou enquanto deslizava por cima do assento. "Isso é inconcebível!"

"Eu gosto", falei. E gosto mesmo. Acho que o W é legal. Tudo aqui é muito brilhante.

"Você perdeu o juízo", Grandmère disse. "Sabia que eu pedi um Sidecar e entregaram em um COPO SEM PÉ?"

"E daí? Assim tem mais para aproveitar."

"Sidecars nunca são servidos em COPOS SEM PÉ, Amelia. ÁGUA é servida em copos sem pé. Um Sidecar SEMPRE é servido em um copo de coquetel com haste. MEU DEUS, O QUE ACONTECEU COM O SEU CABELO???"

Grandmère de repente ficou sentada toda ereta na poltrona de couro dela.

"Acalme-se", respondi. "Eu só cortei um pouquinho..."

"UM POUQUINHO??? Você está parecendo um cotonete."

"Vai crescer de novo", digo, só por dizer. Porque a verdade é que eu planejo não deixar crescer. Estou realmente gostando de ter cabelo curto. Não precisa fazer NADA com ele. E quando a gente olha no espelho, a cabeça está sempre igual. Tem algo reconfortante nisso. Quer dizer, é CANSATIVO ver algum desastre novo aparecer na sua cabeça cada vez que você vê o seu reflexo.

"Como você pretende usar tiaras se não tem nada em que os pentes se segurem?", Grandmère perguntou.

Essa é realmente uma boa pergunta. E certamente algo que ninguém se lembrou de comentar no Astor Palace Cabeleireiros, principalmente a minha mãe, que disse que o meu cabelo curto novo lembrava Demi Moore em *G.I. Jane — Até o limite da honra*; na hora, achei que era um elogio.

"Velcro?", perguntei, cheia de tato.

Mas Grandmère não achou minha piada assim tão engraçada.

"Não vai nem adiantar mandar chamar o Paolo", ela disse, "porque não parece que sobrou alguma coisa para trabalhar."

"Não está assim TÃO curto", eu disse, e coloquei a mão na cabeça para sentir as pontas. Bom, pensando melhor, talvez esteja. Ah, azar. "Tanto faz. É só CABELO. Vai crescer de novo. Não temos coisas mais importantes com que nos preocupar, Grandmère? Quer dizer, o Irã, os tribunais religiosos fundamentalistas, que continuam sentenciando mulheres rotineiramente à morte por crimes como adultério, quando são enterradas na areia até o pescoço e apedrejadas... Agora! Coisas assim estão acontecendo NESTE MOMENTO!!!! E você está preocupada com o meu CABELO???"

Grandmère só sacudiu a cabeça. Nunca dá para distraí-la com acontecimentos da atualidade. Se não tiver algo a ver com a realeza, ela simplesmente não se importa.

"Isso não poderia ter acontecido em um momento pior", ela prosseguiu, como se eu não tivesse dito nada. "A *Vogue* acabou de entrar em contato com o relações-públicas real pedindo uma entrevista com sessão de fotos para a edição de férias de inverno. O artigo faria com que centenas de mulheres desejando tirar férias em algum lugar quente prestassem atenção em Genovia. Isso sem contar que o seu pai está aqui para o encontro da assembleia-geral da ONU."

"Que bom!", gritei. "Quem sabe ele pode falar sobre a coisa do Irã! Sabe que também proibiram a música ocidental lá? E que, apesar de afirmarem que seu interesse pelo desenvolvimento de energia nuclear está relacionado apenas ao fornecimento de energia, e não ao uso militar, o país escondeu durante vinte anos pesquisas atômicas da Agência de Energia Atômica que comprovam o contrário? Quem está preocupada com férias de inverno, se podem jogar uma bomba em cima da gente a qualquer momento?"

"Suponho que seja possível arrumar uma peruca para você", Grandmère disse. "Mas não sei como podemos conseguir uma idêntica ao seu antigo corte de cabelo. Não se fazem perucas no formato de velas de barco. Quem sabe podemos encontrar uma peruca mais comprida e pedir para o Paolo cortar..."

"*Você ouviu alguma coisa que eu disse?*", perguntei. "Existem coisas mais importantes com que se preocupar agora do que o meu cabelo. Você sabe como vai ser complicado para nós se o Irã tiver uma bomba nuclear? Eles ENTERRAM MULHERES ATÉ O PESCOÇO E AS APEDREJAM POR IREM PARA A CAMA COM CARAS COM QUEM NÃO SÃO CASADAS. Você acha que eles vão pensar muito para decidir na cabeça de quem devem jogar uma bomba?"

"Talvez", Grandmère disse, pensativa, "possamos fazer com que você fique ruiva. Ah, não, nunca vai dar certo. Com este cabelo você está igualzinha àquele garoto da capa daquelas revistas *Mad* que o seu pai lia o tempo todo quando tinha a sua idade."

Numa boa. Nem adianta querer falar com ela. Será que eu realmente achei que uma mulher com tanto preconceito contra gérberas poderia me escutar?

Às vezes fico com vontade de enterrar Grandmère até o pescoço na areia e ficar jogando pedras na cabeça DELA.

Terça, 7 de setembro, 19h, em casa

Michael está aqui!!!!! Para me levar ao Number One Noodle Son para jantar. Neste momento está conversando com a minha mãe e o Sr. G, enquanto eu "me arrumo". Ele ainda não me viu.

Nem o meu corte de cabelo.

Eu sei que estou sendo infantil em relação a isso, total. Sei que está bom. Minha mãe fica repetindo que está bom. Até o Sr. G, quando eu perguntei a ele, disse que não acha que estou com cara de Peter Pan, NEM de Anakin Skywalker.

Mesmo assim. E se Michael detestar? Na revista *Sixteen* sempre falam que os meninos gostam de meninas de cabelo comprido. Pelo menos quando fazem aquelas entrevistas na rua com qualquer um que passa. Mostram fotos da Keira Knightley de cabelo curto e da Keira Knightley de cabelo comprido para garotos aleatórios do ensino médio, parados na frente de lojinhas de conveniência ou sei lá o quê, e pedem para escolherem qual gostam mais.

E nove em cada dez vezes eles escolhem a Keira de cabelo comprido.

Claro que nenhum desses garotos nunca é Michael. Mas mesmo assim...

Bom, tanto faz. Michael simplesmente vai ter que aceitar.

Certo, quem sabe mais um pouquinho de musse...

Dá para ouvir que agora ele está falando com o Rocky. Não que alguém consiga entender qualquer palavra que Rocky diz, tirando "caminhão" e "gatinho" e "biscoito" e "mais" e "não" e "MEU", que é a extensão total do vocabulário dele. Parece que isso é normal para uma criança da idade dele, e que Rocky não tem aprendizado lento ou qualquer coisa assim.

Ainda assim, não é muito fácil ter uma conversa com ele. Mas é claro que eu acho infinitamente fascinante. Mas ele é MEU irmão.

Olha só como Michael está sendo paciente! Rocky só está repetindo "caminhão" uma vez atrás da outra, e Michael está falando assim: "É. É um caminhão muito lindo mesmo", do jeito mais fofo possível. Ele seria um ótimo pai! Não que eu tenha qualquer intenção de ter filhos antes de acabar a faculdade e me juntar aos Guerreiros da Paz e colocar fim ao aquecimento global, é claro.

Mesmo assim, é bom saber que, quando eu estiver pronta, Michael vai estar à altura da tarefa.

Ah! Acabei de dar uma olhadinha nele! Ele está óóótimo, tão alto e bonito e de ombros largos e ah! Acho que ele acabou de fazer a barba e não acredito que faz um MÊS inteiro que a gente não se vê e...

Ai, meu Deus. O meu cabelo está mais curto do que o dele.

O MEU CABELO ESTÁ MAIS CURTO DO QUE O DO MEU NAMORADO.

O que foi que eu fiz?

Terça, 7 de setembro, na cozinha do Number One Noodle Son

Certo. Certo. Estou tentando entender tudo isso.

Foi por isso que pedi ao Kevin Yang para ficar aqui na cozinha alguns minutos. Porque eu simplesmente preciso de um tempinho sozinha para entender o que está acontecendo. E tem alguém no banheiro feminino. Alguém que parece não perceber que há garotas aqui cuja vida está desmoronando e que precisam fingir que vão lavar as mãos para poder pensar a respeito do que fazer em relação a isso.

E, tudo bem, aqui o ambiente é meio agitado, quente e cheio de gente, porque todos os noventa primos do Kevin trabalham aqui, e está na hora de maior movimento do jantar, e parece que todo mundo pediu pato-à-pequim. Então, para todo lado que eu olho, só vejo cabeças sorridentes de pato.

Mas pelo menos posso retomar o fôlego um minuto e tentar entender o que está acontecendo.

Simplesmente não entendo.

Ah, não estou falando da reação do Michael ao meu cabelo. Quer dizer, ele ficou *surpreso* de ver que estava tão curto.

Mas, tipo, ele não achou ruim. Disse que eu estava fofa — tipo a Natalie Portman quando fez Evey Hammond em *V de Vingança*.

E me deu um abraço e um beijo. E daí um abraço e um beijo ainda MAIORES quando a gente chegou ao corredor e a minha mãe e o Sr. G não estavam lá e o Lars ainda estava ajeitando o coldre de ombro dele. Pude cheirar o pescoço do Michael e, juro, todas as sinapses do meu cérebro devem ter lançado uma megadose de serotonina por causa do feromônios dele, porque depois eu me senti totalmente relaxada e feliz.

E dá para *ver* que ele se sente da mesma maneira em relação a mim. Ele segurou a minha mão durante todo o trajeto até o restaurante, e conversamos sobre tudo o que aconteceu desde a última vez que nós nos falamos — de a

Grandmère ser expulsa do Plaza e de Lilly ter ficado loira (não perguntei se ele achava que Lilly e J.P. tinham feito Aquilo na casa de campo deles no fim de semana, porque tento evitar conversas que envolvem sexo, já que parece que isto só serve para lembrar Michael que nós não fazemos isso e o desejo dele pega fogo) e a habilidade do Rocky com o velocípede dele e os Drs. Moscovitz e a quase volta deles.

Então, quando a gente chegou ao restaurante, Rosey, a recepcionista, colocou a gente na mesa de sempre, perto da janela, e convidou Lars para sentar no bar com ela, onde poderia me observar e assistir ao jogo de beisebol ao mesmo tempo.

E pedimos o meu prato preferido, macarrão frio com gergelim, e o prato preferido do Michael, costeletas grelhadas, e nós dividimos uma sopa agridoce, e Michael comeu frango *kung pao* e eu comi vagem refogada e daí eu disse: "Então, quando você vai se mudar para o alojamento? As aulas ainda não começaram?", e Michael respondeu: "Era sobre isso que eu queria falar com você. Era por isso que eu queria esperar para contar pessoalmente."

E eu fiquei tipo "Ah é?", pensando que ele ia falar alguma coisa do tipo morar em um apartamento, sozinho, porque estava cansado de dividir o quarto com outro cara, ou talvez que ia morar com o pai, porque o Dr. Moscovitz andava se sentindo muito solitário. Aliás, eu estava tão certa de que o que Michael ia me dizer não era nada demais que enchi a boca de macarrão frio com gergelim antes de ele dizer:

"Lembra daquele projeto em que eu estava trabalhando no verão? O braço robotizado?"

"Aquele que ajuda os médicos a fazer cirurgia não invasiva com o coração batendo?", eu disse, com a boca cheia de macarrão. "Aham."

"Bom", Michael disse. "Tenho uma notícia muito boa: ele funciona de verdade. Pelo menos o protótipo funciona. E meu professor ficou tão impressionado que contou para um colega de uma empresa no Japão sobre o projeto — uma empresa que está tentando aperfeiçoar sistemas de cirurgia robotizada que podem funcionar sem a assistência de cirurgiões —, e o colega dele quer que eu vá para o Japão para ver se a gente consegue construir um modelo que funcione de verdade para ser usado na sala de cirurgia."

"Uau", eu disse, engolindo o macarrão e colocando mais um montão na boca. Quer dizer, eu estava praticamente morrendo de fome. Não tinha comido nada desde a salada de três feijões do almoço. Ah, e umas ervilhas com wasabi fantásticas no quarto de hotel da Grandmère (que ela experimentou e teve um ataque. "CADÊ AS DRÁGEAS DE AMÊNDOAS?", gritou para o tal do Robert. Coitadinho.) "Então, quando você vai? Em algum fim de semana ou o quê?"

"Não", Michael respondeu, sacudindo a cabeça. "Você não entendeu. Não vai ser só um fim de semana. Seria até o projeto estar concluído. Meu professor deu um jeito de eu receber créditos completos para o curso, além de uma boa ajuda de custo enquanto eu estiver lá."

"Então." Cara, aquele macarrão estava bom mesmo. Uma das muitas coisas chatas a respeito de passar o verão em Genovia: lá não tem macarrão gelado com gergelim. "Tipo uma semana?"

"Mia", Michael disse. "Só o protótipo ocupou o verão inteiro. Construir um modelo que realmente funcione, com console, com um aparelho de ressonância magnética e raios X em tempo real pode demorar até um ano. Ou mais. Mas é uma oportunidade fantástica que eu não posso recusar. Algo que eu criei tem o potencial de ajudar a salvar milhares de vidas. E eu preciso estar lá para ter certeza de que vai dar certo."

Espera. Um ano? Ou MAIS?

Claro que comecei a me engasgar com o meu macarrão frio com gergelim e Michael teve que se esticar por cima da mesa e dar um tapa nas minhas costas, e eu tive que beber a minha água gelada e a Coca dele antes de conseguir voltar a respirar.

E quando consegui respirar, a única coisa que fui capaz de dizer foi: "O quê? O QUÊ?", uma vez atrás da outra.

E apesar de o Michael estar tentando explicar — com a maior paciência, como se eu fosse o Rocky mostrando meu caminhão para ele sem parar —, a única coisa que eu ouvia dentro da minha cabeça era: "Pode demorar um ano. Ou mais. Mas é uma oportunidade fantástica que eu não posso recusar."

Michael vai se mudar para o Japão. Por um ano. Ou mais.

Ele viaja na sexta.

Deu para perceber por que eu pedi licença para sair. Afinal, em que universo isso faz algum sentido? No Universo Bizarro, talvez. Mas não no MEU universo. Não no universo que Michael e eu compartilhamos.

Ou naquele que eu pensava que a gente compartilhava.

Enquanto as palavras ricocheteavam dentro da minha cabeça — *pode demorar um ano. Ou mais. Mas é uma oportunidade fantástica que eu não posso recusar* —, eu fiquei, tipo: "Uau, Michael. Que maravilha. Fico muito feliz por você", mas a voz da minha mente dizia: "*É por* MINHA *causa?*"

E daí, de algum modo, a voz SAIU da minha mente e, antes que eu pudesse enfiá-la lá dentro de novo, as palavras já estavam saindo da minha boca: "É por MINHA causa?"

E Michael ficou com cara de quem não estava entendendo nada e ficou, tipo: "O quê?"

Foi um pesadelo total. Porque, apesar de dentro da minha cabeça eu estar dizendo "Cala a boca. Cala a boca. Cala a boca", minha boca parecia ter vontade própria. Um segundo depois, antes que eu pudesse me segurar, a minha boca já dizia: "É por minha causa? Você vai se mudar para o Japão porque eu fiz alguma coisa?" E daí a minha boca falou assim: "Ou porque eu NÃO FIZ alguma coisa?"

E daí eu só queria poder enfiar todo o macarrão frio com gergelim do mundo na boca, só para me fazer ficar quieta.

Mas Michael já estava sacudindo a cabeça. "Não, é claro que não. Mia, você não percebe? Essa é uma oportunidade incrível. A empresa já colocou engenheiros mecânicos para fazer protótipos do meu projeto. Do MEU projeto. De alguma coisa que eu fiz, que pode mudar o curso da cirurgia moderna como a conhecemos. Claro que eu preciso estar lá."

"Mas eles precisam fazer isso *no Japão?*", minha boca perguntou. "Não existem engenheiros mecânicos aqui em Manhattan? Tenho quase certeza de que existem. Acho que o pai da Ling Su faz isso!"

"Mia", Michael explicou, "esse é o grupo mais inovador e avançado em pesquisa robótica no mundo. A matriz deles fica em Tsukuba, que é praticamente o Vale do Silício do Japão. É lá que ficam os laboratórios de pesquisa deles. Todo o equipamento fica lá... tudo de que eu preciso para transformar o meu protótipo em um modelo operante. Eu preciso ir pra lá."

"Mas você vai voltar", eu disse. O meu cérebro estava começando a assumir o controle da minha boca de novo. Graças a Deus. "Para, tipo, passar o Dia de Ação de Graças e o Natal e as férias da primavera e tudo isso aqui." Porque as engrenagens da minha cabeça estavam girando e eu estava pensando: *Bom, tudo bem, não vai ser assim tão ruim. Claro, o meu namorado vai estar no Japão, mas a gente ainda vai se ver nas férias. Não vai ser assim* TÃO *diferente do ano letivo. E assim eu vou ter mais tempo para realmente me organizar e talvez entender sobre o que o* Sr. *Hipskin fala na aula de química e que porcaria está acontecendo em pré-cálculo e talvez até estudar um pouco para ir melhor no vestibular de matemática, e que diabo, talvez eu aceite mesmo o cargo de presidente do conselho estudantil no final das contas, vou poder terminar o meu roteiro* E *talvez um romance...*

E foi aí que Michael esticou o braço para o meu lado da mesa e disse: "Mia, esse projeto tem meio que um prazo apertado. Para que a gente consiga colocá-lo no mercado o mais rápido possível, não vamos poder descansar. Então... não, eu não vou vir para casa no Dia de Ação de Graças, nem no Natal. É possível que eu só volte no próximo verão, quando provavelmente já vamos ter alguma coisa para demonstrar em ambiente cirúrgico real."

Ouvi as palavras saindo da sua boca. Eu sabia que ele estava falando inglês. Mas igualzinho tinha acontecido com o Sr. Hipskin na aula de química, o que Michael dizia não fazia o menor sentido. O próximo verão é *daqui a um ano*. Basicamente, o Michael estava dizendo que ia ficar longe — sem me ver — por um ANO.

E, tudo bem, claro que eu poderia pegar um avião e ir até o Japão visitá-lo. Nos meus sonhos. Porque NÃO VAI TER JEITO de eu convencer o meu pai a me deixar levar o jatinho real genoviano para o *Japão* para visitar o meu *namorado*.

E ele nunca ia me deixar, de jeito nenhum, viajar em uma empresa comercial. Todos os agentes federais do mundo não convenceriam a Grandmère — muito menos o meu pai — de que o tráfego aéreo comercial é seguro para integrantes da realeza.

Foi aí que eu pedi licença para me retirar. É por isso que estou sentada aqui. Porque nada disso faz o menor sentido.

Não me importo se a oportunidade é ótima ou não.

Não me importo quanto dinheiro ele vai poder ganhar com isso, nem quantos milhares de vidas ele vai poder salvar.

Por que algum cara que ama a namorada tanto quanto Michael afirma me amar iria querer ficar separado dela durante um ANO?

E Kevin Young também não ajuda em nada. Ele simplesmente deu de ombros quando eu perguntei isso a ele, e falou assim: "Eu nunca entendi o Michael, desde o primeiro dia que ele entrou aqui quando tinha dez anos. Ele pediu o molho de pimenta para colocar nos meus bolinhos. Como se já não fossem bem apimentados!"

E o Lars, que enfiou a cabeça aqui dentro há um minuto para ver onde eu tinha me metido, só falou assim: "Bom, sabe como é. Às vezes, os homens simplesmente precisam fazer esse tipo de coisa para se provar."

Para QUEM? Não sou *eu* que deveria importar? *Eu* não quero que Michael vá passar um ano no Japão.

E dá licença, mas até parece que ele está indo para o deserto de Gobi para fazer flexões de braços e atirar em silhuetas de papelão imitando terroristas, como o Lars fez quando ELE decidiu que precisava se provar. Ele só vai para algum laboratório de informática no Japão!

E, sim, compreendo que o negócio de braço robotizado dele pode vir a salvar milhares de vidas.

MAS E A MINHA VIDA?

Certo, isto aqui realmente não está ajudando em nada.

E a visão de todas essas cabeças de pato simplesmente é psicologicamente perturbadora para mim.

Quer dizer, não tão psicologicamente perturbadora quanto o fato de que parece que o meu namorado vai morar no Japão por um ano.

Mas quase.

Vou voltar lá. Preciso apoiá-lo. Vou ficar feliz por ele. Não vou falar nada sobre a questão de que se ele me amasse de verdade não iria. Porque não posso ser egoísta. Já tive Michael só para mim por quase dois anos. Não posso isolá-lo do restante do mundo, que realmente precisa dele e da sua inteligência.

Só que...

O QUE EU VOU FAZER SE NÃO PUDER CHEIRAR O PESCOÇO DELE????

Pode ser que eu morra.

Terça, 7 de setembro, 22h, em casa

Eu não devia ter feito aquilo.
Eu sei que não devia ter feito aquilo.

Não sei por que eu não consegui ficar de boca fechada. Não sei por que não consegui fazer os meus lábios dizerem as coisas que eu queria que eles dissessem, tipo: "Michael, estou muito orgulhosa de você" e "Realmente, essa é uma ótima oportunidade."

Quer dizer, eu disse MESMO essas coisas. Disse sim.

Mas daí, quando a gente estava caminhando de volta para casa pela ciclovia que ladeia o rio Hudson (Lars mal conseguia acompanhar de tão rápido que a gente andava... bom, mas principalmente porque Lars estava mandando mensagens enquanto a gente caminhava, mas tanto faz), porque a noite estava tão linda e eu ainda não estava a fim de ir para casa, porque eu queria aproveitar cada minuto dos meus últimos dias com ele — e Michael estava me contando sobre como estava animado para se mudar para o Japão, e como no café da manhã eles comem macarrão lá, e como o *shumai* que se compra na rua é bem melhor do que o *shumai* do Sapporo East —, de algum modo as palavras "Mas, Michael... e NÓS?" escorregaram para fora da minha boca antes que eu conseguisse segurar.

E isso é provavelmente a coisa mais ridícula e mais idiota que uma garota na minha posição poderia ter dito; é algo bem típico das Lanas Weinbergs da vida. Falando sério. Daqui a pouco eu vou começar a puxar o fecho do meu próprio sutiã e dizer: "Por que você usa sutiã, Mia? Você não precisa disso."

Mas Michael nem pestanejou. Ele disse assim: "Acho que vai ficar tudo bem com a gente. Claro que eu vou ficar com saudade de você. Mas eu preciso reconhecer que vai ser bem mais fácil sentir saudade de você do que estar perto de você, como tem sido ultimamente."

E eu totalmente fiquei paralisada no meio da ciclovia e falei assim: **"O QUÊ?"**

Porque eu *sabia*. Eu **sabia** total. Eu tinha perguntado se parte da decisão dele de ir tinha a ver comigo.

E acontece que eu tinha razão.

"É só que", ele respondeu, "às vezes eu não sei mais quanto tempo eu vou conseguir aguentar."

E, como resposta, eu falei, tipo: "Aguentar O QUÊ?" Porque eu não fazia A MENOR IDEIA do que ele estava falando.

"Estar com você o tempo todo", ele respondeu. "E não... você sabe."

Eu CONTINUEI sem entender (é, eu sei que sou eu quem tem raciocínio lento no final das contas, não o Rocky).

Eu fiquei tipo: "Estar comigo o tempo todo e não O QUÊ?"

E o Michael finalmente teve que dizer: "Não transar."

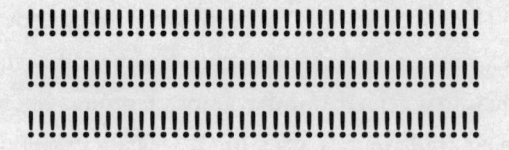

!!!
!!!
!!!

É isso mesmo. Parece que o meu namorado não se importa tanto assim de mudar para o Japão, porque isto é mais fácil do que ficar perto de mim sem transar.

Acho que eu deveria me considerar sortuda, já que está evidente que o meu namorado é um maníaco por sexo, e eu provavelmente tenho sorte de me livrar dele.

Mas é claro que isso não me ocorreu na hora. Na hora eu fiquei tão chocada com o que ele me disse que precisei me sentar.

E o lugar para sentar mais próximo era um balanço no playground do parque do rio Hudson.

Então eu me sentei em um balanço, baixei os olhos e fiquei olhando para os joelhos enquanto Michael dizia: "Eu disse para você no ano passado que estou disposto a esperar." Ele se sentou no balanço ao lado do meu. "E estou *mesmo* disposto a esperar, Mia. Mas, para dizer a verdade, não sei muito bem como você está achando que vai ser a coisa toda da noite do baile de formatura, já que eu não vou ao seu baile de formatura, porque eu já me formei e meus dias de baile de formatura já chegaram ao fim, e é totalmente cafona as meninas levarem o namorado que está na faculdade. Mas tanto faz. O fato é que o seu baile ainda demora dois anos. E dois anos é muito tempo para a gente continuar... bom, fazendo o que a gente está fazendo. Estou realmente ficando cansado de tomar tanto banho frio."

Eu TOTALMENTE não consegui mais olhar para ele depois disso. Dava para sentir o meu rosto ficando supervermelho. Por sorte estava escurecendo, então acho que ele não reparou. Quer dizer, as luzes dos postes só estavam começando a acender. Nós éramos os únicos nos balanços, então, tipo, não tinha ninguém para escutar. Lars estava fingindo muito interesse na vista do rio, a uns dez metros de distância de nós — mas na verdade ele estava mesmo de olho nas patinadoras bonitinhas —, de modo que ele também não deve ter ouvido.

Mesmo assim. Foi completamente *constrangedor*.

Quer dizer, acho que eu sei do que Michael estava falando. Eu sempre fiquei imaginando o que ele fazia, sabe como é, depois das pegações pesadas, em relação à coisa toda do... bom, do que acontecia dentro da calça dele.

Agora acho que já sei.

"É só que", Michael prosseguiu, enquanto criancinhas corriam de um lado para o outro no tanque de areia, jogando areia umas nas outras e as mães fofocavam em um banco ali perto, "não é nada fácil, Mia. Quer dizer, parece que é fácil para você..."

"Não é fácil para mim", eu o interrompi. Porque NÃO é fácil para mim. Quer dizer, há muitas vezes em que eu penso como seria maravilhoso simplesmente, sabe como é, arrancar as roupas dele e mandar ver. Cheguei até a ponto de começar a achar boa a ideia de deixar que ele arrancasse as MINHAS roupas, sendo que antes eu já ficava de boca seca só de pensar que ele me veria pelada.

Só que... onde é que essa ação toda de arrancar roupas pode acontecer? No meu quarto, com a minha mãe no quarto ao lado? No quarto DELE, com a mãe DELE no quarto ao lado? No quarto do alojamento dele, com meu guarda-costas no corredor e o colega de quarto dele podendo entrar a qualquer momento?

E os métodos contraceptivos? E o fato de que, uma vez que se faz Aquilo, a gente não quer fazer NENHUMA OUTRA COISA quando está junto? Quer dizer, adeusinho para as maratonas de *Guerra nas estrelas*. Olá, pintura corporal comestível.

Tanto faz. Eu já li a *Cosmo*. Eu sei fazer as contas.

"Certo", Michael disse. "Mas, bom, levando tudo isso em conta, acho que passar um ano fora pode não ser uma ideia tão ruim assim."

Não dá para acreditar que as coisas se resumem a isso. Falando sério. De repente, eu simplesmente... bom, eu não consegui me conter. Comecei a chorar.

E não consegui mais parar.

O que foi HORRÍVEL da minha parte, porque É LÓGICO que a viagem dele era uma COISA BOA. Quer dizer, se o negócio de braço robotizado dele pode mesmo fazer tudo o que toda essa gente acha que pode fazer — se a Universidade de Columbia está disposta a deixar que ele vá para o Japão e trabalhe para uma empresa lá e receba créditos de curso enquanto faz isso —, bom, então ficar chorando não foi uma atitude adequada para uma princesa, foi?

Mas eu nunca disse que era boa nesse negócio de ser princesa.

"Mia", Michael disse, saindo do balanço dele para se ajoelhar na areia na frente do meu e segurar as minhas mãos. Ele estava meio que dando risada. Acho que eu também daria risada se visse alguma menina chorando tanto quanto eu. Fala sério, eu parecia uma daquelas criancinhas no tanque de areia, como se tivesse caído no chão e arranhado o joelho. As mães no banco até olharam para mim, assustadas, achando que o som vinha de algum dos filhos delas. Quando viram que era só eu, começaram a cochichar — provavelmente porque me reconheceram da revista de celebridades *Inside Edition* ("A vida romântica da princesa Mia de Genovia sofreu mais um contratempo quando seu namorado de longa data, Michael Moscovitz, aluno da Universidade de Columbia, anunciou que se mudaria para o Japão, e a reação da princesa foi ficar chorando em um balanço de parque.").

"Isso é uma coisa *boa*, Mia", Michael disse. "Não só para mim, mas para *nós*. É a minha chance de provar para a sua avó e para todas as pessoas que me acham um zé-ninguém e que não sou bom o bastante para você, que eu realmente *sou* alguém, e pode ser que algum dia até venha a ser digno de você."

"Você é *totalmente* digno de mim", choraminguei. A verdade é que *eu* é que não sou digna *dele*. Mas eu não disse isto em voz alta.

"Muita gente acha que não", Michael disse.

E eu nem pude exatamente dizer que não era verdade, porque ele tem razão: parece que, semana sim, semana não, a revista de celebridades US *Weekly* traz algum artigo falando sobre quem eu deveria namorar, em vez do Michael. O príncipe William estava no topo da lista na semana passada, mas o Wilmer Valderrama sempre é citado mais ou menos a cada mês. Colocam uma foto do Michael saindo da aula ou algo assim, e do lado uma foto do James Franco ou alguém do tipo, e daí colocam, tipo só 2% em cima da foto do Michael, para mostrar que só 2% dos leitores que participaram da pesquisa acham que eu devia ficar com Michael, e um 98% em cima do James Franco, mostrando que o restante das pessoas acha que eu devia ficar com um cara que não fez nada na vida além de ficar parado na frente de uma câmera, dizendo um monte de coisas que outra pessoa escreveu, e daí talvez participar de uma luta de espadas que foi coreografada para ele.

E é claro que todo mundo sabe muito bem o que a minha avó pensa sobre a situação, que a coisa já virou quase lenda.

"O negócio é o seguinte, Mia", Michael disse, com os olhos escuros dele olhando com muita atenção dentro dos meus não tão escuros assim. "Por mais que você queira fingir que não é verdade, você é uma princesa. Você vai ser princesa *para sempre*. Algum dia você vai governar um país. Você já sabe qual é o seu destino. Já está tudo determinado para você. Eu não tenho isso. Ainda preciso descobrir quem eu sou e como vou deixar a minha marca no mundo. E se eu quiser ficar com você, vai ter que ser uma marca bem grande, porque todo mundo acha que um cara precisa ser bem especial para ficar com uma princesa. Só estou tentando atender às expectativas de todo mundo."

"Só as *minhas* expectativas é que deviam importar", eu disse.

"São as que mais importam", Michael disse e apertou as minhas mãos. "Mia, você sabe que eu nunca me contentaria em ser só o seu consorte — andando um passo atrás de você o tempo todo. E eu sei que você nunca seria feliz se eu só fosse isso mesmo."

Fiz uma careta por ter sido lembrada das regras abomináveis que o Parlamento de Genovia impõe para qualquer pessoa com quem eu me case — meu dito consorte, que vai ter que se levantar no momento em que eu me levantar, só erguer o garfo dele depois que eu erguer o meu, não se envolver em nenhum tipo de atividade arriscada (tipo ser piloto de carro ou de barco de corrida, alpinista, paraquedista etc.) até o momento em que um herdeiro seja produzido, abrir mão de seus direitos, para o caso de divórcio ou anulação, de ter a custódia sobre qualquer criança nascida durante o casamento... e também abrir mão da cidadania de seu país de origem e adotar a cidadania de Genovia.

"Não que eu não esteja disposto a fazer aquelas coisas", Michael prosseguiu. "Para mim não faria mal se eu soubesse que... bom, que eu também tinha conquistado alguma coisa na vida também... não ser governante de um país, talvez. Mas alguma coisa como... bom, como a coisa que eu tenho a oportunidade de fazer agora. Fazer a diferença. Como *você* vai fazer algum dia."

Fiquei olhando para ele, estupefata. Não era que eu não entendia. Eu entendia *sim*. Michael tinha razão. Ele não é o tipo de cara que se contentaria em andar um passo atrás de mim a vida toda — a menos que tivesse alguma coisa só dele. Seja lá que coisa fosse.

Eu só não entendia por que a coisa dele tinha que ser assim tão longe, no JAPÃO.

"Olha", Michael disse e apertou a minha mão de novo. "É melhor parar de chorar. Parece que Lars já está vindo pra cá."

"É o trabalho dele", observei, fungando. "Ele deve me proteger de me... de me... machucar!"

E a percepção de que aquela dor era algo de que nem um cara de dois metros de altura com um revólver poderia me defender fez com que eu fungasse ainda mais alto.

O que me deixou mais furiosa ainda foi o Michael ter simplesmente começado a rir.

"Não é *engraçado*", funguei por entre as lágrimas.

"Meio que é sim", ele disse. "Quer dizer, você precisa reconhecer. Nós formamos um par bem ridículo."

"Vou dizer o que é ridículo", respondi. "É você ir para o Japão e conhecer uma menina gueixa e me esquecer completamente. *Isso* é que é ridículo."

"O que eu ia querer com alguma menina gueixa", Michael perguntou, "se eu posso ficar com você?"

"As meninas gueixas transam com você sempre que você quiser", observei, entre fungadas. "Eu sei, eu vi aquele filme."

"Bom", Michael disse. "Na verdade, agora que você falou, uma menina gueixa pode não ser assim tão ruim."

Daí fui obrigada a bater nele. Apesar de continuar sem entender qual era a graça da situação.

Continuo sem ver. É uma situação horrível, injusta e completamente trágica.

Ah, claro que eu parei de chorar. E quando Lars se aproximou e perguntou se estava tudo bem, eu disse que sim.

Mas não estava.

E não está. Nada nunca mais vai ficar bem.

Mas eu agi como se, por mim, tudo bem. Quer dizer, eu precisava fazer isso, certo? Deixei Michael me acompanhar até em casa e até fui o caminho todo de mãos dadas com ele. E, à porta do apartamento, eu deixei ele me beijar enquanto Lars, muito educado, fingia amarrar o sapato no começo da escada. O que foi bom, porque também teve um pouco de ação por baixo do sutiã.

Mas de um jeito carinhoso, igual àquela cena em que a Jennifer Beals e o Michael Nouri estão na fábrica abandonada de *Flashdance*.

E quando Michael sussurrou: "Tudo bem com a gente?" Eu respondi: "Está, está tudo bem", apesar de eu não acreditar que estivesse. Pelo menos *eu* não estou bem.

E quando ele disse: "Eu ligo para você amanhã". Eu respondi: "Liga sim."

E daí eu entrei em casa, fui direto até a geladeira, tirei o pote de sorvete Häagen-Dazs crocante com macadâmia, peguei uma colher, fui para o quarto e comi tudo.

Mas eu continuo não me sentindo bem.

E acho que nunca mais vou ficar.

Terça, 7 de setembro, 23h

Minha mãe acabou de bater na porta e falou assim: "Mia? Você está aí?" Eu disse que estava, e ela abriu a porta.

"Eu nem ouvi quando você entrou," ela disse. "Você se divertiu com o..."

Daí a voz dela foi sumindo, porque viu o pote de Häagen-Dazs vazio. E a minha cara.

"Querida", ela disse, e se sentou na cama, ao meu lado. "O que aconteceu?"

De repente comecei a chorar tudo de novo, como se eu não tivesse chorado só uma hora antes.

"Ele vai se mudar para o Japão", foi tudo o que eu consegui dizer. E me joguei nos braços dela.

Eu queria contar muito mais para ela. Queria explicar como a culpa era toda minha, por não ir para a cama com ele (apesar de eu saber que, lá no fundo, não é verdade). É mais minha culpa porque eu sou uma princesa — uma porcaria de PRINCESA —, e que nenhum cara JAMAIS vai poder se equiparar a isso. A não ser que seja um príncipe.

A pior parte é que ser princesa nem foi alguma coisa que eu FIZ. Quer dizer, até parece que eu salvei o presidente de um tiro, como a Samantha Madison, ou encontrei todas as crianças desaparecidas com os meus poderes psíquicos, como a Jessica Mastriani, ou impedi que centenas de turistas se afogassem, como fez Tilly Smith, de dez anos, quando estava naquela praia da Tailândia e percebeu que um tsunami estava vindo porque tinha acabado de estudar tsunamis na escola, e mandou toda aquela gente sair correndo.

A única coisa que eu fiz foi nascer.

E TODO MUNDO fez isso.

Mas eu não podia falar todas essas coisas para a minha mãe. Porque nós já discutimos a coisa de ser princesa. É como Michael disse: eu sou princesa. E vou ser para sempre. Não adianta nada reclamar. As coisas simplesmente SÃO ASSIM.

Então, em vez disso, eu só chorei.

Acho que fez com que eu me sentisse um pouco melhor. Quer dizer, sempre é legal receber um abraço da mãe, independentemente da idade que você tenha. As mães não soltam feromônios — pelo menos acho que não —, mas, mesmo assim, o cheiro delas é bem bom. Pelo menos o da minha é. É de sabonete Dove e de terebintina e de café. Que, misturados, formam o segundo melhor cheiro do mundo.

Porque o primeiro é o do pescoço do Michael, claro.

Minha mãe disse todas as coisas que as mães costumam dizer, tipo: "Ah, querida, vai dar tudo certo" e "Um ano vai passar antes que você perceba" e "Se o Phillipe te der um notebook com webcam, você e Michael podem se falar por vídeo, e vai ser como se ele estivesse junto de você".

Só que não vai ser. Porque eu não vou poder sentir o cheiro dele.

Mas quando o Sr. G apareceu para ver que barulho todo era aquele, eu finalmente me acalmei e disse que estava me sentindo melhor, que não precisavam se preocupar comigo. Tentei dar um sorriso corajoso, e a minha mãe me fez um cafuné na cabeça e disse que, se eu sobrevivi a passar tanto tempo na companhia da Grandmère, eu sobreviveria a isso também, com facilidade.

Mas ela está errada. Passar tempo na companhia da Grandmère é como comer um pote inteiro de sorvete crocante em comparação a passar um ano inteiro sem o Michael.

Ou mais.

EU, PRINCESA???? CERTO, ATÉ PARECE
Um roteiro de Mia Thermopolis

(primeiro rascunho)

Cena 14

INTERIOR/NOITE — O tanque dos pinguins no zoológico do Central Park. Iluminada pelo brilho azulado da luz que sai da água do tanque de pinguins, uma garota (MIA) está sozinha, escrevendo freneticamente em seu diário.

MIA
(narração)

Não sei para onde ir, nem a quem recorrer. Não posso falar com a Lilly. Ela se opõe veementemente a qualquer tipo de governo que não seja para o povo, pelo povo. Ela sempre disse que, quando a soberania é investida em uma única pessoa, cujo direito ao poder é hereditário, os princípios da igualdade social e do respeito aos direitos do indivíduo dentro da comunidade se perdem de maneira irrevogável. É por isso que hoje o poder de fato foi transferido de monarcas reinantes para assembleias constituintes, transformando membros da realeza, como a rainha Elizabeth, em meros símbolos da unidade nacional.

Menos em Genovia, parece.

Quarta, 8 de setembro, Sala de Estudos

Michael contou pra Lilly. Eu sei que ele contou porque, quando paramos na frente do prédio dos Moscovitz pra pegá-la para ir à escola hoje de manhã, ele estava lá com ela, segurando um chocolate quente grande (com chantilly) da Starbucks para mim. Quando a limusine estacionou e Hans abriu a porta, o Michael se inclinou para dentro e disse: "Bom-dia. Isto aqui é para você. Diga que você não mudou de ideia de ontem à noite para hoje de manhã e agora me odeia."

Só que, é claro, eu nunca poderia odiar Michael. Principalmente porque o sol está brilhante e seus raios incidem sobre o pescoço recém-barbeado dele, e quando eu me inclino para pegar o chocolate e dou um beijo de bom-dia nele, sinto aquele cheiro de Michael que sempre faz parecer que tudo vai dar certo.

Até que ele esteja fora do espectro olfativo, quer dizer.

Que é exatamente onde ele vai estar quando for para o Japão.

"Eu não odeio você", eu disse.

"Que bom", ele respondeu. "O que você vai fazer hoje à noite?"

"Hm", eu disse. "Alguma coisa com você?"

"Boa resposta. Eu pego você às sete."

Daí ele me beijou e saiu do caminho para Lilly poder entrar no carro. O que ela fez dizendo, toda mal-humorada: "Meu Deus, *sai da frente*, seu *idiota*", para o irmão, já que ela nunca é bem-humorada de manhã.

Daí Michael disse: "Sejam boazinhas com as outras crianças, meninas", e fechou a porta. E Lilly virou para mim e disse: "Ele é o maior *idiota*."

"Ele saiu da frente total quando você pediu", observei.

"Não por causa *disso*", Lilly disse, furiosa. "Por causa da bobagem do negócio do Japão."

"Se o modelo dele funcionar, vai acabar salvando a vida de milhares de pessoas e ganhando milhões de dólares", eu disse. O meu chocolate quente estava quente demais para beber, então eu o assoprei. Só que o chantilly estava no meio do caminho.

Lilly olhou para mim, com os olhos todos arregalados. "Ai, meu Deus", ela disse. "Você vai ser *sensata* a respeito disso?"

"Não tenho escolha", respondi. "Tenho?"

"Aposto que se você fizesse um escândalo bem grande", Lilly disse, "ele não iria."

"Eu já fiz", garanti a ela. "Teve choro e catarro e tudo. E ele não mudou de ideia."

Lilly simplesmente grunhiu ao ouvir isso.

"O negócio é o seguinte", eu disse. Porque eu tinha refletido muito sobre o assunto. Tipo a noite inteira. "Ele tem que ir. Não quero que ele vá, mas é, tipo, uma coisa dele. Ele acha que precisa provar isso para si mesmo, para que a US *Weekly* pare de dizer que eu devia namorar o James Franco, em vez dele. O que é uma estupidez, mas o que se pode fazer?"

"James Franco!", Lilly explodiu. "Bom. Tanto faz. James Franco *é* bem fofo."

"Não tão fofo quanto Michael", respondi.

"Eca", Lilly disse, mas só porque ela sempre diz *eca* a qualquer referência sobre a fofura do irmão.

Então, como ela estava tão mal por causa de mim e tudo, achei que eu podia me aproveitar da situação. Então falei: "Você e o J.P. foram para a cama no verão ou o quê?"

Mas Lilly só deu risada.

"Bela tentativa, PDG", respondeu. "Mas não estou assim com TANTA pena de você."

Droga.

Quarta, 8 de setembro, Introdução à Escrita Criativa

Descreva uma cena vista da sua janela:

A menina está sentada em seu balanço, o coração pesado, os olhos inchados de lágrimas. O mundo como ela conhece deixou de existir. Nunca mais saberá o que é rir com despreocupação infantil, porque a infância ficou para trás. Esperanças esmagadas e sonhos despedaçados serão seus companheiros constantes agora que o amor de sua vida se foi. Ela ergue os olhos para contemplar um avião que corta o céu reluzente, o sol se afunda a oeste. Será que aquele avião leva seu amor para longe? Provavelmente. Desaparece no pôr do sol carmim.

0

Mia, quando eu disse para descrever uma cena vista da sua janela, eu quis dizer que você deveria descrever alguma coisa que você realmente enxerga pela sua janela, como um lixão ou um mercadinho. Eu não queria que você inventasse uma cena. E eu sei que você inventou a cena acima, porque não haveria como você saber que a menina no balanço (se é que você enxerga mesmo balanços da sua janela, o que eu duvido, já que eu por acaso sei que você mora em NoHo, e lá não há balanço nenhum, que eu saiba) estava pensando, a menos que a menina por acaso fosse você, e neste caso você não a poderia ter visto porque você não pode enxergar a si mesma, a não ser com um espelho. Por favor, refaça, desta vez seguindo as instruções da tarefa. Eu passo essas tarefas por um motivo, e espero que você as cumpra COMO ESTÁ ESCRITO.

— C. Martinez

Quarta, 8 de setembro, Inglês

Mia!!! Eu soube. Está tudo bem com você????

Sinceramente, T. Eu não sei dizer.

Mas você se dá conta de que isso é BOM. Quer dizer, para Michael.

Eu sei.

E você pode ir visitá-lo! Quer dizer, você tem seu próprio jatinho!!!!

Ah, sei. Até parece que vai dar.

Espera... você está sendo sarcástica?

Sim, estou sendo sarcástica. Meu pai nunca vai me deixar ir para o Japão, Tina. Não para visitar Michael.

Bom, então você tem que pedir a ele para deixar que você vá visitar a princesa do Japão — você é amiga dela, certo? Quer dizer, você adora o filho dela. E, enquanto você estiver lá, pode visitar Michael.

Obrigada, Tina. Na verdade a coisa não funciona assim, mas, de todo jeito, não faz mal. Porque sempre que eu tenho folga da escola, tenho que ir para Genovia. Está lembrada? Além do mais, a verdade é que, mesmo que eu fosse ao Japão, não tenho certeza se Michael iria querer receber uma visita minha.

   O quê? Claro que ele gostaria! Do que você está falando?

Ele não está indo SÓ por causa da coisa do braço robotizado. Ele também vai para ficar longe de mim.

   O quê? Mas que loucura! De onde você tirou ESSA ideia?

Porque foi o que ele DISSE. Ele disse que está muito difícil ficar perto de mim e não... você sabe.

   Ai. Meu. Deus. Essa é a coisa mais romântica que eu já ouvi na vida!!!!!!!!!!

TINA!!! Não é nada romântico!!!!

   Ele AAAAAAMA você! Devia estar FELIZ!!!

Feliz pelo meu namorado se mudar para outro país por estar cansado de tomar tanto banho frio? É. Falou.

   Você está sendo sarcástica de novo, não está?

Estou.

   Mia, você não percebe? A coisa toda é TÃÃÃÃO romântica: Michael é igualzinho ao Aragorn de O Senhor dos Anéis. Lembra quando Aragorn estava todo apaixonado pela Arwen, mas ele não se sentia digno dela, porque ela era uma princesa élfica, e o pai dela não queria deixar que ela se casasse com ele até que ele reclamou seu trono e provou que era mais do que um simples mortal?

Hm. É.

O MICHAEL ESTÁ RECLAMANDO O TRONO DELE PARA QUE POSSA PROVAR QUE É DIGNO DE VOCÊ!!!!! IGUALZINHO AO ARAGORN. E, tudo bem, o modo dele fazer isso é inventando uma coisa que nenhum de nós entende, a não ser ele. Mas isso não importa. Ele está FAZENDO ISSO POR VOCÊ.

E pelos milhares de pessoas cuja vida pode ser salva pela invenção dele. E pelos milhões de dólares que ele pode vir a ganhar se der certo.

Mas você não percebe? Tudo isso faz parte do que ele está fazendo POR VOCÊ.

Mas eu não *ligo* para nenhuma dessas coisas, Tina. Quer dizer, eu quero que ele seja feliz e tudo o mais. Mas eu ficaria mais feliz se ele estivesse aqui para eu cheirar o pescoço dele todo dia!!!!

Bom, pode ser que você precise sacrificar suas cafungadas no pescoço dele por um tempo para que o Michael possa encontrar sua autorrealização. Quer dizer, a longo prazo, o que ele está fazendo agora vai garantir cafungadas constantes para você no futuro. Se ele ficar milionário, ou sei lá o quê, NÃO VAI TER COMO a sua avó ou qualquer outra pessoa impedir que vocês fiquem juntos, porque você poderia simplesmente fugir com ele, mesmo que não receba mais sua fortuna Genoviana ou se o seu pai obrigar você a abdicar o trono, ou sei lá o quê. Percebe?

Acho que sim. Só não sei por que ele não pode alcançar a autorrealização dele aqui nos ESTADOS UNIDOS.

> Eu também não sei. Mas eu sei que Michael ama você, e isto é
> tudo o que importa!!!!!!!

Tudo é tão simples na Tinalândia. Eu bem que gostaria de viver lá em vez de estar no mundo real, frio e cruel.

Quarta, 8 de setembro, Francês

O negócio é que, bem no fundo, eu sei que Tina tem razão. Mas eu simplesmente não consigo ficar tão entusiasmada com a ideia quanto ela. Talvez seja porque Aragorn, apesar de ter sido fiel a Arwen enquanto estava longe, tentando se encontrar e tudo o mais, ainda tinha aquela coisa com a Éowyn. Seja lá o que fosse.

O que pode impedir que aconteça a mesma coisa entre Michael e alguma gueixa/engenheira de robótica japonesa brilhante?

> La speakerine de la chaine douze a dit, "Maintenant, vraies croyantes, un petit film — le premier film d'une serie de six. Mesdames, voici le film que vouz avez attendu pour des semaines. Un film remarkable, un film qui a changé ma vie et la vie d'autres femmes tout le monde. Oui, Le Mérite Incroyable d'une Femme".

61+56 = 117

Cruzei com Lana no corredor quando estava vindo para a aula e ela falou assim: "Ei, Peter! Como vai a Terra do Nunca?", o que fez o clone novo dela, além de sua fiel escudeira do mal, Trish, rirem tão alto que saiu Coca Zero pelo nariz delas.

Não sei com certeza, porque nunca consegui chegar ao fim de *O Senhor dos Anéis*, porque não tem quase nenhuma parte com personagens femininas no livro (então eu fingi que o Merry era uma hobbit), mas tenho bastante certeza de que isso nunca aconteceu com a Arwen.

Quarta, 8 de setembro, Almoço

Então eu estava sentada aqui, comendo meu falafel com tahini, toda inocente, quando a Ling Su se sentou na minha frente e disse:

"Mia, como *estão* as coisas?", com os olhos todo arregalados e cheios de compaixão.

Eu respondi: "Hm, tudo bem."

Daí a Perin se sentou do meu lado e ficou, tipo:

"Mia, a gente *soube*. Está tudo bem com você?"

Meu Deus. As notícias correm rápido nesta escola.

"Está tudo bem", respondi, tentando parecer corajosa. O que não é brincadeira quando se está com um pedaço de falafel na boca.

"Não dá para acreditar", Shameeka disse. Ela normalmente nem COME na nossa mesa, já que sempre está ocupada demais espionando para nós na mesa das líderes de torcida e dos atletas. Mas, de repente, ela pousou a bandeja dela ao lado da bandeja da Perin. "Ele vai mesmo se mudar para o JAPÃO?"

"Parece que vai", respondi. É engraçado, mas agora, cada vez que escuto a palavra *Japão*, meu coração se contorce todo. Do jeito que acontecia quando eu ouvia a palavra *Buffy*, na época em que o seriado *Buffy, a caça-vampiros* estava chegando ao fim.

"Você devia dar um fora nele", Boris disse ao se juntar a nós.

"BORIS!" Tina parecia chocada. "Mia, pode ignorar. Ele não sabe do que está falando."

"Sei sim", Boris respondeu. "Eu sei exatamente do que estou falando. Isso acontece em orquestras o tempo todo. Dois músicos se apaixonam, daí um consegue um trabalho com salário melhor em outra orquestra rival em outra cidade, ou até mesmo em outro país. Sempre tentam fazer dar certo — com o negócio dos telefonemas de longa distância —, mas nunca dá. Cedo ou tarde um dos dois se apaixona por um/uma clarinetista, e pronto. Relacionamentos a distância nunca dão certo. Você devia dar um fora nele agora, assim a separação é mais justa, e você pode seguir em frente. Fim de papo."

Tina ficou olhando para o namorado em estado de choque.

"Boris! Mas que coisa horrível de se dizer! Como é que você pode *dizer* uma coisa dessa?"

Mas Boris não entendeu. Só deu de ombros e falou assim:

"O que foi? É a verdade. Todo mundo sabe disso."

"Meu irmão não vai se apaixonar por uma outra pessoa", Lilly disse, com a voz entediada, do lugar onde estava sentada, mais para a ponta da mesa, na frente do J.P. "Certo? Ele está completamente apaixonado pela Mia."

"Há", Tina disse, cutucando Boris com o canudo. "Está vendo?"

"Eu sou a única pessoa que está falando o que presenciou", Boris respondeu. "Talvez Michael não se apaixone por uma clarinetista. Mas Mia vai se apaixonar."

"BORIS!" Tina parecia revoltada. "Mas por que DIABOS você está dizendo uma coisa dessa???"

"É, Boris", Lilly disse, olhando para ele como se fosse um bicho que ela encontrou no homus. "Que história é essa de ficar falando tanto de clarinetistas? Achei que você considerava os instrumentos de sopro de madeira inferiores."

"Estou simplesmente atestando um fato", Boris disse, batendo o garfo no prato para dar ênfase e mostrar que estava mesmo falando sério. "A Mia só tem 16 anos. E eles não são casados. Michael não pode achar que simplesmente vai se mudar para outro país e que ela vai ficar esperando por ele. Não é justo com ela. Ela deveria ter permissão para seguir com a própria vida, sair com outras pessoas e se divertir, não ficar no quarto dela sem fazer nada todo sábado à noite durante um ano, até ele voltar."

Vi Shameeka e Ling Su trocando olhares. Ling Su até fez uma cara de "ops, pode ser que ele tenha razão".

Mas Tina não achou que ele estava certo.

"Você está dizendo que se arrumasse emprego de primeiro violinista na Filarmônica de Londres não ia querer que eu ficasse esperando por você?", ela perguntou ao namorado.

"Claro que eu ia *querer* que você esperasse", Boris explicou. "Mas eu não poderia PEDIR para você esperar. Não seria justo. Mas eu sei que você ESPERARIA, de todo modo, porque você é assim."

"Mia também é assim!", Tina disse, cheia de resolução.

"Não é", Boris retrucou, sacudindo a cabeça com pesar. "Acho que não é."

"Tudo bem, Boris", eu disse rapidinho, antes que a cabeça da Tina explodisse. "Eu QUERO ficar sem fazer nada no meu quarto todo sábado à noite até Michael voltar."

Boris ficou olhando para mim como se eu tivesse perdido a cabeça.

"QUER?"

"Quero", respondi. "Quero sim. Porque eu amo Michael e, se não puder ficar com ele, prefiro não ficar com ninguém."

Boris só sacudiu a cabeça com tristeza.

"É isso que todos os casais na minha orquestra dizem", falou. "E, no fim, um dos dois cansa de ficar no quarto sem fazer nada. Antes mesmo que você perceba, já estão com um clarinetista. Tem *sempre* um ou uma clarinetista."

Isso foi muito desconcertante. Eu estava lá, sentindo aquele mesmo pânico que sempre sinto quando penso que Michael vai embora — só temos mais três dias! Mais três dias até ele ir embora —, quando reparei que J.P. estava olhando para mim.

E daí, quando nosso olhar se cruzou, ele sorriu para mim. E revirou os olhos. Como se estivesse dizendo:

"O que este violinista russo está falando?

E, de repente, o pânico desapareceu, e eu comecei a me sentir bem de novo.

Retribuí o sorriso, peguei o meu falafel e disse:

"Acho que vai ficar tudo bem comigo e com Michael, Boris."

"*Lógico* que vai", Tina disse. E daí Boris soltou um grito. É óbvio que Tina deu um chute nele por baixo da mesa.

Espero que tenha deixado uma marca roxa.

Quarta, 8 de setembro, S & T

Então Lilly não me deu nem 24 horas para me recuperar do golpe desferido pelo irmão dela. Não, ela começou a tagarelar sobre a campanha para o conselho estudantil de novo durante superdotados & talentosos.

"Olha, PDG", ela disse. "Eu sei que você foi a única indicada para presidente do conselho estudantil, mas não pode vencer se pelo menos a metade dos alunos não votar em você."

"Em quem mais vão votar?", perguntei. "Principalmente se não tem mais ninguém na disputa?"

"Candidatos que correm por fora", Lilly respondeu. "Eles mesmos. Quem sabe? Pode ser que você acabe sendo derrotada pela Lana de qualquer jeito, apesar de ela não estar concorrendo. Você sabe que a irmã mais nova dela acabou de entrar na nona série, certo?"

Essa informação não fazia o menor sentido para mim. Quer dizer, por causa do fato de a minha cabeça estar completamente cheia com a noção de que O MEU NAMORADO VAI MORAR NO JAPÃO DURANTE UM ANO (ou mais).

"Você ouviu o que eu disse, Mia?" Lilly estava olhando para mim, toda preocupada, por cima do fichário de conselho estudantil dela. "A Gretchen Weinberger é igualzinha à irmã mais velha... só que ainda mais ressentida. Lembra aquele documentário que a gente viu na MTV, *True Life*, sobre a onda dos esteroides? É mais ou menos aquilo. A Gretchen com toda a certeza conseguiria fazer toda a nona série ficar contra você se quisesse. E se você desse uma olhada neles, ia ver logo que esse pessoal forma a turma mais apática de puxa-sacos que já pisou neste planeta. Eu ouvi, de verdade, um deles falando que o aquecimento global não passa de um mito, porque Michael Crichton escreveu isto em uma daquelas coisas ridículas dele que ele chama de livro."

Só fiquei lá olhando para ela por mais um tempinho. Será que Gretchen Weinberger era o clone — aquela versão um pouco menor da Lana que eu vi rindo no corredor, depois que a Weinberger mais velha fez piada com o meu corte de cabelo e a Terra do Nunca? Provavelmente. Na hora só fiquei achando que ela era mais uma aspirante a Lana. Faz sentido as duas serem irmãs.

"Mas a observação totalmente idiota daquele escritor de última categoria do Crichton me deu uma ideia", Lilly prosseguiu. "Esta é uma geração que foi criada praticamente só com medo — medo das feministas, que, como todos sabemos, estão aí só para destruir os valores da família, haha; medo de terroristas; medo de ir mal no vestibular e não entrar em Yale ou em Princeton e assim se transformar em um fracasso e ter que estudar em alguma faculdade menos conhecida e por isso podem — gulp! — ter que arrumar um emprego com um cargo baixo logo que saírem da faculdade, ganhando 100 mil dólares por ano, em vez de 105 mil dólares. Digo que a gente deve mexer com esses medos, e usá-los a nosso favor."

"Como é que a gente vai fazer isso?", perguntei. Não que eu me importasse. "E também, tecnicamente, nós somos da mesma geração que a irmã mais nova da Lana. Quer dizer, nós somos mais velhas do que ela. Mas, mesmo assim, ela é da nossa geração."

"Não, não é", Lilly disse, com um brilho nos olhos — um brilho em que eu não confiei nem por um segundo. "Ela nasceu atrasada, a ponto de não ter podido tomar consciência de *Party of Five — O Quinteto*, e isto faz com que sejamos de gerações distintas. E eu acho que sei EXATAMENTE onde fica o ponto fraco deles. Estou trabalhando na questão. Acho que amanhã já vai estar tudo pronto. Não se preocupe, PDG. Quando eu terminar, vão estar IMPLORANDO para você ser presidente do corpo estudantil."

"Uau", eu disse. "Bom, obrigada. Mas, sabe, o negócio, Lilly... Não sei se estou a fim de concorrer ao cargo de presidente estudantil neste ano."

Lilly só ficou olhando para mim, estupefata.

"O quê?"

Respirei fundo. Isso aqui não seria nada fácil.

"É só que... bom, você sabe o que eu tirei em matemática no meu simulado do vestibular. E eu tenho pré-cálculo e química neste ano. Juro por Deus, só passou um dia de aula, e eu não faço a menor ideia do que estão falando em nenhuma dessas duas matérias. Quer dizer, não entendi nem UM POUQUINHO. Realmente acho que preciso me concentrar nos estudos neste ano. Simplesmente acho que não vou ter tempo de administrar a escola. Não com todas as coisas de princesa que eu tenho para fazer."

Lilly ergueu uma sobrancelha. Eu detesto quando ela faz isso. Porque ela sabe fazer e eu não.

"Isso é por causa do meu irmão, não é", ela disse. Não foi uma pergunta.

"Claro que não", respondi.

"Porque", Lilly continuou, "quer dizer, se é que se pode dizer alguma coisa, agora que ele vai viajar, vai sobrar MAIS tempo livre. Não menos."

"É", respondi, um pouco áspera. "Mas também, agora que ele vai viajar, não vou ter ninguém para me ajudar com o dever de casa de pré-cálculo e de química. Vou ter que arrumar um professor particular ou algo assim. E os professores particulares, diferentemente do Michael, não vão estar muito a fim de ir lá em casa me ajudar com um questionário às dez da noite de uma quarta-feira, depois de eu ter participado da reunião do conselho estudantil e de algum jantar de Estado na embaixada de Genovia."

Lilly não ficou com cara de quem me apoiava muito.

"Não dá para acreditar que você está fazendo isso comigo", ela disse. "Você é mais apática do que o restante desta escola. Você é pior do que o pessoal da nona série!"

"Lilly", eu disse. "Eu realmente acho que você pode vencer sem a minha ajuda. Quer dizer, para começar, pense bem: você vai disputar sem ter oposição."

"Você sabe que eu não conseguiria cinquenta por cento dos votos", Lilly disse com os dentes cerrados. "Por que você não pode simplesmente concorrer e renunciar, como DEVERIA ter feito no ano passado?"

"Porque o meu namorado vai sair deste país e ficar fora um ano inteiro daqui a TRÊS DIAS", praticamente berrei, fazendo a Sra. Hill tirar os olhos do catálogo Isabella Bird dela. Baixei a voz: "E quero passar o maior tempo possível com ele até lá. E isto significa que eu NÃO QUERO passar as noites escrevendo discursos e fazendo cartazes de *Mia para presidente*."

"Eu escrevo os discursos", Lilly disse, os dentes ainda cerrados. "E eu faço os cartazes. Você só faz o que deveria ter feito no ano passado, e renuncia como era para ter renunciado."

"Ai, meu Deus, *sei lá*", eu disse, só para ela largar do meu pé. "TÁ."

"TÁ", Lilly respondeu.

E daí me ocorreu que eu estava deixando uma oportunidade de ouro me escapar por entre os dedos, completei: "COM UMA CONDIÇÃO."

E Lilly ficou, tipo:

"O quê?"

"Você vai ter que me contar se você e J.P. fizeram Aquilo durante o verão."

Lilly só ficou olhando para mim durante um tempo, de olhos arregalados. Então, finalmente, como se fosse um sacrifício supremo, ela disse:

"Tudo bem. Eu conto. DEPOIS da eleição."

O que para mim estava muito bom. Desde que eu ficasse sabendo.

Não sei por que isso é tão interessante para mim. Mas, quer dizer, se a minha melhor amiga transou, acho que eu devia ter o direito de saber. Em detalhes. Principalmente levando em conta o fato de que eu não vou poder nem CHEIRAR o meu namorado no decorrer do próximo ano, e vou ter que viver me aproveitando do romance da Lilly.

Apesar de ela ter me dito que não fica por aí cheirando o pescoço do J.P. e acha muito estranho eu ficar cheirando o do Michael o tempo todo.

É mais do que provável que o órgão vomeronasal da Lilly — o órgão auxiliar do sentido olfativo — tenha regredido durante a gestação, como acontece com a maior parte dos seres humanos. O meu obviamente não regrediu.

O que é só mais um exemplo de como eu sou um espécime biológico estranho.

A Sra. Hill acabou de me perguntar o que eu pretendo fazer nesta aula este ano. Então fui obrigada a contar a ela sobre a minha nota de matemática no simulado do vestibular.

Agora ela me obrigou a resolver problemas do *Guia de Estudo Oficial do vestibular*.

Acho que isso, junto com o restante dos acontecimentos das últimas 24 horas da minha vida, serve para provar que Deus não existe.

Ou que, se existe, ELE nutre indiferença suprema pelo meu sofrimento.

Jill comprou cinco maçãs no mercado. Pagou com uma nota de cinco dólares e recebeu três moedas de 25 centavos de troco. Jill percebeu que recebeu troco demais, e devolveu uma das moedas. Quanto custaram as maçãs?

TANTO FAZ. É para isso que servem os cartões de débito. Certo, vamos em frente.

Qual é o último número inteiro divisível pelos números 2, 3, 4 e 5?

Ah, tudo bem, até parece que eu sei. Certo, o próximo:

O peso dos biscoitos em uma caixa de 100 biscoitos é 230 gramas. Qual é o peso, em gramas, de três biscoitos?

POR QUE EU PRECISO SABER ESSAS PORCARIAS SE A ÚNICA COISA QUE FAREI, UM DIA, É GOVERNAR UM PAÍS E AÍ TEREI MEUS PRÓPRIOS CONTADORES REAIS, NÃO? POR QUÊ? POR QUÊ? POR QUÊ???? ISSO NÃO É JUSTO!!!!!!!!!!

Quarta, 8 de setembro, Química

Mia — é verdade? O Michael vai passar um ano em Tsukuba para trabalhar em um equipamento robotizado que pode colocar fim à cirurgia cardíaca de peito aberto?

Ai, meu Deus. Lá vamos nós. Tina insiste que Kenny continua apaixonado por mim — mesmo depois de tanto tempo —, mas eu sempre disse a ela que está confundindo seus livros de amor da Harlequin com a vida real de novo.

Mas talvez eu tenha sido desnecessariamente dura. Talvez ela tenha RAZÃO. Se não, por que ele estaria tão interessado na minha atual situação de namoro????

É, Kenny. É verdade. Mas nós não vamos terminar!!!!

> *Mas QUE LEGAL. Você acha que ele pode considerar a ideia de me contratar — sabe como é, quando ele voltar — como um tipo de estagiário dele ou algo assim? Porque eu sempre fui fascinado por robótica, e na verdade ando pensando no design de um rotor orbital para um bisturi robotizado. Você acha que ele pode aproveitar as minhas ideias? Imagino que vá contratar os amigos dele.*

Ah. Então não sou eu que ele quer, afinal de contas... bom, é um alívio.

Kenny, você ENTENDE sobre essas coisas de cirurgia robotizada?

> *Hm, claro que sim. E não é "coisa", Mia, realmente é a nova fronteira da ciência da robótica. Os sistemas cirúrgicos robotizados já começaram a ser instalados nos hospitais do mundo todo. O objetivo final do campo da robótica é criar um sistema que faça exatamente o que o protótipo do Michael faz. Se ele conseguir montar um modelo que de fato opere da maneira adequada no ambiente cirúrgico... bom, digamos que será o maior desenvolvimento da ciência desde a clonagem da ovelha Dolly. Michael vai ser elevado ao status de gênio... não, mais do que um simples gênio. Talvez até mesmo um SALVADOR DA MEDICINA.*

Ah. Bom. Obrigada por ter explicado isso para mim. Vou me assegurar de fazer uma recomendação sobre você para Michael.

> *Legal. Obrigada!* ☺

> Mia, tudo bem com você? Mal tocou no seu falafel no almoço.

Meu Deus, J.P. é tão gentil! Não acredito que ele reparou!

Acho que está tudo bem.

> Imagino que Boris ter ficado falando sobre tramas amorosas dentro da orquestra não deve ter ajudado muito.

É, realmente, é só que... o que um salvador da medicina vai querer COMIGO? Quer dizer, eu sou só uma PRINCESA. Qualquer pessoa pode ser *princesa*. Só é preciso ter os pais certos. Não é mais difícil do que ter nascido a Paris Hilton, pelo amor de Deus.

> Pelo menos você se lembra de vestir calcinha antes de sair de casa pela manhã, imagino.

Isso deveria estar ajudando?

> Desculpa. Achei que a situação exigia uma certa leveza. Foi um erro de cálculo da minha parte. Mia, você é maravilhosa em todos os aspectos. E sabe muito bem disto. Você é muito mais do que apenas uma princesa. Aliás, eu diria que essa é a menor parte de você, não é isso que a DEFINE.

Mas eu não FIZ nada. Quer dizer, nada maravilhoso que faça as pessoas se lembrarem de mim. A não ser o fato de ser princesa, o que, como mencionei, não é algo que eu tenha feito de maneira ATIVA, eu simplesmente nasci assim.

> Você só tem 16 anos, dá um desconto para si mesma.

Mas Michael só tem 19 e pode vir a salvar a vida de milhares de pessoas, tipo no ano que vem. Se eu vou fazer alguma coisa maravilhosa algum dia, preciso começar AGORA.

> Pensei que você ia escrever um roteiro de cinema sobre a sua vida e a Lilly ia dirigir.

É, mas o que foi que eu fiz na VIDA para fazer com que o roteiro seja significativo? Tipo eu não salvei centenas de judeus da aniquilação pela escória nazista, nem fiquei cega e mesmo assim compus músicas lindas.

> Acho que estabelecer como padrão para si mesma a vida de Oskar Schindler ou de Stevie Wonder é um tanto irreal.

Mas você não PERCEBE? Michael está estabelecendo esse tipo de padrão.

> Mas Michael ama você exatamente como você é! Então, com o que está preocupada? Você pode ser uma ótima pessoa só sendo uma boa amiga ou uma ótima escritora ou uma companhia divertida, sabe como é.

Acho que sim. Mas é que provavelmente ele vai conhecer um monte de meninas brilhantes e lindas no Japão, e como é que eu vou saber que ele não vai se apaixonar por uma DELAS?

> Ele provavelmente já conheceu um monte de meninas brilhantes e lindas na Universidade de Columbia e não se apaixonou por nenhuma delas, não é mesmo?

Bom, não, mas isso é só porque, apesar de serem todas brilhantes, são iguais a Judith Gershner.

> Quem é Judith Gershner?

Ela é uma menina que estudava aqui e sabia clonar moscas de frutas e de quem eu achava que Michael gostava e... Sabe o quê? Deixa pra lá. Você tem razão. Eu estou sendo ridícula.

> Eu não disse que você estava sendo ridícula. Eu disse que você estava sendo severa demais consigo mesma. Você é uma pessoa ótima, e se ocorrer o evento improvável de Michael pensar diferente, eu posso dar uma surra nele por você, com todo o prazer.

Haha. Obrigada. Mas é para isso que eu tenho o Lars.

Mia: não quero ser chato, mas se você quer passar nessa matéria, acho que é melhor parar de passar bilhetinhos para J.P. e prestar atenção. Sei que sou seu parceiro de laboratório, mas não vou dar cobertura para você se ficar para trás.

Certo, Kenny. Desculpa. Você tem razão.

FOMOS PEGOS!!!!

Fica quieto, você está me fazendo rir!!!!!!!!!! Agora vou prestar atenção.

Princípio de Arquimedes: o volume de um sólido é igual ao volume da água deslocada por ele.

Densidades de sólidos e líquidos típicos em g/ml

Substância	*Densidade*
Gasolina	0,68
Gelo	0,92
Água	1,00
Sal	2,16
Ferro	7,86
Chumbo	11,38
Mercúrio	13,55
Ouro	19,30

Tenho noção de que química é importante, sabe como é, no nosso cotidiano e tudo o mais. Mas fala sério, que importância vai ter eu saber ou não qual é a densidade da gasolina na minha futura condição de governante de Genovia?

Quarta, 8 de setembro, Pré-Cálculo

Função composta = combinação de 2 funções

$F(g(x))$ NÃO $= g(f(x))$

Uma relação é qualquer conjunto de pontos no sistema de coordenadas x-y.

Função constante: linha horizontal

A linha horizontal tem inclinação 0

Ai.
Meu.
Deus.
Isso.
É.
A.
Maior.
Chatice.

* DEVER DE CASA

Sala de Estudo: Nada

Introdução à Escrita Criativa: Descreva uma pessoa que você conhece

Inglês: Franny e Zoey

Francês: Continuar a *décrire un soir amusant avec les amis*

Superdotados & Talentosos: Nada

Educação Física: Nada

Química: Tanto faz, depois Kenny me diz

Pré-Cálculo: ??????

Quarta, 8 de setembro, na limusine, a caminho de casa do Ritz-Carlton

Quando entrei na suíte do Ritz da Grandmère hoje (parece que o W era tão insatisfatório que ela só ficou uma noite), fiquei totalmente chocada de ver o meu pai ali.

Tinha esquecido que ele vinha para cá para a assembleia-geral da ONU.

E parece que *ele* tinha esquecido que nunca é boa ideia fazer uma visita a Grandmère antes do horário do coquetel (o médico dela disse que não pode mais tomar três Sidecars no almoço, a não ser que queira ter um ataque de angina), porque ela fica mais do que só um pouco mal-humorada.

"Olhe só para isto!", ela ia dizendo enquanto sacudia uma almofada na cara do meu pai. "Lençóis com míseros setecentos fios! É um escândalo! Não é para menos que Rommel está com alergia!"

"Rommel está sempre com alergia", meu pai respondeu, com a voz cansada. Então ele reparou que eu tinha entrado e disse: "Oi, querida. Faz tempo que a gente não... *o que aconteceu com o seu cabelo?*"

Eu nem me dei o trabalho de ficar ofendida. Quando o seu namorado avisa que vai mudar para o Japão, você começa a definir melhor as suas prioridades.

"Eu cortei", respondi. "Não me importo se você não gostar. Não preciso mais ficar arrumando todo dia, e isto é o que importa. Para mim, pelo menos."

"Ah", meu pai respondeu. "Está, hm. Bonitinho. Qual é o problema?"

"O quê? Nada."

"Tem alguma coisa de errado, Mia. Dá pra ver."

"Não é nada, sério", garanti a ele. Só de saber que os meus pais só precisam olhar para a minha cara e já sabem que algo está errado me fez perceber como eu devo estar magoada de verdade com essa coisa toda do Michael. Porque estou TENTANDO esconder. Estou mesmo. Pelo bem do Michael. Porque eu sei que devia estar animada e feliz por ele.

E eu ESTOU animada e feliz por ele.

Tirando a parte em que eu estou chorando. Por dentro.

"Você está ouvindo o que eu estou dizendo, Phillipe?", Grandmère perguntou. "Você sabe que Rommel requer lençóis com *pelo menos* oitocentos fios."

Meu pai suspirou.

"Vou mandar a Bergdorf enviar alguns lençóis com mil fios, certo? Mia, eu sei que há alguma coisa errada. O que foi que a sua mãe fez agora? Foi presa em mais uma daquelas passeatas antiguerra? Eu já *disse* para ela parar de se acorrentar às coisas."

"Não é a *mamãe*", respondi e me joguei em cima de uma *chaise longue* de brocado, "Faz *anos* que ela não se acorrenta a nada."

"Bom, ela é uma mulher muito... imprevisível", meu pai disse. O que é sua maneira de dizer, com a maior educação possível, que a minha mãe é despreocupada e irresponsável em relação a muitas coisas. Mas não com os filhos dela. "Mas você tem razão, eu não deveria tirar conclusões precipitadas. Não tem nada a ver com Frank, tem? Os dois estão se dando bem? É muito estressante ter um bebê em casa. Pelo menos foi o que eu ouvi dizer."

Revirei os olhos. Meu pai sempre quer saber de tudo o que está acontecendo entre a minha mãe e o Sr. Gianini. O que é meio hilário, porque na verdade nunca tem nada acontecendo entre os dois. A menos que estejamos falando de brigas relativas ao que assistir na hora do café da manhã: CNN (Sr. G) ou MTV (minha mãe). Minha mãe não aguenta política logo pela manhã. Ela prefere Panic! At the Disco.

"Não são só os lençóis, Phillipe", Grandmère prosseguia. "Você se dá conta de que as televisões nos quartos deste hotel têm telas de apenas *27 polegadas*?"

"Você diz que não há nada na televisão norte-americana além de imundice e violência", meu pai disse, olhando para a mãe, atônito.

"Bom, é verdade", Grandmère respondeu. "Não há mesmo. Tirando *Judge Judy*."

"É só... *tudo*", respondi, ignorando Grandmère. Porque agora o meu pai também a estava ignorando. "Só passaram dois dias do semestre, e já é o pior de todos. A Srta. Martinez me enfiou em introdução à escrita criativa. INTRODUÇÃO. Não preciso ser introduzida à escrita criativa. Eu como, durmo e respiro escrita criativa. E nem me faça começar a falar sobre química e pré-cálculo. Mas o pior é... bom, é o Michael."

Meu pai não pareceu surpreso ao ouvir isso. Aliás, pareceu contente.

"Bom, então, Mia, eu detesto ter que dizer isto, mas... Desconfiava de que isso aconteceria. Agora Michael está na faculdade, e você ainda está na escola, e precisa gastar muito tempo com as suas obrigações reais e em Genovia, e não pode ficar achando que um rapaz no melhor momento da vida vai ficar simplesmente esperando você. É natural que Michael encontre uma moça mais próxima de sua própria idade, que de fato tem tempo para fazer as coisas que os garotos universitários gostam de fazer — coisas que simplesmente não são apropriadas para princesas no ensino médio fazerem."

"Pai." Fiquei olhando para ele, estupefata. "Michael não terminou comigo. Se é que foi isso que você quis dizer com o discurso que acabou de fazer."

"Não terminou?" A cara do meu pai já não estava tão contente assim. "Ah. Bom, então, o que ele *fez*?"

"Ele... bom, lembra quando você foi comigo para Genovia e a gente assistiu a O Senhor dos Anéis durante o voo?"

"Lembro." Meu pai ergueu as sobrancelhas. "Você está me dizendo que Michael tomou posse do Um Anel?"

"Não", respondi. Não dava para acreditar que ele estava tentando fazer piada com aquilo. "Mas ele está tentando se provar para o rei dos elfos, igual ao Aragorn."

"Quem é o rei dos elfos?", meu pai perguntou, como se ele não soubesse mesmo, de verdade.

"Pai. VOCÊ é o rei dos elfos."

"É mesmo?" Meu pai ajeitou a gravata, com cara de contente de novo. Daí, fez uma pausa. "Espera... as minhas orelhas não são pontudas. São?"

"Eu falei de modo FIGURADO, pai", respondi, revirando os olhos. "Michael acha que precisa se provar para ficar com a sua filha. Da mesma maneira que Aragorn achava que precisava se provar para receber a aprovação do rei dos elfos e ficar com Arwen."

"Bom", meu pai disse. "Não vejo problema nisso. Mas exatamente o que ele planeja fazer? Para ganhar a minha aprovação, quer dizer? Porque sinto muito, mas liderar um exército de cadáveres para derrotar os orcs realmente não vai dar muito certo pra cima de mim."

"Michael não vai liderar um exército de cadáveres a lugar nenhum. Ele inventou um braço cirúrgico robotizado que vai permitir que os cirurgiões façam operações cardíacas sem abrir o peito", expliquei.

Isso tirou o sorrisinho maldoso da cara do meu pai na hora.

"É mesmo?", perguntou em tom totalmente diferente. "Michael fez o quê?"

"Bom, ele tem um protótipo", expliquei. "E uma empresa japonesa vai levá-lo para lá para ele ajudar a construir um modelo que funciona. Ou algo assim. O negócio é que vai demorar um ANO! Michael vai ficar em Tsukuba um ANO! Ou mais!"

"Um ano", meu pai repetiu. "Ou mais. Bom, é muito tempo."

"É, é muito tempo mesmo", eu disse, toda dramática. "E enquanto ele estiver a milhares de quilômetros de distância, inventando coisas bacanas, eu vou estar atolada na porcaria da introdução à escrita criativa e na química do segundo ano, em que já estou levando bomba, isso sem falar em pré-cálculo. Que, mais uma vez, nem sei por que preciso aprender, já que temos tantos contadores..."

"Ora, ora", meu pai disse. "Todo mundo precisa aprender cálculo para se tornar um indivíduo completo."

"Sabe o que faria de mim um indivíduo completo, e de você um filantropo elogiado e possivelmente até faria com que fosse nomeado Personalidade do Ano da revista *Time*?", perguntei. "Bom, vou dizer: se você fundasse seu próprio laboratório de robótica bem aqui em Nova York, onde Michael pudesse construir a coisa-robô dele!"

Meu pai deu boas risadas com isso.

O que foi legal. Só que eu não estava a fim de piada.

"Estou falando sério, pai", eu disse. "Quer dizer, por que não? Até parece que você não tem dinheiro para isso."

"Mia", meu pai disse, ficando mais sério. "Eu não sei nada sobre robótica."

"Mas Michael sabe", eu disse. "Ele pode dizer a você o que é necessário. E daí você pode, sabe como é. Pagar. E você totalmente levaria crédito quando Michael tiver sucesso em montar sua coisa-robô. Vão colocar você no *Larry King*, aposto. Quem liga para a *Vogue*... pense em como Genovia ia aparecer na imprensa *assim*. Faria MARAVILHAS pelo nosso turismo. Que, você precisa admitir, anda bem mal desde que o dólar despencou."

"Mia", meu pai ia dizendo, sacudindo a cabeça. "Está fora de questão. Fico muito contente pelo Michael — sempre achei que ele tinha potencial. Mas não vou gastar milhões de dólares para construir um laboratório de robótica qualquer para que você possa passar o segundo ano do ensino médio todo flertando com o seu namorado, em vez de passar em pré-cálculo."

Fiquei encarando meu pai.

"Ninguém mais diz flertando, pai."

Bom, eu tinha que dizer ALGUMA COISA. E também... que tipo de palavreado é esse?

"Deem licença", Grandmère se aproximou batendo os pés, se colocou no meio do quarto e ficou olhando para nós dois ao mesmo tempo, cheia de fúria. "Sinto muito interromper a conversa importantíssima de vocês sobre AQUELE RAPAZ. Mas estou aqui me perguntando se algum de vocês dois reparou em algo a respeito deste quarto. Tem uma coisa obviamente FALTANDO."

Meu pai e eu olhamos ao redor. A cobertura de 140 metros quadrados de Grandmère veio completa com dois quartos, dois banheiros e meio — cada um deles com uma banheira de mármore e boxe de chuveiro separado —, duas TVs de plasma com tela de 12 polegadas (e estas são só as TVs dos *banheiros*), produtos de banho exclusivos de Frédéric Fekkai e Cotê Bastide, kit de barbear Floris e velas Frette, sala de estar, sala de jantar para oito pessoas, despensa independente, biblioteca com livros, DVD, som, seleção especial de CDs e DVDs, telefones sem fio com multilinhas e caixa postal e capacidade para transmissão de dados, acesso à internet de alta velocidade e um telescópio fixado ao chão para que ela pudesse observar as estrelas ou o outro lado do parque, onde fica o apartamento do Woody Allen.

Não tinha nada faltando na suíte da Grandmère. NADA.

"UM CINZEIRO!", Grandmère berrou. "ESTA SUÍTE É PARA NÃO FUMANTES!!!"

Meu pai olhou para o teto. E suspirou. Então disse:

"Mia. Se Michael, como você disse, tem a intenção de provar que é digno de você para mim, então ele não vai querer a minha ajuda, de todo jeito. Sinto muito por você ter que se separar dele durante um ano, mas acho que dar uma parada e se concentrar exclusivamente nos estudos pode não ser uma ideia assim tão ruim. Mãe." Ele olhou para Grandmère. "Você é impossível. Mas eu vou arrumar uma suíte em outro hotel. Deixe-me fazer algumas ligações", ele disse e foi para a sala de jantar para fazê-lo.

Grandmère, com cara de quem estava muito satisfeita consigo mesma, abriu a bolsa, tirou o cartão-chave da suíte e colocou na mesinha de centro à minha frente.

"Bom", ela disse. "Que pena. Parece que vou me mudar. De novo."

"Grandmère", eu disse. Ela estava me deixando FURIOSA. "Você sabe que ainda tem gente morando em BARRACAS e em *motorhome* por causa de todos os furacões, tsunamis e terremotos que aconteceram em diversas partes do mundo? E você está reclamando que não pode FUMAR no seu quarto? Não há nada de errado com esta suíte. Ela é totalmente linda. É tão legal quanto a sua suíte no Plaza. Você só está sendo ridícula porque não gosta de mudanças."

"Suponho que seja verdade", Grandmère disse com um suspiro e sentou em uma das poltronas de brocado na frente do sofá onde eu estava sentada. "Mas acredito que a minha extravagância pode trazer vantagens para você."

"Ah, é?" Eu mal estava escutando o que ela dizia. Não dava para acreditar como o meu pai desprezou tão rápido a minha ideia de "abra seu próprio laboratório". Realmente achei que tinha sido boa. Quer dizer, eu sei que foi uma ideia momentânea. Mas me pareceu alguma coisa com que ele poderia concordar. Está sempre construindo alas de hospital em Genovia, e depois coloca o nome dele mesmo nelas. Acho que Laboratório de Sistemas Cirúrgicos Robotizados Príncipe Phillipe Renaldo soa bem.

"A suíte está paga até o fim da semana", Grandmère disse, inclinando-se para dar tapinhas no cartão-chave que tinha deixado em cima da mesinha. "Eu não vou ficar aqui, é claro. Mas não vejo razão para você não se sentir na liberdade de usá-la, se assim quiser."

"O que eu vou fazer com uma suíte no Ritz, Grandmère?", perguntei. "Pode ser que você não tenha reparado, por estar tão ocupada com o seu 'abre aspas' sofrimento 'fecha aspas'. Mas eu não vou dar nenhuma festa do pijama nesta semana. Estou no meio de uma crise de vida completa."

O olhar de Grandmère endureceu em cima de mim.

"Às vezes", ela disse, "não acredito que eu e você somos parentes de sangue."

"Bem-vinda ao meu mundo", eu disse.

"Bom, os quartos são seus", Grandmère disse e fez o cartão-chave escorregar para mais perto de mim. "Para você fazer o que quiser. Pessoalmente, se eu ainda morasse com os meus pais, e se o meu amor estivesse de partida para uma viagem de um ano para provar algo ao MEU pai, eu usaria os quartos para encenar uma despedida muito particular e romântica. Mas eu sou assim. Sempre fui uma mulher muito apaixonada, muito ligada nas minhas emoções. Sempre notei que eu…"

Blá-blá-blá. A voz de Grandmère falou e falou. E falou. O meu pai voltou para o quarto e disse que arrumou uma suíte para ela no Four Seasons, então ela ligou para a camareira dela e a obrigou a começar a fazer as malas pela terceira vez só nesta semana.

E essa foi a minha aula de princesa do dia.

Que bom que eu não pago por isso, porque a qualidade realmente começou a despencar ladeira abaixo.

Acho que estou tendo alucinações por estar desidratada, ou algo assim. Tenho todos os sintomas:

- Sede extrema
- Boca seca, sem saliva
- Olhos secos, sem lágrimas
- Diminuição da urina, ou urinando três ou menos vezes no decurso de 24 horas
- Braços e pernas podem parecer frios ao toque
- Sentindo muito cansaço, inquietude ou irritação
- Tontura, aliviada quando se deita

Claro que eu sempre experimento todos esses sintomas depois de ficar algum tempo na companhia da Grandmère.

Mesmo assim, estou bebendo toda a água mineral da limusine, só para garantir.

Quarta, 8 de setembro, em casa

Michael quer fazer um monte de coisas típicas de Nova York antes de ir viajar. Na sexta. Hoje à noite vamos comer o hambúrguer preferido dele no Corner Bistro, no West Village. Ele jura que são os melhores hambúrgueres da cidade — fora o Johnny Rockets.

Só que Michael se recusa a ir ao Johnny Rockets porque é contra franquias, porque diz que elas contribuem para a homogeneização dos Estados Unidos e, na medida em que rédeas franquias forçam as lojas e os restaurantes locais a fechar suas portas, as comunidades perderão tudo o que no passado fizeram delas algo único, e os Estados Unidos vão se transformar em um único shopping center ao ar livre, sendo que cada comunidade consiste em nada mais do que Walmarts, McDonald's, um Jiffy Lube para trocar o óleo e um restaurante Applebee's. Em vez de ser um caldeirão de culturas, os Estados Unidos vão se transformar em maionese.

Só que eu sei que Michael não resiste a um Outback de vez em quando.

Claro que, por ser vegetariana, eu não posso exatamente me unir a ele em sua busca pelo Último Hambúrguer Perfeito antes de partir para o Extremo Oriente. Só vou comer uma salada. E talvez umas batatas fritas.

A minha mãe não liga de eu sair em um dia de aula porque ela sabe que é a última semana do Michael no mesmo hemisfério que eu. O Sr. G tentou dizer algo a respeito do meu dever de casa de pré-cálculo — acho que ele e o Sr. Hong devem conversar na sala dos professores, ou sei lá o quê —, mas a minha mãe simplesmente lançou Um Olhar para ele, que ficou quieto. Tenho sorte por ter pais tão legais.

Bom, tirando o meu pai. Não acredito que ele disse não para a minha ideia brilhante de Abra seu Próprio Laboratório. Ele é que vai sair perdendo, acho. Não vou falar com Michael sobre isso. Quer dizer, que eu cheguei mesmo a pedir. Não tenho nem certeza de que se o meu pai TIVESSE concordado em construir seu próprio laboratório de robótica Michael ia querer trabalhar lá, por causa da coisa toda de "querer se afastar de mim por causa do negócio de não querer transar".

E eu COM CERTEZA não vou contar para ele sobre a chave de hotel que Grandmère me deu. Se Michael descobrir que eu tenho uma suíte de hotel inteirinha para mim, ele totalmente ia querer...

AI.
MEU.
DEUS.

Quarta, 8 de setembro, Corner Bistro

Preciso escrever rápido. Michael acabou de ir até o balcão para pegar mais guardanapos. Não sei onde a nossa garçonete se enfiou. Este lugar é um zoológico. Alguém deve ter falado sobre os hambúrgueres em algum guia. Um ônibus de turismo daqueles de dois andares acabou de parar na frente e despejou uns cem turistas dentro do restaurante.

Mas, bom, quando Michael chegou para me pegar, caiu a ficha. Eu entendi o que Grandmère quis dizer NA VERDADE quando me deu aquela chave e disse: *Use os quartos para encenar uma despedida muito particular e romântica.* Grandmère TINHA que estar dizendo o que eu acho que ela queria dizer.

Grandmère me deu a suíte do Ritz para

TRANSAR!!!!

Fala sério! Grandmère me deu a suíte dela no Ritz para eu poder usá-la para me "despedir" do Michael. Com o tipo de privacidade que não encontraríamos em mais nenhum outro lugar, já que nenhum de nós dois mora sozinho.

Em outras palavras, a minha avó me deu sua própria versão do dom precioso: o presente mais precioso que qualquer adolescente poderia pedir:

MINHA AVÓ ME DEU UM LUGAR ESPECIAL PARA EU TRANSAR EM PAZ!!!!!

Eu sei que parece inacreditável. Mas é verdade. Não existe outra explicação. Grandmère quer que eu transe com o meu namorado na véspera de sua viagem para o Japão.

Mas qual será o motivo por que a minha avó está me *incentivando* a entregar meu dom precioso se sou apenas uma adolescente? As avós geralmente são antiquadas e querem que os netos esperem até o casamento antes de consumar seus relacionamentos. As avós não acreditam em experimentar as calças antes de comprar. Todas as avós dizem a mesma coisa: "Ele não vai comprar a vaca se puder ganhar o leite de graça." As avós geralmente querem o melhor para os filhos de seus filhos.

E será que Grandmère realmente acha que fazer sexo de despedida com o meu namorado na suíte abandonada por ela no Ritz é a MELHOR COISA para mim?

A menos que...

AI, MEU DEUS. Acaba de me ocorrer: e se Grandmère está tentando me ajudar a impedir que Michael vá para o Japão????

Falando sério. Por que qual cara, tendo a escolha entre transar ou não, escolheria não transar? Quer dizer, Michael basicamente vai se mudar para o Japão por causa da coisa toda de não transar.

Bom, tirando a coisa toda de "salvar milhares de vidas e ganhar milhões e provar seu valor para a minha família e para a US *Weekly*".

Mas, se soubesse que tem uma chance de transar, será que ele não... ficaria?

Eu sei. É uma LOUCURA.

Tanta loucura, aliás, que pode ser que dê certo.

Não. NÃO!!!! Não posso acreditar que escrevi isso!!!! Está errado!!!! Quer dizer, usar o sexo para manipular alguém. Isso vai contra os meus princípios feministas. Meu Deus, ONDE Grandmère estava com a cabeça?

Só que, é claro, Grandmère não TEM nenhum princípio feminista. Bom, quer dizer, ela tem, só não pensa neles dessa maneira.

E, bom, é claro que tem a coisa toda de esperar até a noite da formatura. Quer dizer, eu prometi para Tina. Nós PROMETEMOS uma à outra que seguraríamos nosso dom precioso até a noite da formatura.

Mas isso foi antes. Antes de Michael resolver se meter nessa empreitada louca do braço robotizado.

Tina com certeza entenderia...

Espera: eu estou mesmo considerando a ideia? Não! Não, está errado! É horrível! Eu nunca poderia fazer algo assim! Eu estaria privando o mundo da coisa do braço robotizado do Michael! Não posso fazer algo assim. Eu sou uma PRINCESA, pelo amor de Deus.

Mas e se — mas pense só se — Michael e eu transássemos na suíte abandonada da Grandmère no Ritz, e ele gostasse tanto que resolvesse não ir, no final das contas? Será que assim não VALERIA A PENA comprometer meus princípios feministas? Será que na verdade não seria MAIS feminista, porque com Michael por perto eu vou poder cheirar o pescoço dele, e assim liberar serotonina no meu cérebro com regularidade, transformando-me em um indivíduo mais calmo e bem resolvido, e uma líder estudantil melhor, e um modelo de conduta para meninas em todo lugar?

AHHHHHH. Michael voltou com os guardanapos. Depois escrevo mais.

Quarta, 8 de setembro, 23h, em casa

Bom, foi bem legal. Nosso jantar foi adorável, seguido por bolinhos da Magnolia Bakery (isto mesmo, aquela de "Lazy Sunday" em *Saturday Night Live*).

Daí ficamos nos agarrando cheios de emoção durante meia hora no vestíbulo do meu prédio, enquanto Lars fingia estar colocando dinheiro no parquímetro, apesar de a limusine ter placa diplomática e a gente nunca levar multa.

Realmente não sei se os níveis extremamente altos de serotonina que inundam meu cérebro neste momento se devem ao fato de eu ter passado tanto tempo cheirando o pescoço do Michael (isso sem mencionar a ocitocina, um hormônio que toma conta do cérebro em momentos de prazer sexual intenso, e é por isso que em Saúde e Segurança nos aconselharam a não transar com ninguém que não conhecemos há muito tempo, pelo fato de que a ocitocina pode anuviar a sua razão e fazer você sentir que está apaixonada por alguém quando, na verdade, é só a ocitocina e você não tem nada a ver com aquela pessoa, e vocês dois nem chegam a se gostar. O que na verdade explica por que Grandpère se casou com Grandmère).

Não. Eu realmente acho que é isso. Estou pronta. Pronta para dar o meu dom precioso. Pronta para o S maiúsculo.

E foi por isso que eu disse ao Michael, quando ele estava se preparando para sair:

"Não faça nenhum plano para amanhã à noite. Tenho uma surpresa para você."

E Michael ficou todo:

"É mesmo? O que é?"

Mas eu disse:

"Se eu contar, não vai mais ser surpresa, né?"

E Michael só sorriu e disse:

"Certo", e me beijou de novo e deu boa-noite.

E foi embora.

Ah, ele vai ficar surpreso, sim.

E eu *sei* que, tecnicamente, Michael e eu fazermos amor é ilegal, porque, aos 16 anos, ainda estou a um ano da idade legal no estado de Nova York.

Também me dou conta de que decidir fazer amor com o meu namorado dois anos antes do que eu tinha planejado fazer só porque não quero que ele se mude para o Japão e porque acho que há uma boa possibilidade de ele não ir se souber que vai ter acesso a sexo de graça sempre que quiser é uma atitude manipuladora e antifeminista.

Mas **EU NÃO ESTOU NEM AÍ.**

NÃO POSSO deixar que ele se mude para o Japão. Simplesmente NÃO POSSO. Sinto muito por todos os pacientes de cirurgia cardíaca de peito aberto que podem sofrer por causa dessa decisão muito egoísta da minha parte.

Mas, às vezes, uma garota simplesmente tem que fazer o que precisa fazer para permanecer sã em um mundo de pernas para o ar, em que em um minuto você está comendo macarrão frio com gergelim e, no minuto seguinte, seu namorado está de partida para o Japão.

As coisas simplesmente vão ter que ser assim.

Ai, meu Deus. Não acredito que eu vou fazer isso. Será que eu devo fazer? SERÁ QUE EU DEVO FAZER????

Como sempre, fazer perguntas no meu diário não adianta nada. Nem sei por que me dou ao trabalho.

EU, PRINCESA???? CERTO, ATÉ PARECE
Um roteiro de Mia Thermopolis

(primeiro rascunho)

Cena 16

INTERIOR/DIA — A suíte da cobertura no Hotel Plaza. Uma senhora que parece assustadora, com lápis de olho tatuado (PRINCESA VIÚVA CLARISSE), está olhando feio para MIA, que se encolhe toda à frente dela, em uma poltrona. Um poodle toy sem pelo (ROMMEL) treme ali perto.

PRINCESA VIÚVA CLARISSE
Agora, vejamos se eu entendi direito. O seu pai lhe diz que você é a princesa de Genovia, e você cai no choro. Por que isso?

MIA
Não quero ser princesa. Eu só quero ser eu, a Mia.

PRINCESA VIÚVA CLARISSE
Sente-se direito nessa poltrona. Não dobre as pernas por cima do braço. E você não é Mia. Você é Amelia. Está me dizendo que não tem desejo de assumir seu lugar de direito no trono?

MIA
Grandmère, você sabe tão bem quanto eu que não sirvo para ser princesa. Então para que desperdiçar o seu tempo?

PRINCESA VIÚVA CLARISSE
Você é a herdeira da coroa de Genovia. E vai tomar o lugar do meu filho no trono quando ele morrer. É assim que as coisas são. Não há outra alternativa.

MIA
Ah, tanto faz, Grandmère. Olha, eu tenho muito dever de casa. Esse negócio de princesa vai demorar muito?

Quinta, 9 de setembro, Sala de Estudos

Vou fazer. Quer dizer, fazer Aquilo. Hoje à noite. Passei a noite toda acordada, pensando sobre o assunto, e agora eu sei: é o único jeito.

Eu sei que é uma ação egoísta. Eu sei que vou impedir que haja uma luz no fim do túnel para todos os pacientes que Michael poderia ajudar com a invenção dele.

Mas é mesmo uma pena. Muita gente já passou por operação cardíaca de peito aberto e está muito bem, obrigada. Olhe para o David Letterman. E para o Bill Clinton. As pessoas simplesmente vão ter que engolir. Talvez, se comessem menos carne, não PRECISASSEM de cirurgia cardíaca de peito aberto. Alguém já pensou nisso?

Ai, meu Deus. Eu escrevi mesmo isso? Não dá para acreditar que eu escrevi isso. O QUE ESTÁ ACONTECENDO COMIGO? Estou me transformando em um daqueles vegetarianos militantes, daqueles que acreditam que o Projeto Heifer, uma organização que dá vacas e cabras a viúvas pobres para que tenham uma renda vendendo leite e possam comprar comida para os filhos, é ruim porque maltrata os animais.

Não sei o que está acontecendo comigo. Parece que eu enlouqueci. Até conferi para me assegurar de que ainda tinha minhas camisinhas de quando nós fomos obrigados a sair e comprar durante a aula de saúde e segurança, como parte do projeto Sexo Mais Seguro. Claro que eu fiz a minha seleção com base na cor. Quer dizer, é que tinha TANTAS para escolher... Eu sabia que devia ter ido à farmácia Duane Reade, e não à loja só de camisinhas Condomania. Estou com a de morango e a de *piña colada* na minha mochila agora mesmo (não percebi que as que eu havia comprado tinham SABOR até conferir a data de validade hoje de manhã. Graças a Deus continuam dentro do prazo).

Estou disposta a sacrificar a minha virgindade pela possibilidade de manter o meu amor no mesmo hemisfério que eu.

Mas acabei de perceber que, no decurso do processo, pode ser que eu realmente precise pegar Naquilo.

Pela primeira vez, no entanto, a perspectiva não me faz dizer, e nem mesmo pensar, a palavra *Eca*.

Eu devo estar amadurecendo.

Quinta, 9 de setembro, Introdução à Escrita Criativa

Descreva alguém que conhece:

O cabelo dele, à primeira vista, parece apenas escuro, mas, ao ser examinado mais de perto, dá para ver que, na verdade, tem muitas mechas de castanho, loiro e preto. Ele o usa comprido, não porque isto esteja "na moda" para os garotos, mas porque está ocupado demais com seus diversos interesses para se lembrar de cortá-lo com regularidade. Seus olhos parecem escuros à primeira vista também, mas na verdade são um caleidoscópio de castanhos avermelhados e mogno, salpicados aqui e ali de rubi e dourado como lagos gêmeos no verão indiano, daqueles que dá a sensação de que é possível mergulhar e nadar para sempre. Nariz: aquilino. Boca: iminentemente beijável. Pescoço: aromático — uma mistura intoxicante do sabão em pó do colarinho da camisa, creme de barbear e sabonete, que, juntos, formam: o meu namorado.

8

Melhor. Eu teria gostado mais se você tivesse descrito exatamente por que a boca dele é tão iminentemente beijável.

— C. Martinez

Quinta, 9 de setembro, Inglês

Agora, a grande questão é a seguinte: será que eu conto para Tina? Quer dizer, obviamente não posso contar para a *Lilly*. Ela vai logo ver qual é o meu plano e perceber o que eu estou tentando fazer. Que não é exprimir meu amor e a minha devoção eterna pelo irmão dela, mas sim uma tentativa de controlá-lo.

Com sexo.

Duvido muito que ela vá aprovar.

Além do mais, ela vai totalmente me acusar de desrespeitar o código feminista ao usar artimanhas femininas em vez do meu cérebro como meio de obter o que eu desejo.

Mas não foi isso que Gloria Stein fez quando trabalhou disfarçada para expor os baixos salários e a carga horária pesada das coelhinhas da *Playboy*, ajudando a melhorar suas condições de trabalho no Grotto? Basicamente, estou fazendo a mesma coisa. Estou sacrificando a minha virgindade para impedir que uma pessoa importante para nossa comunidade se vá para um lugar bem distante. A longo prazo, o fato de eu ir para a cama com Michael só vai beneficiar a economia dos Estados Unidos.

Quase dá para dizer que é minha obrigação de cidadã fazer Aquilo.

Por outro lado, se Lilly e J.P. de fato consumaram seu relacionamento durante o verão (apesar de eu ter observado os dois com muita atenção durante o almoço, o único período que nós três passamos juntos, e além da interação com o Yodel, não vi nenhum sinal de intimidade compartilhada. Eles nem dão amassos no corredor, nem se beijam quando se encontram de manhã. O que pode ser só porque eles guardam todo o amor para quando estão sozinhos. OU pode ser porque ainda não chegaram assim tão longe, no que diz respeito à intimidade, apesar dos boatos), Lilly vai entender completamente.

Quer dizer, os hormônios são MUITO PODEROSOS. Não é fácil lutar contra eles. Certamente Lilly, mais do que qualquer outra pessoa, entenderia.

A menos, é claro, se você deixar de segurá-los pela Razão Errada.

Mia, o que você está fazendo? Está anotando tudo? Achei que você já havia lido Franny e Zoey!

Não. Não estou anotando nada. Estou escrevendo no meu diário. Tina, tenho que perguntar uma coisa para você. Mas tenho medo de que você passe a me odiar por causa disso.

Eu nunca poderia odiar você! Além do mais, qualquer coisa é melhor do que ouvi-la falar sobre a fusão de Salinger entre as religiões judaico-cristãs e as orientais.

Bom, o negócio é o seguinte: acho que eu não vou mais ser uma das Últimas Virgens da EAE depois de hoje à noite.

O QUÊ??? VOCÊ E O MICHAEL VÃO FAZER AQUILO!!!! AH, MIA!!!! QUANDO FOI QUE VOCÊS DOIS TOMARAM ESSA DECISÃO????

Bom, NÓS não decidimos. Eu decidi. Não me odeie, certo? Mas Grand-mère me deu a chave da suíte que ela não está usando no Ritz, e eu vou levar Michael para lá hoje à noite e fazer uma surpresa para ele.

Você está dizendo que vai fazer amor doce e carinhoso com ele para que tenha uma linda lembrança para levar consigo em sua jornada até o outro lado do mundo, para poder provar que ele é digno de você? Mia, que coisa MAIS ROMÂNTICA!!!!!!

Hm, na verdade eu ia fazer amor doce e carinhoso com ele para que ele mude de ideia e fique aqui em Nova York. Por que qual cara vai se mudar para o Japão se puder transar sempre sem sair de casa?

Ah. Bom. Acho que isso também é bom.

Sério? Você não acha que eu sou diabólica por tentar manipulá-lo emocionalmente? Usando meu dom precioso?

> Bom, eu entendo por que você está fazendo isso. Quer dizer, você o ama, então, naturalmente, não quer perdê-lo. E eu sei que o Boris não ajudou nada no almoço ontem, quando ele disse aquelas coisas todas sobre clarinetistas. Mas, para falar a verdade, Mia, duvido muito que o Michael vá cruzar com alguma clarinetista no Japão.

Mesmo assim, não tenho certeza se posso arriscar, Tina. Preciso fazer ALGUMA COISA. Eu tenho que TENTAR.

> Certo. Mas você está MESMO pronta para ir até o fim? Quer dizer, você já treinou com o chuveirinho, como a gente aprendeu a fazer naquela noite que assistimos a *O virgem de 40 anos* no pay-per-view?

Claro que sim! Aquele filme foi TÃÃÃÃÃO educativo...

> Certo. E, quer dizer, de acordo com aquele filme, a coisa toda deve durar cerca de um minuto, levando em conta que vai ser a primeira vez do Michael.

É, mas daí, de acordo com o filme, a segunda vez deve durar DUAS HORAS.

> Foi o tempo que eu demorei na primeira vez com o chuveirinho. Mas acho que foi porque eu estava pensando na pessoa errada. Eu estava pensando no Boris, mas depois percebi que funciona muito melhor se eu pensar no Cole, de *Charmed*.

Eu também! Quer dizer, a respeito das duas horas. Mas é o James Franco, de *Tristão e Isolda*, não o Cole.

> Você acha que vai funcionar na vida real? Quer dizer, sem água?

Não sei, Tina. Mas é um risco que eu estou disposta a correr, se isso vai fazer com que Michael fique ao meu lado.

> Eu entendo totalmente. E estou do seu lado 100%. Você tem camisinha?

Claro que sim! E vou passar na farmácia Duane Reade depois da aula para comprar algumas esponjas contraceptivas. Porque você sabe que as camisinhas sozinhas só têm uns 95% de eficiência na prevenção à gravidez quando usadas corretamente. Não posso me arriscar nesses 5% extras.

> Mas o que Lars vai dizer quando vir você comprando esponjas contraceptivas? Ele vai saber que não são para uma aula, como as camisinhas eram. Ele frequenta as mesmas aulas que você — apesar de não prestar exatamente atenção a elas (mas, bom... você também não presta)!

Vou dizer para o Lars que é para uma pegadinha com você. Então entra na minha, certo?

> Hahaha. Uma pegadinha comigo. Isso é mesmo muito engraçado.

Bom, não posso dizer que são um presente de piada para Lilly, por que e se o Lars perguntar para ela????

> Você não vai contar isso para Lilly?

Tina, como é que eu posso contar? Você sabe o que ela vai dizer.

> Que, se o Michael não for para o Japão, então o braço cirúrgico robotizado dele nunca vai ser montado, e milhares de

pessoas que poderiam não morrer vão morrer se você tivesse deixado que ele fosse?

Ai, Tina. Essa magoou.

Quer dizer, eu só estou dizendo que é o que a LILLY diria. Eu não ACREDITO nisso de verdade. Pelo menos não muito. Michael é uma pessoa muito criativa. Tenho certeza de que ele vai encontrar uma maneira de fazer o braço cirúrgico robotizado dele aqui. É só que... por acaso eu comentei que o meu pai agora está tomando remédio para pressão alta e colesterol alto? E o médico dele disse que, se ele não reduzir a quantidade de carne vermelha, ele é um forte candidato a cirurgia de ponte de safena?

Bom, então diz para a sua mãe fazer com que ele pare de pedir tanto bife com molho de laranja do Wu Liang Ye.

É. Vou dizer. Ah, Mia! Isso é tão emocionante! Você vai ser a primeira do nosso grupo a entregar o seu dom precioso! Tirando Lilly, é claro, se é que ela e J.P. realmente fizeram Aquilo durante as férias de verão.

E você tem *certeza* de que não vai me odiar por causa disso? Quer dizer, por eu não esperar até a noite da nossa festa de formatura, como a gente havia combinado?

Ah, Mia, claro que não. Eu compreendo que existem circunstâncias atenuantes. Quer dizer, se oferecessem ao Boris a posição de primeiro violinista em alguma orquestra da Austrália e ele estivesse pensando seriamente em ir, eu faria exatamente a mesma coisa. Tirando, é claro, o fato de que Boris ser o primeiro violinista da Filarmônica de Sidney não vai salvar a vida de ninguém, muito menos provar o seu valor para uma nação sobre a qual um dia eu reinarei.

Obrigada, Tina. Eu estou falando de coração. O seu apoio significa muito para mim.

É para isso que eu estou aqui!

Realmente, será que PODERIA existir uma amiga melhor do que Tina Hakim Baba? Acho que não.

Certo, então:

LISTA DE COISAS PARA FAZER ANTES DE TRANSAR:

1. Comprar esponjas contraceptivas.
2. Raspar axilas/pernas.
3. Raspar a área do biquíni????
4. Encontrar uma lingerie bonita. (Eu TENHO alguma lingerie bonita? Ah, tem aquele conjuntinho de seda cor de lavanda da La Perla que Grand-mère me deu de aniversário. Ainda está com a etiqueta. Espero que eu não fique com alergia de usar sem lavar antes.)
5. Desodorante.
6. Dar uma olhada para ver se não tem nenhum cravo desagradável.
7. Fugir do Lars. (É fácil. Simplesmente vou dizer a ele que vou ficar um tempo no apartamento do Michael e ele pode voltar para me buscar às onze. Daí eu vou fazer o Michael escapulir pela escada e sair pelo porão do prédio. Daí podemos pegar um táxi até o Ritz. Michael pode desconfiar, mas eu posso dizer que simplesmente faz parte da surpresa.)
8. FAZER ESFOLIAÇÃO!
9. Clarear o buço.
10. Dar comida para o Fat Louie.

Quinta, 9 de setembro, Almoço

Então hoje, quando eu cheguei no refeitório, vi que alguém havia colocado, em cada uma das mesas de almoço, pequenos cartazes em forma de triângulo com vários avisos escritos. Como o da nossa mesa, que dizia:

ATENÇÃO:

Você sabia que a crise mais provável a afetar os norte-americanos é uma pandemia? Já que o bioterrorismo é uma ameaça real, e com as viagens aéreas tão disseminadas quanto hoje, doenças mortais, como a gripe aviária e a rubéola, podem surgir entre nossa população a QUALQUER momento. VOCÊ saberia o que fazer se um ataque de bioterrorismo ocorresse?

A PRINCESA MIA DE GENOVIA SABE.
Vote em uma LÍDER DE VERDADE.
Seja ESPERTO no seu voto.
Vote em Mia.

Em uma mesa próxima, estava escrito:

ATENÇÃO:

Você sabia que, se uma bomba atômica (um mecanismo explosivo que contém material radioativo em seu interior) fosse detonada na Times Square no horário das aulas, até uma brisa leve poderia soprar o ar contaminado para cima de nós em poucos minutos, causando envenenamento pela radiação que pode levar ao câncer e/ou à morte? VOCÊ saberia o que fazer se um ataque de bomba atômica ocorresse?

A PRINCESA MIA DE GENOVIA SABE.
Vote em uma LÍDER DE VERDADE.
Seja ESPERTO no seu voto.
Vote em Mia.

E na mesa seguinte, dizia:

ATENÇÃO:

Você sabia que em 1737, e novamente em 1884, Nova York foi sacudida por terremotos estimados em magnitude de 5,0 na escala Richter? A cidade está MAIS do que ameaçada de sofrer mais um e, levando em conta que boa parte da região sul de Manhattan está sobre sedimentos escavados do World Trade Center quando foi construído originalmente, e que a maior parte dos prédios do Upper East Side foi construída antes das regulamentações de construção antiterremoto, quais são as nossas chances de sobreviver a um terremoto de magnitude 5,0? VOCÊ saberia o que fazer se uma catástrofe dessa acontecesse?

A PRINCESA MIA DE GENOVIA SABE.
Vote em uma LÍDER DE VERDADE.
Seja ESPERTO no seu voto.
Vote em Mia.

Não é exatamente necessário ser uma LÍDER DE VERDADE para descobrir de onde essas plaquinhas animadas vieram. No minuto que eu a vi vindo na direção da nossa mesa, com a bandeja lotada de salada e frango sem pele (Lilly anda tentando se alimentar de maneira mais saudável ultimamente. Já perdeu cinco quilos e, além disto, está com menos cara de pug e já dá até pra ver mais das suas feições), eu falei: "O que você acha que está fazendo?", e apontei para o cartaz.

"Legal, né?", ela respondeu. "J.P. usou a copiadora do pai dele."

"Não", respondi. "Não é legal. Lilly, o que você está tentando fazer? APAVORAR as pessoas para que elas votem em mim?"

"Exatamente", Lilly disse, e se sentou. "Essa é a única coisa que essa garotada entende. Eles cresceram assistindo à Fox News e com o jornalismo sensacionalista. Eles não saberiam o que é um problema verdadeiro nem que caísse na cabeça deles. Só entendem o medo. É assim que vamos conquistar o voto deles."

"Lilly", eu disse. Não estava acreditando naquilo. "Eu não QUERO que as pessoas votem em mim porque têm medo de não saber o que fazer se por acaso houver um ataque com bomba atômica. Quero que votem em mim porque concordam com os meus valores e apoiam a minha posição em relação a certas questões."

"Mas você não tem posição em relação a questão alguma", Lilly disse, o que foi bem razoável. "E, de qualquer jeito, você vai renunciar se vencer. Então, que diferença faz?"

"É só que...", sacudi a cabeça. "Não sei. De algum modo, parece errado."

"Todo mundo que está metido em política e na mídia faz assim", Lilly continuou. "Por que nós não devemos fazer?"

"Isso não torna a coisa menos errada."

"Oi." J.P. colocou a bandeja dele na frente da bandeja da Lilly. "Você sabe o que aconteceria se um furacão de categoria três ou superior atingisse Nova York? Não dê risada, já aconteceu antes. Em 1893, um mero furacão de categoria dois destruiu a ilha Hong, uma ilha-resort próxima a Rockways, no Queens. Uma ILHA inteira, com hotéis e tudo o mais, desapareceu da noite para o dia. Pense só no que um furacão de categoria mais alta poderia fazer. Você saberia o que fazer se tal desastre acontecesse?" Pegou um cartaz do bolso. "Bom, não se preocupe. A Princesa Mia de Genovia sabe."

"Muito engraçado", eu disse a ele. "Lilly, falando sério..."

"Mia, falando sério", ela retrucou. "Você se preocupa só com o que vai fazer para impedir que o meu irmão se mude para o Japão e deixa que eu me preocupe com a campanha para presidente do conselho estudantil."

Fiquei olhando para ela, atônica. Espera. A Lilly SABE??? COMO É QUE ELA PODE SABER?????

Ela deve ter notado como eu fiquei surpresa, já que revirou os olhos e disse:

"Ah, faça-me o favor, PDG. Nós somos melhores amigas desde o jardim de infância. Você acha que eu não sei como você opera a esta altura? Tenho certeza de que o seu plano, seja lá qual for, vai ser altamente divertido, ainda que não completamente eficiente. O garoto já está decidido. Seria melhor se você desistisse logo dessa fantasia."

"Mia!" Ling Su veio correndo para a nossa mesa, parecendo estar em pânico. "É verdade? Existe mesmo uma fábrica de produção de cloro em Kearny, Nova Jersey, que, se for atacada por terroristas, pode mandar uma nuvem de gás de cloro para cima de Manhattan e que vai matar a gente ou nos deixar doentes quase instantaneamente?"

"E se a usina de energia nuclear de Indian Point explodir?, Perin perguntou. "Será que a nuvem de radiação realmente poderia vir para o sul, na nossa direção, e afetar as reservas de água, matando milhares de pessoas e tornando a cidade inabitável durante décadas?"

Fiquei olhando com fúria para Lilly.

"Olha só o que você fez!", gritei. "Você deixou todo mundo apavorado com um monte de coisa que nunca vai acontecer!"

"Como assim um monte de coisa que nunca vai acontecer?", Lilly perguntou. "E um blecaute? Durante anos, as pessoas ficaram dizendo que nunca mais haveria um blecaute, mas HOUVE um. Simplesmente tivemos sorte de a energia elétrica ter voltado tão rápido, ou as pessoas começariam a saquear as lojas e matar umas às outras por fraldas."

"Você sabe mesmo o que fazer no caso de ocorrer uma epidemia de rubéola?", Ling Su perguntou para mim. "Porque os Estados Unidos só têm trezentos milhões de doses de vacina em estoque, e se você não for uma das primeiras da fila, provavelmente vai morrer da doença enquanto espera para ser vacinada. Você tem acesso a algum estoque secreto por ser princesa ou algo assim? Será que você não pode arrumar umas vacinas pra gente, pro caso de, se os terroristas soltarem um pouco de varíola no ar amanhã, ou qualquer coisa assim, a gente possa não ficar doente?"

"Lilly!" Eu fiquei tão enojada que mal conseguia me aguentar. "Você precisa parar com isso! Está vendo o que você fez? Está fazendo as pessoas pensarem que eu tenho acesso a algum estoque secreto de vacina de rubéola e que, se votarem em mim, pode ser que eu dê um pouco para elas! E não é verdade!"

Ling Su e Perin pareceram ficar decepcionadas ao saber que eu não tinha vacinas de rubéola à disposição a qualquer momento. Boris, enquanto isso, só dava risada.

"O que é tão engraçado?", perguntei.

"Só que...", ele reparou quando Tina olhou torto para ele, então parou de rir. "Nada."

"Olha, PDG", Lilly disse. "Sei que a gente está nivelando por baixo aqui, mas olhe em volta."

Dei uma olhada no refeitório. Para todo lugar que eu olhava, as pessoas estavam pegando os cartazes e falando sobre eles — e lançando olhares nervosos na minha direção.

"Está vendo?", Lilly deu de ombros. "Está dando certo. As pessoas estão caindo. Vão votar em você porque acham que você tem todas as respostas. E, falando sério, se Indian Point explodisse MESMO, o que você FARIA?"

"Eu me asseguraria de que todo mundo tivesse pastilhas de iodeto de potássio para tomar nas primeiras horas depois da exposição para ajudar a proteger a absorção de radiação. Garantiria que todo mundo tivesse pelo menos algumas semanas de água potável, comida enlatada e medicamentos receitados sob prescrição médica para que possam ficar dentro de casa com a ventilação desligada até o ar limpar", respondi automaticamente.

"E se acontecer um terremoto?"

"Buscar abrigo embaixo do umbral de uma porta ou de algum móvel resistente. Depois do choque inicial, desligar toda a água, eletricidade e gás."

"E se houver uma epidemia de gripe aviária?"

"Bom, obviamente todo mundo precisaria começar a tomar um antigripal imediatamente, além de lavar as mãos e usar máscaras cirúrgicas descartáveis, ao mesmo tempo que se deve ficar longe de telefones públicos, corrimãos e multidões, como as da liquidação de Natal da Macy's e o metrô da Linha 6 na hora do rush."

Lilly parecia triunfante:

"Está vendo? Eu não inventei nada. Você sabe MESMO o que fazer diante de qualquer crise ou desastre em potencial. Eu sei disso porque você, Mia, vive preocupada, e por isso é provavelmente a pessoa mais preparada para um desastre em Manhattan. Nem tente negar. Nós todos já testemunhamos que é verdade."

Depois disso, fiquei praticamente sem palavras. Ao mesmo tempo que tudo o que Lilly havia dito era incontestavelmente verdade, para mim continuava parecendo errado de algum modo. Quer dizer, ficar amedrontando os calouros daquele jeito. Antes de o almoço terminar, três deles chegaram para mim e perguntaram o que eu faria se um ataque de bomba atômica ocorresse (instruiria todo mundo a não sair à rua, daí, uma vez que fosse permitido sair da área, que tirassem, ensacassem e jogassem fora suas roupas antes de entrar em casa; depois, que tomassem banho imediatamente com sabão), ou um terremoto (dã: evacuar. Com o seu gato).

Mas talvez Lilly tenha MESMO razão. Nestes tempos de incerteza, é possível que as pessoas realmente estejam à procura de um líder que já se preocupou com essas coisas e fez planos para elas, para que as pessoas não precisem se preocupar e estejam livres para se divertir.

Talvez seja por isso que eu fui colocada neste planeta — não para ser Princesa de Genovia, mas para que eu possa me preocupar com tudo e ninguém precise se dar o trabalho de esquentar a cabeça.

Quinta, 9 de setembro, S & T

Lilly acabou de me mostrar o presente de despedida que comprou para o irmão — um Magic: The Gathering, que é um estojo para carregar as cartas do jogo Magic, assim ele vai poder levar os dele para o Japão sem que tudo fique bagunçado.

Eu não tive coragem de contar para ela que:
- ↳ Michael não joga mais Magic; e
- ↳ ele não vai para o Japão, porque eu planejo dar a ele uma razão muito, mas muito boa mesmo para que fique aqui em Manhattan.

Bom, não foi que eu não tive coragem de contar para ela. Eu não contei porque não quero que ela me cubra de porrada. Ela anda fazendo ginástica na academia Crunch (o que também contribuiu para a perda de peso dela), aulas de spinning e também *ayurveda* com a mãe dela. Qualquer pessoa que está disposta a deixar um desconhecido completo esfregar seu corpo nu com óleo essencial é alguém que eu NÃO quero ter como inimiga.

Falando nisso, preciso me lembrar de fazer esfoliação antes de hoje à noite.

É meio estranho eu não estar mais nervosa e tal. Mas acho que isso só quer dizer que eu me sinto bem com essa decisão. Simplesmente parece... certo.

Em um cardápio de restaurante há quatro entradas, cinco pratos principais e três sobremesas. Quantos jantares diferentes podem ser pedidos se cada jantar consiste em uma entrada, um prato principal e uma sobremesa?

E bebidas? Alguém por acaso pensou NISSO? Como assim as pessoas que vão comer devem morrer de desidratação? Quem ESCREVEU esse livro, aliás?

> O preço do jeans subiu 30% desde o ano passado. Se o preço do ano era x, qual é o preço deste ano em termos de x?

Ai, meu Deus, quem SE IMPORTA?

> A altura média (significado aritmético) de quatro integrantes de um grupo de seis líderes de torcida é 1,75 metro. Qual é a média de altura em centímetros que as outras duas líderes de torcida devem ter para que a altura média do grupo todo seja de 1,80 metro?

LÍDERES DE TORCIDA???? NO VESTIBULAR?????

Ai, meu Deus, quem eu quero enganar? Não consigo fazer isso. NÃO CONSIGO FAZER ISSO!!! Não posso TRANSAR. Eu sou PRINCESA, pelo amor de Deus.

Ai, acho que estou tendo um ataque cardíaco.

Quinta, 9 de setembro, enfermaria

Certo. Bom, isto aqui não é vergonhoso nem nada. Quer dizer, o fato de eu ter ficado com falta de ar durante a corrida em volta do depósito na aula de educação física.

Eu devia estar respirando dentro de um saquinho de papel com a cabeça entre as pernas. Mas eu já fiz isto e não ajudou. Bom, obviamente agora eu estou conseguindo respirar. Mas continuo EM PÂNICO. Não posso acreditar que vou mesmo FAZER AQUILO.

E se alguma coisa der errado, e a minha mãe e o meu pai, de algum modo, descobrirem? Tipo e se por acaso eu ainda tiver o meu hímen, ou sei lá o quê (apesar de que, no ano passado, em saúde e segurança, terem dito que a maior parte das meninas rompe o delas com atividades físicas normais, como andar de bicicleta ou a cavalo)? E aí se eu começar a sangrar, o Michael vai ter que me levar às pressas para o Hospital Cabrini e algum médico, tipo o Dr. Kovac, tiver que colocar uma intravenosa em mim, e eu entrar em coma, como aconteceu em *Plantão Médico*?

TODO MUNDO VAI SABER QUE EU ENTREGUEI O MEU DOM PRECIOSO.

E, tudo bem, eu nunca ouvi dizer que algo assim tivesse acontecido de verdade com alguma menina, mas nos livros de romance histórico da Tina às vezes a moça sangra — apesar de ela nem se importar e ter um orgasmo daqueles de sacudir a terra, de todo modo.

Simplesmente não acho que eu já seja boa o bastante com orgasmos para ter um sob aquelas circunstâncias específicas. Principalmente com outra pessoa no mesmo quarto. Alguém além do James Franco de armadura, quer dizer.

Ah, não, lá vem a enfermeira...

Certo, bom, a enfermeira Lloyd acaba de dizer que é altamente improvável que alguém sangre tanto por causa do rompimento do hímen que precise ser hospitalizada, a menos que seja hemofílica. Ela também disse que o hímen da maior parte das mulheres já é perfurado. Se não, elas não poderiam ficar menstruadas.

Então aquela coisa toda do dom precioso é meio papo-furado.

Ela também disse que livros românticos não são exatamente a melhor fonte de informação sobre saúde, e me deu um panfleto que diz *Então você acha que está pronta para o sexo*. O panfleto mostra um casal na frente que parece confuso e fala da necessidade de proteção. Não diz nada a respeito de a sua virgindade ser o seu dom precioso, que você deveria guardar para a pessoa com quem vai se casar. Mas diz que você deve esperar para transar até conhecer a pessoa bem de verdade e ter certeza de que a ama — o que eu já sabia, por causa da coisa da ocitocina.

E daí tinha alguma coisa a respeito da idade legal (tanto faz. Até parece que o meu pai ia prestar queixa. Será que ele vai querer que o mundo todo saiba que a filha dele transou antes do casamento? Acho que não) e de que ninguém deve se sentir pressionado.

Daí tinha uma parte sobre abstinência e como tudo bem se você não fizer Aquilo. Como se isto fosse alguma novidade para mim. Eu sei total que não tem nenhum problema em não fazer Aquilo. Tudo bem para outras meninas não fazerem Aquilo.

Mas os namorados das outras meninas não inventaram braços robotizados para serem usados em cirurgias cardíacas e não vão se mudar amanhã para ficar um ano no Japão.

Eu não disse nada disso para à enfermeira Lloyd. Bom, não a parte do sexo. Mas contei a ela sobre o Michael, e como ele vai se mudar e como agora eu estou entrando em pânico por causa disto, e que tenho bastante certeza de que não vou conseguir viver se ele for embora mesmo.

Ao que a enfermeira Lloyd respondeu:

"O meu irmão fez uma ponte de safena tripla depois de ter um ataque cardíaco no ano passado. Tiveram que abrir o peito dele. Ele disse que nunca sentiu tanta dor na vida e passou seis semanas depois daquilo desejando estar morto."

O que é muito triste para o irmão da enfermeira Lloyd, mas não me ajuda, de jeito nenhum, com o MEU problema.

Quinta, 9 de setembro, Química

Mia, tudo bem com você? Ouvi dizer que passou a aula de educação física na enfermaria.

Meu Deus, as notícias correm rápido nesta escola. E eu estou bem, J.P., obrigada. Só fiquei um pouco sem fôlego de correr ao redor do ginásio.

Entendi. Ainda bem que você está bem. Achei que está um pouco pálida.

Acho que estou com a cabeça cheia.

Claro que sim! Michael viaja amanhã, não é?

É. Bom, supostamente.

> Como assim supostamente? Achei que ele ia com certeza.

Bom, talvez. Vamos ver.

> Seria uma pena se ele não fosse. É uma oportunidade fantástica.

Eu sei que é. Para ele. Mas e EU? Sou eu que vou ficar aqui encalhada, sem nada.

> Como assim sem nada? Você tem a MIM!

Haha. Você sabe do que eu estou falando.

> Bom, acho que eu só fiquei pensando sobre aquela coisa que Boris disse ontem na hora do almoço. Eu sei que você ficou brava com ele, mas ele até que tinha certa razão... Você VAI ficar com outras pessoas quando Michael estiver viajando? Vocês já conversaram sobre isso? Porque seria um pouco injusto da parte dele se achasse que você não ia sair com ninguém durante todo o tempo que ele ficar fora. Isto é, se você quisesse.

Mas eu não quero!!!! Quer dizer, eu amo Michael.

> Claro que ama. Mas você também só tem 16 anos. Vai mesmo ficar em casa todo sábado à noite até ele voltar?

Não preciso ficar em casa todo sábado à noite. Quer dizer, eu tenho todas as minhas amigas. As amigas são para sempre.

> As suas amigas têm namorado. Não estou dizendo que elas não vão querer passar o tempo delas com você, mas você vai se sentir meio solitária quando elas saírem com os parceiros e você ficar em casa.

É verdade. Mas assim eu vou ter a oportunidade de trabalhar no meu livro. E no meu roteiro! E daí talvez — se Michael realmente for viajar — os dois já estejam prontos quando ele voltar. E daí eu também vou ter feito alguma coisa importante! Talvez não tão revolucionária quanto a coisa DELE. Mas, sabe como é. ALGO além de ser princesa.

> Achei que ontem a gente tinha chegado à conclusão de que ser simplesmente você já era um feito e tanto.

É, mas você só estava sendo legal. Qualquer pessoa pode ser ELA MESMA. Eu quero fazer alguma coisa especial de verdade.

> *Mia, se você não vai prestar atenção a esta aula, não sei como espera ser aprovada. Não fique achando que eu vou livrar a sua cara de novo neste ano. Eu tenho mais o que fazer. — Kenny*

> Esse cara realmente está me irritando.

Mas ele tem razão. A gente precisa parar. Está errado.

> Mas parece tão certo!

J.P.! Para com isso! Você está me fazendo rir!

> Que bom. Acho que você está precisando dar umas risadas.

O J.P. é tão legal!!!! Lilly tem mesmo muita sorte de ter encontrado um cara tão legal.
    Tudo bem, de volta à química.
    Espera... QUANTOS compostos químicos existem? E nós temos que saber TODOS???????

Quinta, 9 de setembro, Pré-Cálculo

RAZÕES PARA FAZER AQUILO HOJE À NOITE
X
ESPERAR ATÉ A NOITE DO BAILE DE FORMATURA

Pró:
Assim posso convencê-lo a ficar em Nova York e não se mudar para o Japão, impedindo que eu tenha um colapso nervoso quando ele não estiver por perto para eu cheirar o pescoço dele.

Contra:
Assim posso convencê-lo a ficar em Nova York e não se mudar para o Japão, impedindo que o mundo disponha de uma inovação médica que tem potencial para salvar milhares de vida; além disso, minha avó não vai mais ter razão para continuar tentando me juntar com outros caras que ela julga "mais dignos" (quer dizer, mais ricos) do que Michael.

Pró:
Michael diz que nunca mais vai a outro baile de formatura do ensino médio mesmo, então é melhor eu acabar logo com isso.

Contra:
Mas talvez, quando chegar a hora da minha formatura, pode ser que ele esteja tão desesperado por sexo que aceite ir ao baile no final das contas!

Pró:
Vai ser uma oportunidade para que nós expressemos nosso amor de maneira física, de modo que, assim, vamos passar a ser, de verdade, um coração, uma mente, uma alma.

Contra:

E se eu soltar um pum ou alguma coisa assim? Quer dizer, falando sério, os dois vão estar NUS, ele vai saber que fui eu.

Pró:

Falando de nudez, eu finalmente vou poder ver o Michael pelado.

Contra:

Ele vai ME ver pelada.

Pró:

Se eu transar hoje à noite, em vez de esperar até a noite do baile de formatura, vamos evitar de nos transformar em um clichê, como os casais de filmes adolescentes.

Contra:

O fato de eu ainda não ter 18 anos pode causar complicações legais ao Michael mais para a frente. Mas tenho certeza de que o meu pai não vai querer que os tabloides fiquem sabendo de uma coisa dessa.

Pró:

Lilly já fez Aquilo. Pelo menos acho que sim. E parece que não fez mal nenhum a ela e ao J.P.

Contra:

Eu não tenho certeza quanto a isso.

Pró:

Ao darmos um ao outro o dom precioso da nossa virgindade, vamos estabelecer um vínculo emocional e espiritual um com o outro que nunca mais teremos com ninguém na vida, mesmo que o impensável aconteça e nós algum dia nos separemos.

Contra:

Em relação a este, não consigo encontrar nenhum contra.

Ah, tanto faz. Nós vamos fazer Aquilo, total.
Eu vou vomitar, total.

* DEVER DE CASA

Sala de Estudo: Nada

Introdução à Escrita Criativa: alguma coisa idiota de que eu não consigo me lembrar.

Inglês: Mil palavras sobre carpinteiros, levantem bem alto a cumeeira

Francês: Mais *décrire un soir amusant avec les amis*

S & T: Nada

Educação Física: Nada

Química: Vai saber

Pré-Cálculo: Quem se importa?

Só faltam mais seis horas até Michael e eu fazermos Aquilo!!!!!!

Quinta, 9 de setembro, no Four Seasons

Está ficando cada vez mais difícil encontrar Grandmère para as minhas aulas de princesa ultimamente. Finalmente conseguimos localizá-la na suíte da cobertura do Four Seasons, mas quando eu entrei estava aquela loucura de sempre.

"Estas cortinas são inaceitáveis", Grandmère ia dizendo para um homem de terno cujo crachá dourado dizia *Jonathan Greer*.

"Mandarei trocar imediatamente, madame", Jonathan Greer disse.

Grandmère pareceu um tanto surpresa por ele não querer discutir com ela. Disse:

"Uma estampa floral. NÃO listras."

"Absolutamente, madame", Jonathan Greer respondeu. "Serão substituídas por estampas florais imediatamente."

Grandmère lançou um olhar surpreso para ele. Claramente estava acostumada a encontrar mais resistência dos *concierges* de hotel com quem anda lidando ultimamente.

"E não posso aceitar mobília de couro", ela disse, apontando para uma poltrona muito bacana no canto. "O material é escorregadio demais e Rommel não gosta. O cheiro o deixa nervoso. Uma vez, levou um coice de uma vaca."

"Vou mandar trocar o forro agora mesmo, madame", o *concierge* disse. Ele viu que eu estava olhando para ele e me cumprimentou com a cabeça, bem educado. Mas daí retornou a Grandmère. "Talvez com o mesmo material das cortinas?"

Grandmère pareceu ainda mais estupefata.

"Mas, sim... sim, isso seria aceitável."

"E será que Vossa Alteza gostaria de um chá?", Jonathan Greer perguntou. "Percebi que a neta da senhora chegou. Posso mandar chá para duas pessoas imediatamente. Minissanduíches, biscoitos ou os dois?"

Grandmère estava com cara de quem ia desmaiar de tão estupefata.

"Os dois, é claro", disse. "E chá Earl Grey."

"Perfeitamente", Jonathan Greer disse, como se não existisse outro tipo de chá. "E talvez um coquetel para a senhora, Alteza? Acredito que um Sidecar — servido em copo de coquetel gelado, sem açúcar na borda — seja de sua preferência?"

Grandmère precisou sentar. Ela fez isso com muita graça — bom, tirando a parte em que ela quase sentou em cima do Rommel. Mas ele saiu do caminho no último segundo. Até parece que ele já não está bem acostumado com isso.

"Seria adorável", respondeu, com a voz fraca.

"Faremos todo o possível para tornar sua estada na Suíte Real o mais agradável possível, Alteza", disse Jonathan Greer. "É só chamar."

E com isso ele saiu do quarto com toda a elegância e foi para o corredor — onde eu vi o meu pai, fora do campo de visão de Grandmère, entregar uma nota dobrada para o sujeito e balbuciar um obrigado.

Uau. Às vezes o meu pai sabe mesmo ser sorrateiro.

"Então", ele disse a Grandmère ao entrar no quarto. "O que você acha? Este lugar está condizente com os seus padrões?"

"Chama-se Suíte Real", Grandmère disse, ainda com a voz um pouco fraca.

"De fato, chama mesmo", meu pai disse. "Três quartos de luxo para você, o Rommel e a sua camareira. Espero que aprove. Olha... tem até um cinzeiro."

Grandmère ficou olhando fixamente para a tigelinha de cristal que ele erguia.

"Tem rosas", ela disse. "Cor-de-rosa e brancas. Em vasos por todos os lados."

"Bom, veja só", meu pai disse. "Tem mesmo. Você acha que aguenta morar aqui até o seu apartamento no Plaza ficar pronto?"

Grandmère retomou a compostura.

"Suponho que vá ser *tolerável*", respondeu. "Apesar de não ser, nem de longe, o padrão com que eu estou acostumada."

"Claro que não", meu pai disse. "Mas às vezes, na vida, é necessário sofrer. Mia, como vai?"

Pulei para longe da janela, através da qual eu estava olhando. Estávamos no 32º andar, e preciso dizer que a vista, apesar de ser linda, não estava ajudando muito com a ânsia de vômito que eu estava meio que me esforçando para segurar.

E também não era só que eu estava com vontade de vomitar. O meu estômago estava todo revirado. Era como se houvesse um daqueles beija-flores que às vezes ficam voando à minha janela em Genovia preso dentro da minha barriga.

Tenho certeza de que isso era só a expectativa nervosa relativa ao êxtase que estou prestes a experimentar nesta noite, nos braços do Michael.

"Está tudo bem", eu disse ao meu pai. Mas falei rápido demais, porque ele me olhou de um jeito esquisito."

"Tem certeza?", ele perguntou. "Você parece... pálida."

"Estou bem", respondi. "Só estou, hm, pronta para a minha aula de princesa de hoje!"

Com isso meu pai me lançou um olhar ainda MAIS ESTRANHO. Eu NUNCA estive pronta para uma aula de princesa. NUNQUINHA.

"Ah, Amelia", Grandmère resmungou do sofá. "Não estou com tempo, nem com paciência hoje. A Jeanne e eu temos muitas malas a desfazer." O que se traduz, na linguagem de Grandmère, por *Minha camareira, Jeanne, precisa desfazer as malas enquanto eu, a princesa viúva, fico dando ordens.* "Preciso me instalar antes que possa pensar em mais coisas a ensinar para você. Estas mudanças constantes têm sido MUITO perturbadoras. Não só para mim, mas para Rommel também."

Todos nós olhamos para Rommel, que tinha se encolhido em uma bolinha na ponta do sofá e roncava alto, enquanto sonhava em estar muito, muito longe de Grandmère.

"Bom, mãe", meu pai disse. "Agora que o Sr. Greer vai cuidar de você, creio que posso deixá-la um pouco..."

Grandmère só soltou uma gargalhada de desdém.

"Qual modelo sortuda da Victoria's Secret vai ser nesta noite, Phillipe?", ela perguntou. Então, antes mesmo que ele pudesse responder, ela continuou e disse: "Amelia, todo esse deslocamento de um lado para o outro causou danos terríveis aos meus poros. Vou fazer uma limpeza de pele. As aulas de princesa estão canceladas por hoje."

"Hm", respondi. "Tudo bem, Grandmère." Foi realmente muito difícil esconder o meu alívio. Eu tenho MUITO pelo para raspar.

Hmmm, fico aqui me perguntando se ela sabe disso, e se é POR ISSO que está me deixando ir para casa mais cedo.

Mas não, isso não é possível. Nem GRANDMÈRE poderia DESEJAR, realmente, que eu transasse antes do casamento.

Quer dizer. Será que poderia? Por que então ela teria...

Não. Nem mesmo Grandmère poderia ser assim tão calculista.

Quinta, 9 de setembro, no apartamento dos Moscovitz, 19h

Certo, então eu estou aqui. Estou raspada e esfoliada e condicionada e as esponjas estão seguras na minha mochila e acho que estou pronta.

Quer dizer, tirando a ânsia de vômito, que ainda não foi embora.

Tudo está uma *loucura* aqui. Michael está fazendo as malas para ir viajar, e a mãe dele parece achar que no Japão não tem coisas como xampu e papel higiênico. Ela fica enfiando esse tipo de coisa dentro da mala dele. Ela e a Maya, a empregada dos Moscovitz, foram ao Sam's Club, em Nova Jersey, e compraram um estoque de um ano de coisas como caixas tamanho família de antiácido pra ele levar.

Ele está tipo:

"Mãe, tenho certeza de que tem antiácido no Japão. Ou alguma coisa parecida. Não preciso de uma caixa tamanho família disso. Nem este barril gigante de antisséptico bucal Listerine."

Mas parece que a Dra. Moscovitz não liga nem um pouco, só fica colocando tudo de novo dentro da mala cada vez que Michael tira.

Eu estou meio triste. Quer dizer, eu sei como a Dra. Moscovitz se sente. Ela só quer ter ALGUMA sensação de controle em um mundo que rapidamente está se tornando caótico. E, aparentemente, assegurar-se de que o filho tenha antiácido suficiente para durar até o próximo milênio faz com que a mãe do Michael se sinta mais no controle.

Eu gostaria de poder dizer a ela que não tem nada com que se preocupar. Já que Michael não vai para o Japão, no final das contas. Mas não posso realmente contar o meu plano para ELA antes de informar ao MICHAEL.

De todo modo, eu já disse a ele que vamos escapar sem ninguém ver. Ele não gostou nada da ideia — está sempre com medo de desagradar ao meu pai, o que eu entendo que possa ser uma preocupação para qualquer pessoa, tendo em vista que o meu pai comanda uma força de elite —, mas dá para ver que ele ficou curioso. Ficou tipo:

"Certo. Deixa só eu achar o meu casaco. Eu sei que está no meu quarto... em algum lugar."

Mal sabe ele que não vai precisar de casaco.

Lilly acabou de sair do quarto dela com a câmera de vídeo e disse:

"Ah, que bom, PDG, ainda bem que você está aqui. Rápido — diga algumas maneiras para reduzir a poluição que faz o clima esquentar de modo a não experimentarmos um desastre climático como o retratado em *O dia depois de amanhã* e *O dia da destruição*? Quer dizer, se você governasse o mundo, e não só Genovia."

"Lilly", eu disse. "Não estou a fim de aparecer no seu programa de TV neste momento."

"Isto aqui não é para *Lilly manda a real*, é para a campanha. Vamos lá, rapidinho, finja que você está falando com o Parlamento de Genovia."

Suspirei.

"Está bem. Bom, em vez de gastar trezentos bilhões de dólares por ano extraindo e refinando combustíveis fósseis, eu diria aos líderes globais para gastar esse dinheiro no desenvolvimento de fontes de energia alternativa limpa, como solar, eólica e biológica."

"Muito bem", Lilly disse. "O que mais?"

"Isso faz parte da sua ideia de apavorar os calouros para votarem em mim?", perguntei. "Porque eu me preocupo tanto que já pesquisei o que fazer caso qualquer desastre ocorra."

"Apenas responda à pergunta."

"Eu ajudaria os países em desenvolvimento, que são os responsáveis pela maior parte da poluição, a usar fontes de energia limpa também. E exigiria que as montadoras só produzissem carros híbridos, que funcionam a gasolina e a eletricidade, e recompraria os grandes jipes de todo mundo, e daria descontos nos impostos aos consumidores e às empresas que mudassem de combustíveis fósseis para energia solar ou eólica."

"Maravilha. Por que você está tão esquisita?"

Coloquei a mão no rosto. Eu tomei cuidado extra com a maquiagem, porque Michael ia me ver de MUITO perto. Eu queria que parecesse que eu estava sem maquiagem. Os garotos gostam do visual natural. Bom, os garotos como Michael, pelo menos.

"Como assim?", perguntei. "Esquisita como?" Será que tinha uma espinha aparecendo? Eu nunca tenho sorte mesmo.

"Não, você só parece nervosa demais. Como se fosse vomitar."

"Ah." Graças a Deus não era uma espinha. "Não sei do que você está falando."

"PDG." Lilly baixou a câmera e ficou olhando para mim, cheia de curiosidade. "O que está acontecendo? O que você está aprontando? Aliás, o que você e Michael vão fazer hoje à noite? Ele disse que você tinha alguma surpresa para ele."

Graças a Deus que Michael acabou de sair do quarto dele com a jaqueta jeans na mão e disse:

"Desculpa, agora eu estou pronto."

Eu gostaria de poder dizer a mesma coisa.

Quinta, 9 de setembro, no Ritz

Preciso escrever rápido — Michael está dando gorjeta para o cara do serviço de quarto. Tudo está dando certíssimo... saímos do prédio sem ninguém desconfiar de nada. Michael acha que só vamos compartilhar um jantar romântico para dois na suíte de hotel abandonada pela minha avó (que, graças a Deus, limparam depois que ela saiu. Acho que eu não ia conseguir ir adiante com este plano se o lugar ainda estivesse fedendo a Chanel Nº 5, como acontece com a maior parte dos lugares onde a Grandmère entra). Ele não sabe que está prestes a se tornar o depositário do meu dom precioso.

Aaaah, ele está voltando. Vou soltar a bomba depois do jantar... a bomba sexual, quer dizer.

Ei, não tem uma música que fala disso?

Quinta, 9 de setembro, 22h, no táxi de volta do Ritz

Não dá para acreditar que ele...
Ai, meu Deus, como é que eu vou ser capaz de escrever isto? Não consigo nem PENSAR no assunto. Como é que vou poder ESCREVER???? Eu realmente não consigo ENXERGAR para escrever, a luz aqui é péssima. Só consigo ver a página quando o trânsito para sob a luz de um poste.

Mas como o Ephrain Kleinschmidt — este é o nome do meu motorista de táxi, de acordo com a licença dele fixada à tela à prova de balas entre ele e eu — pegou a Quinta Avenida e não a Park, como eu pedi, ficamos MUITO TEMPO parados no trânsito.

O que é bom. Não, de verdade, é BOM. Já que assim parece que eu posso chorar tudo o que eu tenho para chorar antes de chegar em casa, para que eu não precise enfrentar o grande interrogatório da minha mãe e do Sr. G quando eu entrar com a cara da Kirsten Dunst depois da cena da jacuzzi em *Gostosa loucura*. Sabe como é. Chorando igual a uma histérica e tudo o mais.

O choro realmente está deixando o Ephrain Kleinschmidt apavorado. Acho que ele nunca levou uma princesa de 16 anos em prantos no táxi dele antes. Ele fica olhando aqui para trás pelo espelho retrovisor e tenta me entregar lenços de papel que tira de uma caixa no painel.

Até parece que um lenço de papel vai ajudar!!!!!

A única coisa que vai ajudar é escrever tudo isto de alguma maneira lúcida para me ajudar a dar sentido a tudo. Porque *não faz sentido*. *Nada* disto faz sentido nenhum. NÃO pode estar acontecendo. NÃO PODE.

Tirando que está acontecendo.

Simplesmente não entendo como foi que ele nunca me CONTOU. Quer dizer, falando sério. Achei que o nosso relacionamento fosse perfeito.

Certo, talvez não fosse PERFEITO porque ninguém tem um relacionamento PERFEITO. Reconheço que a coisa do computador realmente me entediava.

Mas pelo menos ele SABIA disso, e não me entediava com o assunto. Não muito.

E eu sei que a coisa das aulas de princesa realmente o entediava também. Quer dizer, a coisa a respeito de quem cumprimentar, quando e tudo o mais. Então eu também tentava poupá-lo.

Mas, tirando isso, eu achava que a gente tinha uma boa relação. Uma relação ABERTA. Uma relação em que podíamos CONTAR as coisas um ao outro, sem guardar segredos.

Eu não fazia ideia de que Michael estava escondendo uma coisa dessas de mim durante TODO O TEMPO que ficamos juntos.

E a desculpa dele — de que eu nunca perguntei — é FURADA. Sinto muito, mas isto é simplesmente estúpido — AI, MEU DEUS, EPHRAIN KLEINSCHMIDT, NÃO, EU NÃO QUERO LENCINHO NENHUM. Ninguém NÃO conta para a namorada algo assim, mesmo que ela nunca tenha perguntado, porque ela simplesmente ACHOU...

Mas eu já devia saber. Quer dizer, o que eu estava PENSANDO???? Michael é gostoso demais para não ter...

Certo. Lucidez. Beleza.

Tudo estava indo maravilhosamente bem. Pelo menos eu ACHEI que tudo estava indo maravilhosamente bem. A ânsia de vômito tinha até ido embora. É verdade que eu não consegui comer muito — pedi o atum-azul com salada de alcachofra e favas e alho-poró e raspas de parmesão para mim, e frango à la *moutarde*, ervilhas frescas, chalotes, cenourinhas e molho de ervilhas "*cappuccino*" para Michael, além de musse de chocolate ao leite para dividirmos de sobremesa. Eu estava um pouco preocupada com o alho-poró, mas tinha um frasquinho de Listerine de bolso na mochila — porque estava muito ansiosa sobre o que eu sabia que estava prestes a fazer.

Mas só de ESTAR com Michael e nas proximidades do pescoço dele, e portanto de seus feromônios, já me acalmava tanto que, quando chegamos à musse, eu sentia que realmente ia conseguir chegar ao fim do meu plano.

Então eu juntei toda a minha coragem e disse:

"Michael, lembra aquela vez que a minha mãe e o Sr. G foram para Indiana e eu fiquei naquele quarto de hotel do Plaza e convidei Lilly e Tina e todo mundo para ficar lá comigo, e não você, e você ficou bem bravo?"

"Eu não fiquei bravo", Michael observou.

"É, mas você ficou decepcionado por eu não ter convidado VOCÊ para ficar lá comigo."

"Isso", Michael respondeu, "é verdade".

"Bom, então. Agora eu tenho esta suíte de hotel inteira para mim", eu disse. "E convidei você, não a Lilly e o pessoal."

"Sabe", Michael disse, sorrindo. "Eu meio que reparei sim. Mas não queria dizer nada, para o caso de as meninas aparecerem depois do jantar."

"Por que as meninas apareceriam depois do jantar?"

"Foi piada. Eu meio que entendi que elas não viriam. Mas com você, às vezes, é meio difícil prever as coisas."

"Ah. Bom, o negócio é que..." E foi TÃÃÃO difícil para mim dizer isso, mas eu TINHA que falar. Além do mais, eu QUERIA falar. Quer dizer, eu realmente, de verdade, sentia que estava pronta para fazer Aquilo. "Eu sei que eu disse que queria esperar até a noite do meu baile de formatura para a gente transar. Mas andei pensando muito, e acho que estou pronta agora. Hoje à noite."

Michael não pareceu tão chocado quanto eu achei que ele ficaria. Acho que foi principalmente porque nós já estávamos jantando sozinhos em um quarto de hotel. Agora, pensando bem, aquilo tudo meio que deve ter entregado o meu plano.

Daí ele disse uma coisa que me enlouqueceu completamente (na hora eu não sabia que aquela seria apenas a PRIMEIRA de MUITAS coisas que Michael diria para me enlouquecer completamente):

"Mia", ele disse. "Você tem certeza? Porque você estava bem firme em relação à coisa toda da noite do baile de formatura, e eu não quero que você mude de ideia só porque eu vou viajar um tempo e você está com medo de que eu, hm, fique com uma gueixa aí, como você comentou antes."

!!!!!!!!!!

Obviamente eu fiquei tipo:

"Hm... O quê?"

Porque, vamos encarar: Michael tem sido bastante prolixo em relação ao seu desejo — bom, por mim — no último ano que passou. E o fato de ele QUESTIONAR a minha oferta me fez hesitar.

Isso sem mencionar a parte em que ele ainda não tinha me jogado na cama e declarado que agora, com certeza, não iria mais para o Japão.

"Eu sei", ele disse, como se estivesse mesmo sofrendo alguma dor. "É só que... bom, eu não quero que isto aconteça pelos motivos errados. Tipo porque você acha que se a gente fizer isto, eu vou mudar de ideia a respeito de ir para o Japão ou algo assim."

Daí eu só fiquei lá sentada, olhando para ele fixamente, porque... bom, porque eu não conseguia acreditar que isso estava acontecendo!!!! Quer dizer, ele estava tão completamente disposto a fazer Aquilo, e depois ir viajar mesmo assim!!!!!! Ficou bem claro que ele acreditava, assim como Tina acreditou, inicialmente, que eu só estava me oferecendo para fazer amor doce e cheio de ternura com ele para que tivesse uma linda lembrança minha para levar consigo até o outro lado do mundo, onde provaria que é digno de mim.

O que, dá licença, mas — NÃO VAI ROLAR.

"Hm", eu disse, porque fiquei muito confusa. "Não. Não foi por isso que eu mudei de ideia a respeito da noite do baile de formatura. Não foi por isso MESMO."

"É mesmo?" Michael TOTALMENTE parecia não estar acreditando em mim. "Então, se a gente transar hoje à noite, você não vai ficar brava quando eu viajar para o Japão amanhã?"

"Não", respondi. Tinha certeza de que as minhas narinas estavam dilatando freneticamente por eu estar contando uma mentira assim tão grande. Mas eu esperava que as luzes estivessem fracas o bastante para ele não reparar. "Mas quer dizer... acho que eu preciso dizer que estou um tanto surpresa de você continuar querendo IR. Levando em conta, sabe como é. É sexo. Comigo. E a gente vai poder fazer sempre."

"Mia", Michael disse. "Eu já disse mil vezes: parte da razão por que eu vou é por NÓS. Para que gente como a sua avó pare de perguntar: 'Por que ela está com ELE? Ela é uma princesa, e ele é só um cara qualquer que estudou na mesma escola que ela.'"

"Entendo", respondi. Estava tentando ser muito madura, mas preciso confessar que estava com vontade de chorar. Não era só por ele ter dito que iria para o Japão mesmo depois de a gente fazer Aquilo. Era que... bom, eu meio que estava achando que não íamos mais fazer Aquilo no final das contas, porque, para falar a verdade, o clima meio que tinha desaparecido, e eu estava de fato decepcionada.

Acho que eu *estava* meio ansiosa por aquilo. Tirando a ânsia de vômito.

"Eu sei que você acha que precisa provar que é digno de mim e tudo o mais", prossegui, mal sabendo o que eu estava dizendo, de tanto que estava tentando salvar a situação. Porque eu achei que TALVEZ houvesse uma chance, que se nós de fato fizéssemos Aquilo no final das contas, depois ele podia mudar de ideia. Quer dizer, e se fosse só porque ele ainda não sabia o que estava perdendo? "E eu sei que o seu braço cirúrgico robotizado é importante. Mas eu acho que NÓS SOMOS mais importantes. O NOSSO AMOR é mais importante. E acho que se dermos um ao outro o dom precioso da nossa virgindade, esta seria a forma de expressão mais forte que o nosso amor poderia ter."

E o Michael disse assim:

"O QUÊ precioso?"

Esse é o problema dos meninos. Eles simplesmente não SABEM nada. Quer dizer, eles sabem sobre Halo e HTML e braços cirúrgicos robotizados, mas coisas importantes? Não tanto.

"O dom precioso da nossa virgindade", repeti. "Acho que devíamos dar um ao outro. Hoje à noite."

E daí o Michael disse a coisa que COMPLETA e TOTALMENTE me tirou do sério. O outro negócio — a respeito de como ele planejava ir para o Japão amanhã, independentemente de a gente transar ou não — não era NADA comparado ao que o Michael disse a seguir. Que foi o seguinte:

"Mia." Ele me olhou incrédulo. "Eu já dei o meu — como foi mesmo que você chamou? Ah, sim, o meu dom precioso — há muito tempo."

!!!!!!!!!!!!!!!!
!!!!!!!!!!!!!!!!
!!!!!!!!!!!!!!!!

No começo fiquei achando que não tinha entendido bem. Quer dizer, porque ele estava RINDO enquanto falava, como se não fosse nada de mais. Com certeza ninguém iria DAR RISADA ao dizer que já tinha dado seu dom precioso. Não alguém que estivesse falando SÉRIO.

Mas quando eu só fiquei lá olhando para ele, Michael parou de rir e disse. "Espera. O que foi? Por que você está olhando para mim desse jeito?"

E um calafrio horrível percorreu o meu corpo.

"Michael", eu disse. Parecia que alguém tinha baixado a temperatura do ar-condicionado no quarto dez graus, de repente: "Você não é virgem?"

E ele disse assim:

"Não, claro que não. Mas você sabe disso."

!!!!!!!!!!!!!!!!!!!

Ao que, é claro, eu respondi:

"NÃO, EU NÃO SABIA!" e "DO QUE VOCÊ ESTÁ FALANDO?".

E Michael começou a parecer preocupado de verdade. Acho que foi porque eu berrei. Mas eu nem liguei. Porque

!!!!!!!!!!!!!!!!!!!

"Bom", ele disse. "Acho que a gente nunca CONVERSOU de verdade sobre o assunto, mas eu não achei que fosse nada de mais..."

"VOCÊ JÁ TRANSOU E NÃO ACHOU QUE FOSSE NADA DE MAIS??? QUE NÃO FOSSE NADA ASSIM TÃO IMPORTANTE A PONTO DE CONTAR PARA A SUA NAMORADA????"

Falando sério, eu sei que é ridículo, mas eu estava prestes a chorar. Porque... o dom precioso dele! E ele tinha dado para outra pessoa! E nunca nem pensou que fosse algo importante para contar para mim!

"Foi antes de você e eu começarmos a sair", Michael disse. Agora parecia totalmente em pânico. Não que eu me importasse. "Eu não achei... quer dizer, foi há tanto tempo..."

"QUEM?" Eu não conseguia parar de berrar. Eu queria berrar. Eu sabia que não estava sendo nada legal. Tenho certeza de que não foi assim que Tina reagiu quando Boris contou para ela que Lilly tinha pegado Naquilo.

Mas eu não conseguia mesmo me conter.

"QUEM FOI?"

"Com quem eu transei?" Michael não parava de olhar para mim, estupefato. "Acho que eu não quero contar. Você pode querer matá-la ou algo assim. Os seus olhos realmente estão revirando dentro das pálpebras neste momento."

"QUEM FOI??????"

"Meu Deus, foi a Judith, tá?" A cara do Michael não estava mais apavorada. Agora ele só parecia aborrecido. "Qual é o SEU problema? Não significou nada, nós só nos divertimos um pouco. Foi muito antes de eu saber que você gostava de mim; então, que diferença faz?"

"A Judith?" Tantos pensamentos colidem uns com os outros dentro da minha cabeça que parecia que o meu cérebro tinha se transformado em um imenso canteiro de demolição. "A Judith GERSHNER???? VOCÊ TRANSOU COM A JUDITH GERSHNER???? VOCÊ DISSE QUE ELA ERA SÓ SUA AMIGA!!!!!!"

"E era!" Michael tinha se levantado. Eu também. Estávamos um de cada lado do quarto, de frente um para o outro, berrando. Pelo menos eu estava berrando. Michael só estava falando. "Mas a gente tinha uma amizade colorida."

"Você me disse que não estava com ela! Você me disse que ela tinha namorado!"

"Não estava", ele insistiu. "E ela tinha! Mas..."

"Mas O QUÊ?"

"Mas." Ele deu de ombros. "Não sei. A gente só estava se divertindo. EU JÁ DISSE."

"Ah, É MESMO?" Não dava para acreditar. Não dava para acreditar que Michael e Judith Gershner tinham... tinham... quer dizer, eu ERA AMIGA da Judith Gershner. Bom, não era necessariamente AMIGA dela, mas a gente CONVERSAVA.

E durante todo aquele tempo nunca fiz a menor ideia de que ELA tinha conhecimento carnal do meu namorado. De que ELA tinha sido a receptora do dom precioso dele. Não eu. NÃO VOU SER EU NUNCA.

Porque uma vez que você entrega seu dom, não pode pegar de volta e dar para outra pessoa de quem por acaso goste mais, ou que até ame. Não. Está escrito bem ali no livro da Tina. Foi EMBORA.

PARA LONGE.

"JUDITH também achava isso?" Ouvi a mim mesma gritando. "JUDITH achava que vocês dois só estavam se divertindo? Ou será que ela estava apaixonada por você? Ela por acaso sabia que deu o dom precioso dela para você, só para você virar as costas e começar a sair comigo?"

"Em primeiro lugar", Michael disse, "se você não parar de falar *dom precioso*, eu vou vomitar. Em segundo, eu já disse: a gente só estava se divertindo. Judith não estava apaixonada por mim, e eu não estava apaixonado por ela. Pelo amor de Deus, eu nem fui o primeiro dela!"

Eu senti que perdi toda a cor.

"AI, MEU DEUS. Você usou proteção? E se ela PASSOU ALGUMA COISA PARA VOCÊ?"

"Ela não me passou nada! Claro que eu usei proteção! Não sei por que você está fazendo tanto escândalo. Até parece que eu traí você. Isso foi antes mesmo de você me mandar aqueles poemas de amor anônimos. Eu não fazia a menor ideia de que você gostava de mim. Se eu soubesse..."

"Se você soubesse O QUÊ?", perguntei. "Você não teria dado o seu dom precioso para a Judith?"

"Eu já disse para não chamar disso. É, basicamente."

"Então a culpa é MINHA?", soltei um grito estridente. "É minha culpa você ter perdido a virgindade com uma pessoa que não sou eu porque eu era TÍMIDA????"

"Eu não disse isso."

"Você podia ter me dito que gostava de mim, sabe, em vez de ir para a cama com a JUDITH GERSHNER!"

"De que teria adiantado?", Michael perguntou. "Na época você estava com Kenny Showalter, se é que eu me lembro bem."

Engoli em seco.

"MAS EU NÃO GOSTAVA DELE!"

"Como é que eu ia saber? Você também diz que não gostava do Josh Richter, mas com certeza agia como se gostasse."

Engoli em seco ainda mais alto. O JOSH RICHTER? Ele tinha coragem de mencionar o JOSH RICHTER? NA MINHA CARA?

"Você com certeza ficou bastante com Kenny", Michael prosseguiu. "Quer dizer, para um cara de quem você diz que nem gostava. O que, tudo bem, eu não me importo, porque você recuperou a sanidade no fim. Mas não fique brava comigo por você ter demorado um tempão para confessar que gostava de mim, e eu não ter ficado esperando por você."

"Da maneira como você acha que eu vou ficar esperando você enquanto estiver no Japão se encontrando?", berrei.

Michael parecia completamente confuso.

"Isso não tem nada a ver com a minha ida para o Japão. Do que é que você está *falando*?"

"De CLARINETISTAS!", ouvi eu mesma gritando. Não era minha intenção. Eu não QUERIA fazer isso, só estava tão emocionalmente tomada por tudo o que tinha ouvido que não consegui me conter. Mais uma vez, minha boca estava funcionando sem o meu cérebro para detê-la. "Você vai para o Japão e acha que eu simplesmente vou ficar esperando sozinha todo sábado à noite até você voltar. Bom, e se eu não QUISER ficar esperando sozinha? Você já pensou NISSO?"

"Mia." De repente Michael ficou muito sério. "O que você está dizendo?"

"Estou dizendo que eu só tenho 16 anos", despejei antes que pudesse me segurar. "E você vai ficar longe um ano inteiro. OU MAIS. E não é justo você ficar achando que eu vou simplesmente ficar em casa igual a uma porcaria de uma freira enquanto você se diverte com alguma CLARINETISTA japonesa!"

"Mia." Michael sacudiu a cabeça. "Eu não faço a menor ideia do que você quer dizer com essa história de clarinetista. Não sei mesmo do que você está falando. Mas em relação a eu achar que você vai ficar trancada em casa igual a uma porcaria de uma freira... nunca pedi para você fazer isso. Eu não achei exatamente que você ia QUERER sair com outros caras enquanto eu estiver viajando — eu com toda a certeza não tenho a menor intenção de ficar com outras pessoas quando estiver fora —, mas, se você quiser, acho que não seria exatamente justo acusar você disso. Mas foi só que eu achei..." Fosse lá o que ele ia dizer, parece que parou para pensar melhor. Sacudiu a cabeça. "Deixa pra lá. Olha, se é isso que você quer..."

Só que NÃO ERA o que eu queria!!!! Aquilo era a ÚLTIMA COISA que eu queria!

Mas parecia que eu não ia conseguir NADA do que eu queria. Eu QUERIA que Michael e eu déssemos um para o outro os nossos dons preciosos — desculpa, que a gente fizesse amor — hoje à noite, e que depois ele dissesse que mudou de ideia e que não ia mais para o Japão amanhã, afinal de contas.

Mas acontece que ele não TINHA dom precioso nenhum para dar, e também não tinha a menor intenção de ficar nos Estados Unidos, indo eu para a cama com ele ou não.

EU TINHA COMPROMETIDO OS MEUS PRINCÍPIOS FEMINISTAS AO ME OFERECER PARA IR PARA A CAMA COM ELE AGORA, HOJE À NOITE, EM VEZ DE ESPERAR ATÉ DEPOIS DO MEU BAILE DE FORMATURA, COMO EU SEMPRE DISSE QUE FARIA, E ELE BASICAMENTE RESPONDEU:

"NÃO, OBRIGADO."

Bom, mais ou menos.

Será que ele achou mesmo que eu simplesmente o PERDOARIA por isso?

E foi por esse motivo que eu só olhei para ele e falei assim:

"É, Michael. Isso é EXATAMENTE o que eu quero. Porque a verdade é que, se você escondeu uma coisa dessa de mim durante todo o nosso relacionamento, eu só fico aqui pensando qual é o tipo de relacionamento que nós temos na realidade. Quer dizer, você não foi SINCERO comigo..."

"VOCÊ NUNCA PERGUNTOU, DROGA!", AGORA ele estava gritando. "Eu nem sabia que isso era importante para você! Eu nem sei de onde essa bobagem de *dom precioso* veio!"

Mas era tarde demais. Tarde demais mesmo.

"E o fato de que você está disposto a se mudar para OUTRO PAÍS", prossegui, "serve para mostrar que esta relação realmente nunca teve tanto significado assim para você".

"Mia." Michael sacudiu a cabeça. Só uma vez. Ele não estava mais gritando. "Não faça isso."

Mas o que mais eu podia fazer? O QUE MAIS???

Estiquei a mão e tirei o colar de floco de neve do pescoço. O colar de floco de neve que ele tinha me dado no meu aniversário de 15 anos. Estendi para ele, da mesma maneira que a Arwen deu o colar dela — o pingente da Estrela Vespertina — para o Aragorn, como presente de despedida, para ele se lembrar dela enquanto tentava recuperar o trono dele para obter a aprovação do pai dela.

Só que eu estava devolvendo ao Michael o colar dele — não porque queria que ele guardasse para se lembrar de mim.

Mas porque eu não queria mais ficar com ele.

Porque de repente aquele floco de neve só me fazia lembrar de que tinha OUTRA pessoa naquele baile — a Judith Gershner.

E, tudo bem, ela estava lá com outro cara. Aquela menina realmente parecia estar em todo lugar. Mas mesmo assim.

O negócio é que foi tudo completamente diferente para Aragorn e Arwen. Porque Aragorn nunca fez Aquilo com uma menina que sabia clonar moscas de frutas. E depois mentiu a respeito do assunto.

E, tudo bem, ele apenas omitiu a informação. Mas mesmo assim.

ELE NUNCA ME CONTOU. O que MAIS ele não me contou???? COMO É QUE VOU PODER CONFIAR NELE QUANDO ESTIVER NO JAPÃO????

"Mia", Michael falou, desta vez com um tom de voz totalmente diferente. Não como se estivesse com a garganta apertada, como Aragorn ficou, mas como se estivesse com vontade de me dar um soco na cara. O que eu sei que ele nunca faria. Mas mesmo assim. Ele parecia bem bravo. "Não. Faça. Isso."

"Tchau, Michael", eu disse com um soluço. Porque O QUE MAIS EU PODERIA DIZER?

E joguei o colar no chão — porque ele não quis pegar —, e saí correndo antes que eu me afogasse com as minhas próprias lágrimas.

E agora o Ephrain Kleinschmidt parou na frente do meu prédio e quer 17 dólares. Vou dar uma nota de 20 e deixar ele ficar com o troco de gorjeta. Eu devo a ele essa quantia, pelo menos por todos os lencinhos de papel. Que eu finalmente comecei a usar porque não consigo parar de chorar, de jeito nenhum. Não vai ter COMO eu ser capaz de esconder o que aconteceu da minha mãe. Isso se ela ainda estiver acordada quando eu entrar.

Se a autorrealização é assim, só preciso dizer que eu era bem mais feliz antes de ser autorrealizada.

Quinta, 9 de setembro, 23h, em casa

A minha mãe estava acordada. Porque Lars, quando não me achou na casa do Michael, ligou para ela. Estavam falando ao telefone quando eu entrei pela porta.

Agora estou na cama, com uma toalhinha úmida na testa. Isso porque, quando ela desligou o telefone e me perguntou por onde eu tinha andado, eu tive que sair correndo para o banheiro, onde vomitei meu atum-azul com salada de alcachofra e favas e alho-poró e raspas de parmesão. Isso sem falar na musse de chocolate.

Fiz com que ela prometesse não ligar para o serviço de emergência do Dr. Fung. A única coisa em mim que está doente é o meu coração.

E estou bem certa de que o Dr. Fung não tem nenhum remédio para curar esse problema.

Quinta, 9 de setembro, 23h30, em casa

A minha mãe disse que não acha que o fato de Michael não ter contado para mim que perdeu a virgindade com Judith Gershner seja algo de mais — não algo pelo qual valha a pena terminar com ele, de todo jeito. As palavras exatas dela foram:

"Ah, Mia. É só SEXO."

Para ela é fácil falar. Ela perdeu a virgindade quando era mais nova do que eu, e para um cara que hoje está casado com a ex-PRINCESA DO MILHO. E ela está casada e feliz com outra pessoa. Claro que para ela é só SEXO. Para mim é a minha VIDA.

"Mãe, ele MENTIU pra mim", eu disse.

"Bom, ele não mentiu EXATAMENTE", minha mãe retrucou. "Quer dizer, você perguntou se ele e Judith estavam namorando. E não estavam."

"Mãe. NAMORAR envolve ir para a cama."

"Desde quando?", minha mãe perguntou. "Achei que TRANSAR significava ir para a cama. E você não perguntou isso ao Michael. Você perguntou se ele e Judith estavam NAMORANDO."

A razão por que nós sabemos disso é que examinamos os meus diários antigos para ter certeza de que eu estava certa. E eu estava.

"Você tem certeza de que não arrumou uma briga com Michael por causa disso só porque é mais fácil para você lidar com a partida dele se estiver brava com ele, em vez de ainda estar apaixonada por ele, sentindo falta dele o tempo todo?", foi a pergunta completamente bizarra dela.

É, certo, mãe. Porque agora eu estou me sentindo MUITO MELHOR.

Eu não disse a ela como o assunto havia surgido. Quer dizer, sobre COMO eu tinha ficado sabendo de tudo sobre Michael e Judith. A última coisa de que eu preciso é que a minha mãe saiba o que eu tentei fazer — sabe como é, convencer o Michael a não ir para o Japão indo para a cama com ele. Ela nem ficaria MUITO decepcionada comigo por ser uma feminista tão fraca e usar o sexo como ferramenta de manipulação, ou sei lá o quê.

O telefone tocou. Eu nem olhei o identificador de chamada para ver quem era porque eu sabia. Quem mais ligaria assim tão tarde, correndo o risco de acordar o Rocky (que seria capaz de dormir durante um protesto antiguerra... e na verdade até já dormiu)?

E a minha mãe confirmou quando apareceu no meu quarto para dizer que era Michael, pedindo desculpa por ligar tão tarde, mas eu não estava atendendo o celular e ele queria ter certeza de que eu havia chegado bem em casa.

Como se algum dia eu vá voltar a ficar bem.

A minha mãe perguntou se eu queria falar com ele, e eu só olhei para ela e ela disse:

"Hm, Michael, acho que este não é o melhor momento", no telefone e foi embora.

O meu peito está esquisito. Como se estivesse vazio e oco. Imagino se é porque eu acabei de vomitar todo o jantar ou se é porque o meu coração se quebrou em tantos pedacinhos que basicamente desapareceu.

Quinta, 9 de setembro, 23h45, em casa

Michael acabou de me mandar mensagem:

> **SkinnerBx:** Mia, não entendi o que aconteceu agora há pouco. A Judith Gershner é uma menina legal, mas nunca significou nada para mim e nunca significará. Não entendo como o fato de eu ter ido para a cama com ela há dois anos, ANTES DE VOCÊ E EU COMEÇARMOS A SAIR, seja uma razão válida para a gente terminar. Se é que foi isso que aconteceu, porque, como eu já disse, não sei bem se aconteceu, porque você se comportou de uma maneira muito estranha.
>
> E no que diz respeito a eu achar que você vai ficar me esperando enquanto eu estiver no Japão... bom, é, eu meio

que achei que você levaria em consideração que parte do motivo por que eu vou é para aumentar as chances de nós dois termos um futuro juntos. Talvez seja pedir demais. Talvez eu não tenha direito de esperar isso de você. Não sei. Não estou entendendo nada. Será que você pode me ligar ou me escrever para, quem sabe, explicar? Porque parece que eu estou completamente sem noção. E tudo isso é a maior idiotice.

Meu Deus. Isso é mesmo a cara dele. O que tem de tão idiota no fato de eu querer um namorado que de fato VALORIZE a intimidade e não despreze sua primeira experiência sexual como "só uma brincadeira"?

E, tudo bem, parece que ela já tinha namorado. Isso só piora as coisas. Ele estava saindo com uma garota que estava só brincando com ele PELAS COSTAS DO NAMORADO.

E JUDITH GERSHNER???? Como é que ele pode ter transado com JUDITH GERSHNER???? E não ter CONTADO para mim???? Quer dizer, eu já ALMOCEI com Judith Gershner. Eu já PATINEI NO GELO com Judith Gershner.

E, tudo bem, só foi uma vez. Mas MESMO ASSIM. Eu não fazia a MÍNIMA IDEIA de que ela e o meu namorado tinham... bom, você sabe.

Mas eu DEVIA saber. Quer dizer, todos os sinais estavam lá. Aquela vez que ela colocou o braço em volta da cadeira dele. E comeu o pão de alho dele. Não dá para acreditar que eu não tenha percebido isso.

Não dá para acreditar que Michael desperdiçou o dom precioso dele com ELA, se nem a AMAVA.

QUAL É O PROBLEMA DOS MENINOS????

Ô-ou. Alguém está mandando mensagem. Mas isso é mesmo...

Ah. É a Tina.

Tinahakimbaba: Mia, cadê vc? Oq aconteceu? Vc deu p/ ele seu dom precioso? Ele vai mesmo pro Japão? Manda msg de volta!

PRECISO responder a ela. PRECISO contar a ela o que está acontecendo.

Vmrmiat: Ele disse q ia pro Japão, se a gente fizesse Aquilo ou não. E Michael já deu o dom precioso dele pra Judith Gershner!!!!!

Tinahakimbaba: !!!!!!!!!!!!!!!!

Graças a Deus que a Tina existe. Ela é demais!

    Vmrmiat: POIS EH!!!!!!!

Tinahakimbaba: MAS ELE Ñ AMAVA ELA!!!!!!!!!!!

    Vmrmiat: Ele disse q ñ significou nada, que foi só sexo. Tina, o q eu faço?????? Pq ele não me contou isso???

Tinahakimbaba: Mas ele te contou

    Vmrmiat: Meio tarde demais, né?

Tinahakimbaba: Mas CONTOU

    Vmrmiat: ELE NEM AMAVA ELA!!!!!!!!

Tinahakimbaba: Mts vezes, nos livros de amor, o herói faz sexo insignificante c/ mulheres antes de conhecer a heroína.

    Vmrmiat: COM A JUDITH GERSHNER?????

Tinahakimbaba: Bom, NÃO. Mas assim só fica mais importante qnd ele e a heroína fazem Aquilo. Pq o sexo é bem melhor qd vc ama a pessoa

    Vmrmiat: Ñ ACREDITO Q VC VAI DEFENDER ELE!!!! Ele disse q ia pro Japão mesmo se a gente fizesse Aquilo!!!!

Tinahakimbaba: Acho q vc tem razão de ficar brava. Mas vcs terminaram mesmo?

    Vmrmiat: Eu devolvi o colar de floco de neve pra ele

Tinahakimbaba: MIA!!!!!!! NÃÃOO!!!!!!!!!!!!!

    Vmrmiat: TINA, ELE MENTIU PRA MIM!!!!

Tinahakimbaba: Não, não mentiu! Ele CONTOU pra vc. No fim

    Vmrmiat: Esse não é o problema. O problema é q a JUDITH GERSHNET PEGOU NAQUILO ANTES DE MIM!!!!

Tinahakimbaba: Lilly pegou Naquilo antes de mim

Vmrmiat: MAS ELA É SUA AMIGA!!!!! E tb a Lilly e o Boris não foram ATÉ O FIM. E o Boris não vai pro Japão e te deixar sozinha por 1 ano. OU MAIS!!!!

Tinahakimbaba: Verdade. Ah, Mia. Desculpa. Preciso ir. Meu pai disse que já ultrapassei o limite de SMS do mês. bjs

Tina é tão fofa. Arriscou contrariar o pai pra trocar SMS comigo quando eu mais precisava. Ela é uma boa amiga, uma amiga de verdade.

Falando nisso... Como é que eu vou poder olhar na cara da Lilly de manhã? Não vai dar.

Simplesmente não vai ter como.

EU, PRINCESA???? CERTO, ATÉ PARECE
Um roteiro de Mia Thermopolis

(primeiro rascunho)

Cena 24

INTERIOR/NOITE — Um apartamento alugado, espaçoso e confortável na Quinta Avenida de Nova York, próximo à Union Square. MIA THERMOPOLIS, com a aparência recém-renovada, acaba de passar pela porta. Lilly Moscovitz, sua MELHOR AMIGA, uma menina levemente gordinha, com cara de pug, a encara, incrédula.

LILLY
Ai, meu Deus, o que aconteceu com você?

MIA
(tirando o casaco, só para parecer relaxada)
É, bom, a minha avó me fez ir ao cabeleireiro, Paolo, e ele...

LILLY
(em estado de choque)
Seu cabelo está da mesma cor que o da Lana Weinberger. O que é isso nos seus DEDOS? Lana também usa isso! Ai, meu Deus, Mia, você está se transformando na Lana Weinberger!

MIA
(incapaz de continuar aguentando aquilo)
Lilly. Cala a boca.

MICHAEL
(aparece à porta sem camisa)
Uau.

LILLY
O QUÊ? O QUE você acabou de dizer pra mim?

MIA
Quer saber, Lilly? Eu sou uma PRINCESA. Sou a princesa de Genovia. E vou SEMPRE ser princesa. Não posso fugir disso, não posso fingir que não aconteceu. E, como princesa, vou sempre valorizar as qualidades características de princesa das outras pessoas, tais como honestidade e amor-próprio e não Fazer Aquilo com Gente que Você Nem Ama. Tchau.

MICHAEL
Uau.

MIA sai da sala batendo os pés. LILLY e MICHAEL trocam olhares chocados.

Sexta, 10 de setembro, 1h, em casa

Mas é claro que, agora, sei que Michael passou aquele tempo todo — talvez até na época em que eu fiquei sabendo que era princesa — transando com Judith Gershner.

E eu simplesmente não sabia.

Porque ele nunca me contou.

Sexta, 10 de setembro, 1h30, em casa

COMO VOU CONSEGUIR VIVER SEM ELE?????

Sexta, 10 de setembro, 2h15, em casa

Eu preciso ser forte. Eu PRECISO. Ele MENTIU para mim. Ele disse que talvez fosse boa ideia nós DARMOS UM TEMPO.

Não posso simplesmente permitir que ele se safe assim.

Talvez escrever um poema me ajude.

Achou que eu abri mão de você por causa
De alguns princípios morais do feminismo.
Você, cuja cabeça deveria ser condecorada
Com louros prateados, quanto esnobismo!

Afinal, você não foi homem?
O sexo que você fez não foi tudo?

Você não estava de terno e gravata?
Com seus pés grandes e seu peito peludo?

Ainda assim, você abriu a gaiola
Para o meu voo descuidado e teimoso.
Achou que eu aprenderia minha lição logo
E retornaria ao seu convívio gostoso.

Mas depois que encontrei a liberdade,
Desapareci da sua frente.
Talvez eu não ache alguém mais legal,
Mas qualquer um é melhor do que um descrente.

Ah, nosso caso de amor foi trágico!
Chorei com lágrimas e paixão.
Até você me largar, e descobri
Que prefiro ficar na solidão.

Meu Deus, eu bem que gostaria que fosse tudo verdade, Michael! Meu querido protetor!

Sexta, 10 de setembro, 3h, em casa

Caro Michael,
Eu só queria dizer...

Caro Michael,
Por que você tinha que...

Caro Michael,
POR QUÊ????

Sexta, 10 de setembro, 4h, em casa

Michael! Minha esperança! Meu amor! Minha vida!

Sexta, 10 de setembro, na limusine, a caminho da escola

Não dá pra acreditar que minha mãe me obrigou a ir à escola hoje. Eu disse a ela que o meu coração estava partido. Que não tinha PREGADO OS OLHOS A NOITE INTEIRA. Falei que não consigo parar de chorar. Eu praticamente não paro de chorar desde ontem à noite. Nem sabia que os seres humanos eram CAPAZES de produzir tantas lágrimas.

Foi como falar com um muro de pedra. A minha mãe ficou toda:

"Foi você que terminou com Michael, Mia, não o contrário. Não vai ter chance de você ficar o dia inteiro na cama, na fossa.

É estranho, mas... é quase como se ela estivesse do lado do MICHAEL, ou algo assim.

Mas não pode ser, né? Quer dizer, ela é MINHA mãe, não é mãe DELE.

Mesmo assim. Ela até ME fez ligar pra Lilly e pra dizer que encontrasse um transporte alternativo até a escola hoje de manhã. Ela se recusou a fazer isso por mim, apesar de eu ter implorado, porque eu estava com medo de que Michael visse que era eu no identificador de chamada e atendesse.

Eu fico mal de deixar Lilly na mão, sem carona, mas NÃO VAI TER COMO eu encarar Michael hoje de manhã. E eu TENHO CERTEZA que ele vai estar me esperando na frente do prédio, porque ele me mandou mensagem hoje de manhã dizendo isto:

SkinnerBx: Eu continuo sem entender o que fiz de errado. Como é que o fato de eu ter ido pra cama com alguém antes mesmo de saber que você gostava de mim pode ser considerado um crime? Não entendo. Acho que entendo você estar chateada com a coisa do Japão, mas não sei quantas vezes vou ter que explicar que uma das razões por que estou fazendo isso é NÓS, antes que o nosso relacionamento afunde. Lilly disse que Boris havia dito alguma coisa sobre clarinetistas no almoço outro dia, então acho que foi daí que tudo aquilo surgiu, mas eu continuo sem entender. Mas se você quiser sair com outras pessoas enquanto eu estiver fora, acho que tudo bem. Talvez seja até bom.

Olha, a gente precisa conversar, certo? Vou ficar esperando com a Lilly na frente do prédio, antes da escola. Quem sabe a gente toma um café?

Eu TIVE que ligar pra Lilly (no celular, pra não correr o risco de Michael atender) e falei, tipo:

"Lilly? Hoje eu não vou poder passar aí pra pegar você."

"PDG?", Lilly parecia desconfiada. "É você?"

"S-sou eu", respondi.

"Espera... você está CHORANDO?"

"E-estou", respondi. Porque estava.

"O QUE está acontecendo?", Lilly perguntou. "O que você fez com o meu irmão? Eu nunca vi Michael desse jeito. Você deu mesmo um fora nele? Porque ele disse que você deu."

"Ele... ele..."

Mas era inútil. Eu não conseguia falar. Estava chorando demais.

"Caramba, Mia", Lilly disse, realmente parecendo preocupada comigo, pela primeira vez na vida. "Parece que você está pior do que ele. O QUE ESTÁ ACONTECENDO?"

"N-não posso falar agora", falei. Porque, literalmente, eu *não conseguia falar* de tanto que estava chorando.

"Tudo bem", Lilly disse. "Mas, Mia... falando sério, não sei que história é essa, mas você está despedaçando o coração dele. A única razão por que eu não vou até aí quebrar a sua cara é porque estou vendo que seu coração também não está lá muito bem. Mas, falando sério, você *tem* que falar com ele. Apenas *converse* com ele. Tenho certeza de que, seja lá o que for, vocês dois podem resolver se simplesmente CONVERSAREM. Certo?"

Mas eu não consegui responder. Estava chorando demais.

Mas, se eu conseguisse dizer alguma coisa, seria:

"É tarde demais, Lilly. Não restou nada a ser dito."

Porque não restou mesmo.

Estou sentindo tanta falta dele... E ele ainda nem foi viajar.

Sexta, 10 de setembro, Introdução à Escrita Criativa

EU, PRINCESA???? CERTO, ATÉ PARECE
Um roteiro de Mia Thermopolis

(segundo rascunho)

Cena 12

INTERIOR/DIA — The Palm Court, no hotel Plaza, em Nova York. Uma garota sem peito com cabelo no formato de um triângulo invertido (MIA THERMOPOLIS, de 14 anos) está sentada a uma mesa toda enfeitada, na frente de um homem careca (o pai dela, PRÍNCIPE PHILLIPE). Dá para ver pela expressão de MIA que seu pai lhe diz algo perturbador.

PRÍNCIPE PHILLIPE
Você não é mais Mia Thermopolis, querida.

MIA
(piscando, estupefata)
Não sou? Então quem eu sou?

PRÍNCIPE PHILLIPE
Você é Amelia Mignonette Grimaldi Thermopolis Renaldo, princesa de Genovia.

MIA
(levanta-se da mesa, tira uma Uzi da mochila)
Pai, cuidado!

NINJAS descem do teto por cordas. MIA chuta a mesa para longe, mandando o jogo de chá pelos ares. Então crava a sala de balas com sua Uzi. TURISTAS e GARÇONS mergulham em busca de proteção. O pai dela, apavorado, se encolhe atrás de um vaso de planta. Mia joga a Uzi, que emperrou, no chão e atinge os NINJAS com chutes de *kickbox*, despachando-os um a um, tipo a River no filme SERENITY: A LUTA PELO AMANHÃ.

Finalmente a sala fica calma, com todos os NINJAS inconscientes. Um por um, os TURISTAS e os GARÇONS se levantam. Um deles começa a bater palmas, lentamente. Todas as outras pessoas se juntam a ele. Logo, MIA está sendo ovacionada por sua coragem.

MIA vai até onde PHILLIPE está e estende a mão direita para ajudá-lo a se levantar. Hesitante, ele aceita a ajuda. Ela o puxa para cima.

PRÍNCIPE PHILLIPE
(agradecido)
Mia... onde foi que você aprendeu a...

MIA
(com muita frieza)
Eu trabalho para um matador de demônios altamente treinado do Vaticano há anos, pai. Você não sabia?

PRÍNCIPE PHILLIPE
Eu não sabia. Estava errado sobre você, Mia. Você não é apenas uma princesa.

MIA
Não, pai, não sou.

0

Mia, embora isso seja altamente criativo, não atende à tarefa de maneira nenhuma, que era descrever um animal de estimação de que você gosta.

— C. Martinez

Sexta, 10 de setembro, Inglês

Está tudo bem?

Acho que sim, Tina. Obrigada.

Você parece meio... pálida. E os seus olhos estão vermelhos.

É. Bom, eu não dormi muito ontem à noite.

Você já falou com ele? Com Michael, quer dizer?

Não. Não pessoalmente.

Ele não ligou? Nem mandou mensagem?

Bom, mandou. Mas eu não respondi. Como é que eu posso responder, Tina? O que eu posso DIZER?

> É verdade. Mas, se ele pedisse desculpa, você não perdoaria?

Ele não vai pedir desculpa, Tina. Ele acha que não fez nada de errado!!!

> Mas não pode SER. Quer dizer, não pode estar tudo ACABADO entre vocês dois. Vocês se amam demais!!!!!

Michael mesmo disse — em uma das mensagens — que talvez seja melhor assim. Sabe, de a gente sair com outras pessoas enquanto ele estiver fora.

> ELE DISSE ISSO????

Bom, não disse que ELE ia sair com outras pessoas, mas que tudo bem para ele se eu quisesse sair.

> Espera... ele DISSE mesmo isso?

Disse. Disse sim. Bom, ele disse que achava que ENTÃO tudo bem.

> Ah, Mia! Nem sei o que dizer em relação a isso, mas... Você acha que talvez O seu dom precioso pode estar errado? Porque nos meus romances preferidos — O xeique e a secretária virgem e O xeique e a princesa noiva — nenhum dos xeques era virgem, e deu tudo certo para eles e as suas NAMORADAS.

Eu não queria escrever o que escrevi a seguir. De verdade. Fiquei MAGOADA de dizer isso. Mas eu TINHA que dizer. Porque Tina simplesmente não pode viver na Tinalândia o resto da vida. Simplesmente não pode.

Tina. Aquilo são só LIVROS.

Mas Tina não arredava pé.

> O seu dom precioso é um LIVRO. Como ele está certo e os livros dos xeiques não estão?

Tina. Nenhum dos xeiques dos livros fez Aquilo com Judith Gershner e depois MENTIU sobre o assunto, certo? Nenhum dos xeiques daqueles livros inventou um braço cirúrgico robotizado e vai embora para o Japão por um ano. E mais: se fossem, levariam sua secretária virgem noiva princesa COM ELES.

> Eu sei. Só acho que talvez você devesse dar mais uma chance ao Michael.

Como é que eu posso fazer isso? Agora, cada vez que eu penso nele, só consigo ver a Judith Gershner com a língua enfiada na boca dele. E esta é a coisa MENOS nojenta que eu imagino os dois fazendo.

> É. Eu me senti assim quando fiquei sabendo da Lilly e do Boris. Mas depois de um tempo passa, Mia. Mesmo. Daqui a alguns dias você não vai mais enxergar a Judith Gershner na sua cabeça quando pensar no Michael.

Obrigada, Tina. Eu entendo o que você está dizendo. Entendo mesmo. Mas o problema é que, daqui a alguns dias — não, daqui a algumas HORAS — o Michael não vai mais estar aqui. E é possível que nunca mais volte!

> Mia! Ai, meu Deus, sinto muito! Eu não queria fazer você chorar!

Não é você, Tina. Sou eu. É só que...

> Mia, tudo bem. Você não precisa escrever mais nada. Vou ficar quieta.

Meu Deus. Como é que a coisa pode ter chegado a este ponto? Eu na aula de inglês CHORANDO???

De certo modo, eu queria que MICHAEL fosse xeique e eu fosse a secretária virgem ou a princesa noiva dele. Eu sei que não é muito feminista da minha parte pensar assim.

Mas se ele me sequestrasse e me levasse para sua barraca no deserto, em vez de se mudar para o Japão, pelo menos eu saberia que ele se importa comigo de verdade.

Sexta, 10 de setembro, Francês

Mia! É verdade?

É, Perin. É verdade que Michael confessou que transou com Judith Gershner e que vai se mudar para o Japão, e que ele e eu terminamos. Estou me sentido realmente péssima com isso e não quero começar a chorar no meio da aula de francês; então, será que a gente pode não falar sobre isso?

Hm, claro. Mas eu queria saber se é verdade que você sabe o que fazer se um tsunami atingir Nova York.

Ah, é. Isso também é verdade.

Sinto muito sobre você e Michael. Eu não sabia. Então, acho que agora você está solteira?

Não tinha pensado sobre o assunto. Mas, é, acho que estou.

Quer dormir lá em casa?

Ah, obrigada pelo convite, Perin, mas acho que simplesmente vou pra casa e me enfiar na cama. Pra falar a verdade, não estou assim muito bem.

Certo. Bom, melhoras!

Valeu!

Que'est-ce que c'est que le mérite incroyable d'une femme, vous demandez? Selon la chaine douze, le mérite incroyable d'une femme est sa capacité de nourir ses enfants. Une femme avec une carrière? Ça, c'est une femme qui n'adore pas ses enfants, ou son mari. Elle n'est pas une chrétienne! Elle est une serveuse du diable!

Mes camarades et moi nous nous sommes regardés les unes les autres. Nous avons changés le chaine. Et juste a l'heure!

117 + 76 = só 193!!!!!! Preciso de mais sete palavras!
Ah, espera... o título. E O MEU NOME:

Une Emission Pleine d'Action
par Amelia Mignonette Grimaldi Renaldo Thermopolis

BELEZA!!!!
Pelo menos ALGUMA COISA está dando certo para mim hoje.

Sexta, 10 de setembro, entre a aula de francês e o almoço

Meu telefone acabou de tocar. Michael mandou a seguinte mensagem:

Michaelm: Pelo menos deixa eu dar uma passada pra tentar explicar. Apesar de isso não ser nada fácil, porque eu ainda não sei bem, exatamente, o que eu fiz de errado.

Do que é que ele está falando, *dar uma passada pra tentar explicar*? Como é que ele pode dar uma passada pra tentar explicar? Estou na ESCOLA.
E como é que ele ainda não sabe o que fez de errado?????

Sexta, 10 de setembro, Almoço

Quer saber? Não estou nem aí. Eles que FIQUEM olhando pra mim. Esta aqui é a coisa mais deliciosa que eu já comi neste refeitório. Se eu soubesse que cheeseburgueres era assim tão bom, aliás, teria começado a comê-los há muito tempo.

E quer saber? Não estou nem aí. Quer dizer, continuo me sentindo mal por causa dos animais e tal.

Mas, de certo modo, é como se... bom, azar deles. O mundo é um lugar injusto. Às vezes você é o para-brisa. Outras vezes é o inseto.

Isso é de uma música que a minha mãe gosta.

Se existir alguma coisa parecida com reencarnação, eu provavelmente vou voltar como vaca, e vou passar a vida inteira em uma baia de estábulo minúscula, em que mal vou poder me mexer, e no fim alguém vai chegar e me dar uma porrada na cabeça e me pelar e transformar meu couro em uma minissaia e o restante de mim em um hambúrguer para que uma menina cujo namorado deu seu dom precioso para Judith Gershner possa comer, e que azar o meu. É o ciclo da vida, minha filha.

Uau. Acho que me transformei em uma niilista completa agora.

Parece que é o que Lilly acha. E parece que ela nem consegue acreditar.

"Um cheeseburguer?" Ela simplesmente não consegue parar de encarar a minha bandeja. "Você está comendo um CHEESEBURGUER?"

"Não ligo mais", respondi. Porque é verdade. Não ligo. Mais pra nada. Por ser niilista e tudo o mais.

"Você e o meu irmão", ela disse, "brigam uma única vez e você termina com ele e começa a comer carne? Ele tem razão. Você perdeu MESMO a cabeça."

Largo meu hambúrguer com essa.

"Ele DISSE isso?", perguntei. Não me importei com o fato de estarmos tendo essa discussão na frente de todo o pessoal do almoço: J.P., Boris, Ling Su, Tina, Perin. Por que deveria me importar? Não ligo mais pra nada. "Michael disse que eu perdi a cabeça?"

"Basicamente", Lilly respondeu. "E o fato de você estar aqui comendo um cheeseburguer só serve para comprovar. Você não come carne desde os seis anos de idade!"

"Bom, talvez esteja na hora de começar a comer", respondi. "Talvez, se eu tivesse passado esse tempo todo ingerindo mais proteína, não teria tomado tantas decisões idiotas."

"A qual delas você está se referindo?", Lilly perguntou, ácida.

"Ei, Lilly", J.P. disse baixinho, mas com a voz bem firme. "Corta essa."

Lilly pareceu surpresa. Ela não está acostumada com J.P. se intrometendo nas conversas dela comigo. Porque ele nunca fez isso antes.

Mas já era tarde demais. Porque meus olhos já estavam se enchendo de lágrimas. De novo.

Acho que, no fim das contas, não sou niilista.

"Se ele acha que eu perdi a cabeça", falei pra Lilly, mal conseguindo segurar um soluço, "então ele não entendeu NADA MESMO. Eu NÃO perdi a cabeça. Eu simplesmente não consigo mais AGUENTAR tudo isso."

"Aguentar o quê?", Lilly perguntou. "Ter um cara que ama tanto você que, enquanto você passava o verão em Genovia, inventou uma coisa fantástica que pode mudar o destino da história da medicina como a conhecemos, só para poder provar que é digno de estar com você, e daí você dá um tapa na cara dele quando ele explicou que, para que a coisa se concretize, ele precisa ficar longe por um tempo?"

Só fiquei olhando pra ela com ódio, apesar de estar um pouco difícil de enxergá-la através das lágrimas.

"Não é nada disso", eu disse, "e você sabe muito bem."

"Ah, espera, já sei. É por causa de todos os meses que ele passou sem contar pra você uma coisa que SABIA que você não ia entender e sobre a qual iria exagerar, porque faz parte da sua natureza exagerar com qualquer coisinha, e ele queria poupá-la?"

"O que ele fez", eu disse, com a voz embargada, "não foi uma COISINHA..."

"Ah, me poupe", Lilly retrucou. "Tina me falou daquele livro idiota que a tia deu pra ela. Você realmente é tão ignorante que não sabe que essa bobagem toda de 'dom precioso' começou como a maneira que os homens encontraram para controlar as mulheres, para que pudessem limitar seus números de parceiros sexuais, e assim garantir a legitimidade de seus próprios descendentes?"

"Espera aí", falei, olhando pra ela. O que era difícil fazer, levando em conta que as lágrimas faziam parecer que o meu nariz estava formigando. "Não tem NADA de errado em esperar para transar até poder ficar com alguém que você ama."

"Claro que não tem", Lilly respondeu. "Você tem todo o direito de acreditar nisso. Mas CONDENAR alguém que não necessariamente COMPARTILHA dessa crença? Isso não é nada melhor do que aqueles juízes fundamentalistas do Irã que condenam mulheres a serem enterradas até o pescoço na areia e apedrejadas na cabeça. Porque, de qualquer maneira que se examine a questão, se trata de VOCÊ castigar alguém por não compartilhar do SEU ponto de vista moral."

Depois dessa, agora é que as lágrimas desataram a cair. Quer dizer, fala sério. Me comparar com um daqueles juízes fundamentalistas do mal?

Mas Lilly não desistia.

"Por que você não reconhece o verdadeiro motivo dessa briga, Mia?", ela desdenhou. "Você está brava porque Michael se recusa a fazer o que você quer, que é ficar em Nova York para ser seu cachorrinho de colo. Porque ele tem vontade própria e quer usá-la para construir uma VIDA própria. ESSA é toda a questão. E NEM tente negar."

Foi aí que J.P. se levantou, puxou Lilly pelo braço e disse:

"Vem comigo. Nós vamos dar uma volta", e a arrastou para fora do refeitório.

E foi aí também que eu comecei a chorar de verdade. Não fiquei soluçando, nem nada disso. Foi só um choro silencioso sobre o resto do meu cheeseburguer.

É, agora eu me transformei em uma comedora de carne chorona e ridícula.

Boris me deu um tapinha no ombro e disse:

"Não chora, Mia. Acho que você está fazendo a coisa certa. Relações a distância nunca funcionam. É melhor cortar de vez, assim mesmo."

"Boris", Tina disse, parecendo horrorizada.

"Não", respondi. "Ele tem razão."

Porque tem.

Só queria que não tivesse.

E também que eu estivesse morta.

Simplesmente fui lá e peguei um pouco de bacon para colocar no meu cheeseburguer.

Sexta, 10 de setembro, S & T

Quase matei esta aula. Em parte porque estava passando mal de verdade depois daquele hambúrguer. Eu realmente não devia ter completado com o bacon.

Mas também em parte porque não queria voltar a ver Lilly. Principalmente sem J.P. para segurá-la.

Mas eu não faltei, porque achei que simplesmente ia arrumar problemas. E uma visita à sala da diretora Gupta é a última coisa de que eu preciso.

Também peguei uns antiácidos com a enfermeira, e parece que eles ajudaram.

Quando entrei na sala, fiquei feliz por não ter faltado. Feliz porque a primeira coisa que vi ao entrar foi Lilly CHORANDO.

Não fiquei feliz porque ela estava chorando. Fiquei feliz porque ela obviamente estava precisando de mim. Quer dizer, alguma coisa havia acontecido. Alguma coisa IMPORTANTE.

Boris estava em pé ao lado dela, parecendo assustado. Acho que é simplesmente normal o fato de eu ter achado que Lilly estava chorando por causa de alguma coisa que Boris havia dito a ela, já que ele me lançou um olhar de pânico completo quando entrei.

"O que você fez pra ela?", perguntei a ele, chocada. Porque às vezes Boris sabe ser um idiota completo. Mas ele realmente não tem a INTENÇÃO de ser. E ele ficou bem menos idiota desde que Tina começou a namorá-lo.

"Ela já estava assim quando eu cheguei", Boris insistiu. "Não fui eu!"

"Lilly." Eu não fazia a menor ideia de qual era o problema dela. Claro que não devia ter nada a ver comigo e Michael. *Aquilo* nunca faria Lilly chorar. Quase nada fazia Lilly chorar. Menos... engoli em seco. "Lana Weinberger resolveu concorrer à vaga de presidente estudantil, no final das contas?"

"Não!", Lilly disse, com ar de desdém, entre soluços. "Meu Deus! Você acha que eu ia ficar aqui chorando por uma coisa *dessa*?"

"Bom." Fiquei olhando pra ela, sem entender nada. "O que foi, então?"

"Não quero falar sobre isso", ela respondeu.

Mas reparei que o olhar dela deslizou na direção do Boris. E, o mais importante, Boris também reparou.

E então — exercitando um pouco do tato que Tina ensinou a ele com tanto cuidado — Boris disse:

"Acho que vou lá começar a ensaiar agora", e se afastou e entrou no almoxarifado sozinho.

Eu disse:

"Certo, ele não está mais aqui. Agora pode contar."

Lilly respirou fundo, tremendo toda. Então deu uma olhada em todas as outras pessoas que estavam na sala — todas baixaram a cabeça imediatamente, fingindo estar concentradas em seus projetos pessoais, o que NUNCA acontece, a não ser que a Sra. Hill esteja na sala, coisa que com toda a certeza não estava naquele momento — e sussurrou:

"J.P. acabou de terminar comigo."

Fiquei olhando pra ela, completa e totalmente estupefata.

"*O quê?*"

"Você ouviu." Lilly esticou a mão e enxugou as lágrimas com o pulso, deixando uma marca comprida de rímel de cada lado do rosto. "Ele me deu um fora."

Puxei a cadeira mais próxima da Lilly bem a tempo de desabar em cima dela, e não no chão.

"Está de brincadeira", eu disse. Porque foi a única coisa que eu consegui pensar em dizer.

Mas estava absolutamente evidente, por causa das lágrimas que escorriam feito um rio dos olhos dela, que *não* estava de brincadeira.

"Mas *por quê*?", perguntei. "*Quando?*"

"Agora mesmo", Lilly respondeu. "Lá fora, nos degraus da entrada, ao lado do Joe." Joe é o leão de pedra que ladeia os degraus que conduzem à porta de entrada da Escola Albert Einstein. "Ele disse que estava muito mal, mas que não sentia por mim a mesma coisa que eu sentia por ele. Disse que me considera uma amiga, mas que nunca me a-amou!"

Eu não conseguia parar de olhar pra ela. De algum modo, isso era muito mais horrível do que aquilo que Michael havia feito comigo. Quer dizer, Michael transou com Judith Gershner e mentiu pra mim sobre isso e tal.

Mas ele nunca disse que não me amava.

"Ah, Lilly", suspirei. Esqueci que agora era niilista. Só conseguia pensar em como Lilly estava sofrendo. "Ah, Lilly. Sinto muito, de verdade."

"Eu também", Lilly disse, enxugando os olhos de novo. "Sinto muito por ser tão *idiota* a ponto de não ter admitido antes, pra mim mesma, o que eu SABIA que estava acontecendo."

Fiquei só olhando pra ela, sem entender nada.

"Como assim?"

"Bom, na primeira vez que eu disse a ele que o amava, ele só respondeu 'muito obrigado'. Quer dizer, eu devia ter tomado isso como sinal de que ele não sentia a mesma coisa por mim, certo?"

"Mas a gente sempre achou que era porque ele não estava acostumado com o fato de alguma menina gostar dele", falei. "Lembra, Tina falou..."

"Certo, que ele era igual à Fera de *A Bela e a Fera*, desacostumado ao amor humano, e sem saber muito bem como reagir a isso. Bom, quer saber? Tina estava errada. Não é que ele não sabia como reagir. Ele só não correspondia ao meu amor, e não queria ferir os meus sentimentos dizendo isso. Então ele simplesmente foi empurrando com a barriga, todos esses meses."

Não pude evitar prender a respiração.

"Ah, Lilly", repeti. "Não! Quer dizer, ele deve ter pensado que talvez..."

"Que ele iria aprender a me amar?", Lilly conseguiu dar um sorriso cheio de mágoa. "É, bom, parece que não deu certo."

"Ah, Lilly", eu só conseguia dizer isso! Eu poderia ter matado J.P. naquele exato momento. Realmente poderia ter matado. Não dava pra acreditar que ele estava fazendo aquilo com ela.

E ainda mais na escola! Não tinha lugar melhor? Quer dizer, por que ele não esperou até estarem sozinhos em algum lugar, como no Ray's Pizza, para ter dado a notícia a ela, para que pudesse chorar em particular? Qual é o *problema* dos garotos?

Vou matar J.P. É sério. Vou matá-lo.

Nem percebi que tinha dito isso em voz alta, até Lilly estender a mão, agarrar o meu pulso e dizer:

"Mia. Não. Não faça isso."

Olhei pra ela, assustada.

"O que não é pra eu fazer?"

"Não fala nada disso pra ele. Mesmo. A culpa é minha. Eu... eu meio que sempre soube que ele não me amava."

"*O quê?*", já ouvi isso antes. Quando vítimas de namorados babacas se culpam por coisas que o cara fez por conta própria.

Mas eu nunca pensei que LILLY, entre todas as pessoas, seria uma delas.

"Como *assim* você sabia? Obviamente não sabia, Lilly, senão não teria..."

"Não, é verdade", Lilly disse com a voz rouca de tantas lágrimas. "Quando ele não respondeu que também me amava, desconfiei de que tinha alguma coisa errada. Mas eu... bom, foi como você disse. Eu achei que ele poderia aprender a me amar. Então continuei com ele, em vez de terminar tudo, como deveria ter feito. Não é culpa dele. Ele tentou, Mia. Realmente tentou. Na verdade, foi mesmo muito legal da parte dele não deixar a coisa ir mais pra frente do que foi. Ele realmente podia ter se aproveitado. Mas não se aproveitou."

Não pude evitar dizer:

"Então, espera. Isso significa que vocês dois nunca..."

Os olhos da Lilly se apertaram.

"Bela tentativa, PDG", disse. "Estou chateada, mas não acabada. Ainda temos uma eleição presidencial para planejar, sabe?"

Larguei a cabeça no tampo da carteira.

"Lilly", eu disse. "Não vou conseguir. Não vou mesmo. Você não está vendo que eu estou destruída?"

"Bom, eu também estou destruída", Lilly disse, na defensiva. "Mas ainda estou OPERANTE. As mulheres precisam dos homens como os peixes precisam de bicicletas."

Eu realmente detesto esse ditado. Aposto que os peixes totalmente iam querer ter bicicletas se tivessem pernas.

Então, com uma voz mais gentil, Lilly completou:

"Olha, PDG, sobre você e o meu irmão, sinto muito."

"Obrigada", respondi. E todas as lágrimas que eu achei que tinha conseguido segurar no refeitório voltaram com tudo.

"Mas não entendo", Lilly disse.

"Claro que não entende", falei, cheia de tristeza, para o tampo da carteira. "Você é irmã dele. Está do lado dele."

"Posso ser irmã dele", Lilly respondeu, "mas também sou sua melhor amiga. E simplesmente me parece um desperdício idiota. Sei que você está brava com ele, mas fala sério... o que ele fez de tão errado assim? Ele transou com a Judith Gershner. Grande coisa. Até parece que ele fez isso ENQUANTO vocês estavam juntos."

"Isso É um problema", insisti. "É só que... eu nunca pensei que Michael, logo ele, fosse fazer algo assim. Ir pra cama com alguém que ele nem amava. E depois MENTIR pra mim a respeito disso. E eu SEI que você acha que sou só eu forçando as minhas crenças pra cima dele. Mas eu sempre acreditei que ele e eu compartilhávamos as mesmas crenças. E agora eu descubro que ele é mais... bom, que ele é mais parecido com *Josh Richter* do que comigo!"

"Josh Richter?" Lilly revirou os olhos. "Ah, faça-me o favor. Como é que o meu irmão pode ser DE LONGE parecido com Josh Richter?"

"Porque ir pra cama com uma menina que ele nem ama... isto é o que Josh Richter faz."

"Só seria uma coisa que Josh Richter faz se a menina fosse apaixonada por ele e ele a tivesse usado e ela ficasse magoada."

Ergui a cabeça para encará-la.

"Você está falando como aconteceu com você e J.P.?", perguntei, tentando parecer o mais preocupada possível.

Mas Lilly só ficou olhando pra mim com raiva.

"Bela tentativa, Mia", repetiu. "Mas eu não vou cair nessa."

Droga.

"Mia", falou. "Você não pode ficar toda acabada só porque Michael ficou com outras meninas antes de você. Isso é a maior IDIOTICE."

Agora *eu* apertei os olhos para *ela*.

"Como assim MENINAS?"

"Bom, tipo a menina do curso de hebraico..."

"QUE MENINA DO CURSO DE HEBRAICO?", falei tão alto que Boris chegou a colocar a cabeça pra fora do almoxarifado pra ver o que estava acontecendo.

"Relaxa", Lilly disse, enjoada. "Eles só ficaram. E ele estava, tipo, na nona série ou algo assim."

"Ela era bonita?", perguntei. "Quem era? O que eles fizeram?"

"Você", Lilly começou, "está precisando fazer terapia. Será que agora a gente pode falar um pouco sobre alguma coisa que não sejam as nossas desgraças amorosas? Porque precisamos trabalhar no seu discurso."

Fiquei olhando pra ela sem entender nada.

"O meu o quê?"

"O seu discurso. Você acha que só porque nós terminamos nossos namoros não vamos mais ser capazes de aprimorar nosso ambiente acadêmico, levando nossos colegas a um futuro melhor?"

"Não", respondi. "Mas..."

"Que bom. Porque você sabe que vai ter que fazer hoje o discurso para presidente do conselho estudantil no auditório, certo?"

Engoli em seco. Bem forte.

"Lilly", falei. "Isso não vai acontecer."

"Você não tem escolha, PDG", Lilly respondeu. "Eu dei uma folga para você nesta semana por causa da coisa toda do Michael. Mas essa parte eu não posso fazer no seu lugar. Você vai ter que chegar lá e falar. Achei que não tinha preparado nada, então tomei a liberdade de escrever o discurso." Ela empurrou um pedaço de papel na minha direção — todo coberto com a menor letra da Lilly. "No geral, são as respostas às perguntas colocadas nas mesas do refeitório. Sabe como é, o que fazer se um furacão de categoria cinco atingir Nova York ou se houver um ataque com bomba atômica. Nada de novo. Pelo menos não para você. Acho que vai ser moleza."

"Se eu fizer isso", perguntei, meio atordoada — será que eu estava sofrendo os efeitos do *bacon*? —, "você vai me contar, certo? Se você e J.P. fizeram Aquilo durante o verão?"

"Esta é a sua única motivação para concorrer?", Lilly perguntou.

"É", respondi.

"Meu Deus, que coisa mais ridícula. Mas, sim, vou contar. Sua fracassada."

Não me ofendi com isso, porque ela tem razão. Eu SOU uma fracassada. E ela nem sabe o quanto.

Além do mais, eu sei que, por baixo da bravata da Lilly, ela está obviamente sofrendo por dentro. Como não poderia estar? Ela adorava J.P. de um jeito que eu nunca a vi ficar por outro cara.

Fala sério, como é que J.P. foi capaz de fazer isso com ela? Achei que ele era um cara legal. Achei mesmo.

Mas agora, sinceramente, não sei como vou conseguir ser amiga dele. Muito menos parceira de laboratório.

Sexta, 10 de setembro, Química

J.P. está se comportando como se nada tivesse acontecido! Como se não soubesse que eu sei sobre ele e Lilly! Ele perguntou:

"E aí, Mia. Tudo bem?", quando se sentou ao meu lado, todo preocupado comigo. Comigo! Sendo que *ele* acabou de pisotear o coração da minha melhor amiga!

Fiquei tão chocada que só respondi:

"Tudo", completamente esquecendo a decisão que eu havia tomado no corredor, a caminho da aula: nunca mais vou falar com J.P.

E, tudo bem, a culpa não é necessariamente dele por não amar a Lilly. Mas ele podia ter dito a ela antes — tipo lá em maio, quando ela disse a ele pela primeira vez que o amava —, em vez de ficar enrolando todo esse tempo.

Ah... Kenny está me passando um bilhete.

> *Mia... sinto muito por saber que você e Michael terminaram. Se tiver alguma coisa que eu possa fazer pra você se sentir melhor, por favor me diga. — Kenny* ☺

Kenny é um amor. Não acredito que ele não tem namorada. Ei, quem sabe Lilly...

Bom, tudo bem. Provavelmente não. Ele realmente não é o tipo dela, tendo em vista que pesa menos do que ela.

Obrigada, Kenny. Você me ajudar a entender todo esse negócio de química é a única coisa em que posso pensar neste momento. Vou ficar mesmo muito agradecida com a sua ajuda.

Sem problema, Mia! Tô sempre aqui pra te ajudar. Talvez, se você não for fazer nada hoje à noite, possa ir lá em casa e eu te ajudo a entender o número de Avogadro. Porque eu reparei que você pareceu meio confusa com isso. Além do mais, a minha mãe acabou de passar no açougue, então vai ter um monte de bacon, e eu ouvi dizer que agora você come isso.

Há! Está vendo? Ele é um cara muito legal. Ele **TOTALMENTE** precisa de uma namorada. Quem sabe ele e Perin possam se dar bem???

Ah, muito obrigada, Kenny, é muita gentileza sua, mas hoje à noite eu não posso. Realmente ainda não estou a fim de entender o número de ninguém.

Bom, fica aí o convite! Você não precisa se intimidar com a química, de verdade. É fácil... só precisa prestar atenção.

Que bom saber! Obrigada de novo.

Surpreendente.

Ai, meu Deus. J.P. acabou de me passar um bilhete! Como é que ele **PÔDE** fazer isso? Quer dizer, não é possível que ele não saiba que estou aborrecida com ele neste momento. Ele sabe que Lilly faz superdotados & talentosos comigo depois do almoço. Ele tem que saber que ela me contou o que ele fez. Como ele tem coragem de me passar um bilhete? Como ele tem **CORAGEM**?

Bom, eu não vou responder. Não vou. Vou ficar com os olhos grudados no quadro. Química é importante, sabe como é. Até as princesas precisam saber isso. Por algum motivo.

Mesmo assim... do que ele está falando? O que é tão surpreendente?

O que é surpreendente?

Não acredito que eu fiz isso! Não acredito que eu respondi! Qual é o meu PROBLEMA?

> Que você só está solteira há, o quê? Menos de 24 horas? E os lobos já estão à caça.

!!!!O QUÊ???? Do que ele está falando? Ah, espera, o KENNY? J.P. bateu a cabeça ou o quê?

Kenny não é lobo nenhum. Só está querendo ser legal.

> Pode ficar repetindo isso para si mesma, se assim você se sente melhor. Mas como é que você está, DE VERDADE?

Há! Bom, foi ele quem pediu.

Como é que eu estou? Vou dizer como eu estou. Estava bem melhor antes de você terminar com a minha melhor amiga!!!!

Vamos ver como ele responde a ISSO.

> Ah. Ela te contou.

Claro que contou!!!! O que você acha???? Lilly e eu contamos tudo uma pra outra. Bom, QUASE tudo. J.P., como você pôde fazer isso com ela?

> Sinto muito. Eu não queria fazer. Eu gosto da Lilly, de verdade. Só que não é do mesmo jeito que ela gosta de mim.

Ela não GOSTAVA simplesmente de você, ela AMAVA você. Ela disse isso em maio. Se você sabia que não a amava, por que não falou na época? Por que ficou enrolando tanto tempo?

> Sinceramente, não sei. Acho que eu estava torcendo para os meus sentimentos mudarem. Mas nunca mudaram. E hoje, quando

eu vi a maneira como ela tratou você... bom, percebi que nunca iam mudar.

Viu como ela me tratou? Do que você está FALANDO?

Ela foi péssima com você no almoço. Sobre o que aconteceu com você e Michael.

O quê???? Não foi nada assim!!!

Mia, ela comparou o fato de você ter terminado com Michael por ter mentido com os juízes fundamentalistas do Irã, que determinam que mulheres adúlteras sejam apedrejadas até a morte.

Ah, ISSO. Mas é só o jeito da Lilly. Ela... Quer dizer, ela é assim.

Bom, é alguém com quem eu não quero estar. Isso mostra uma enorme ausência de compaixão que eu, sinceramente, considero imperdoável.

Espera... Então você está dizendo que terminou com a Lilly por causa de MIM?

Bom... em parte. Estou sim.

Ah, que maravilha. Isso é mesmo uma MARAVILHA. Como se as coisas já não estivessem bem ruins. Agora eu também vou ter que carregar a culpa pela Lilly estar de coração partido?

J.P., esse é simplesmente o JEITO da Lilly. Eu estou ACOSTUMADA com isso. Não me incomoda.

Mas DEVERIA incomodar. Você merece ser tratada de uma maneira melhor. Acho que muita gente trata você mal com fre-

> quência. Você ignora, dizendo que "é só o jeito da pessoa". Mas isto não faz com que o comportamento dela seja correto, Mia. É por isso que eu acho que você ter tomado uma posição contra o que o Michael fez com você é um verdadeiro passo adiante na sua vida.

Do que é que ele está FALANDO?

Eu não deixo as pessoas me tratarem mal! Eu já até quebrei o celular da Lana uma vez... Bom, você não estava presente. Mas eu quebrei.

> Não estou dizendo que você NUNCA se defende. Só estou dizendo que parece que muita gente se aproveita de você. Você está sempre pensando o melhor das pessoas — como o Kenny, com a tentativa explícita dele de botar as garras em cima de você, sendo que está solteira há menos de 24 horas.

!

Eu já disse que Kenny só me considera amiga dele!

> Certo. Pode ficar aí repetindo isso. Mas fico feliz de você finalmente ter tomado uma atitude em relação ao Michael. Eu gosto dele, mas foi errado ele mentir pra você a respeito do histórico sexual dele. Acho que a sinceridade é o ingrediente principal em um relacionamento. E se Michael não pôde ser sincero com você em relação a uma coisa tão básica quanto as meninas com quem saiu antes de você, qual era a chance real de vocês ficarem juntos a longo prazo?

Uau! FINALMENTE alguém que entende! Talvez J.P. não seja assim tão mau, no fim das contas. Quer dizer, é verdade que ele deu um fora na Lilly — e na ESCOLA, ainda por cima.
Mas parece que ele sabe bem quais são as suas prioridades.

> Só espero que você e eu possamos continuar amigos. Não quero que você fique pensando mal de mim porque eu terminei com a Lilly. Eu detestaria que isto afetasse a NOSSA amizade. Porque eu considero você uma amiga próxima, Mia... uma das melhores que eu já tive.

Ai, meu Deus! Que amor!

Obrigada, J.P.! Pra mim você é a mesma coisa. Nem posso dizer quanto significa você estar do meu lado nisso tudo, e não no do Michael. Acho que muitos meninos FICARIAM do lado dele. Simplesmente parece que eles não entendem que a sua virgindade é a coisa mais preciosa que você tem pra dar para o seu único e verdadeiro amor. Se você desperdiça com alguém que não é importante, daí não tem nada para dar pra pessoa que REALMENTE considera importante quando a hora chega.

> Exatamente. E foi por isso que eu me guardei.

!!!! O J.P. é virgem!!!!!

Uau. Ele e eu temos MESMO muita coisa em comum.

Além do mais... isso significa que Tina está errada: ele e Lilly nunca fizeram Aquilo!!!!!!!!!!

Mas não vou contar pra Lilly que eu sei a verdade. Ela já teve decepções suficientes por um dia. Vou deixar que ela se divirta mais um pouco achando que está me enrolando. É o mínimo que posso fazer, levando em conta que é MINHA culpa que ela e J.P. tenham terminado.

Só espero que ela nunca descubra.

Sexta, 10 de setembro, Pré-Cálculo

Ai, meu Deus. Ai, meu Deus. Ai, meu Deus. O que aconteceu agora há pouco realmente aconteceu ou foi imaginação minha?

Não PODE ter acontecido, porque é esquisito demais pra realmente ter acontecido.

Só que... só que eu acho que aconteceu de verdade!

Vou vomitar. Vou mesmo. *Por que* eu fui comer aquele cheeseburguer com bacon no almoço?

Meus dedos tremem tanto que mal consigo escrever... mas preciso registrar de algum modo... Certo, lá vai:

Agora eu sei o que Michael quis dizer quando disse que *ia dar uma passada pra tentar explicar*. Ele estava dizendo que ia vir AQUI NA ESCOLA.

E chegou à porta da aula de química do sétimo tempo bem quando eu estava saindo com J.P. Só que, no começo, eu não reparei que ele estava lá. Michael, quer dizer.

Pelo menos não até J.P. — que, tenho certeza, também não tinha reparado no Michael — dizer:

"Amigos", pra mim, e eu respondi: "Claro que sim!", e daí, ele disse: "Um abraço?"

E eu fiquei, tipo:

"Por que não?" E dei um abraço nele.

E fiquei tão... sei lá. EMOCIONADA pela maneira como J.P. estava triste, por ter terminado com Lilly e tal, que, antes que eu me desse conta, estava BEIJANDO o J.P.

A minha intenção era só dar um beijo na bochecha dele. Mas ele virou a cabeça. E eu acabei dando um beijo na boca dele.

Não foi um beijo de língua, nem nada. E foi só um segundo.

Mesmo assim. Eu o beijei. Na boca.

Não teria sido nada demais — tenho certeza de que não —, se não fosse pelo fato de que, quando eu tirei os braços do pescoço dele e me virei — toda envergonhada, porque eu NÃO TINHA a intenção de beijá-lo. Ou pelo menos não exatamente — Michael estava ali.

Simplesmente parado, no meio do corredor cheio de gente, com cara de atordoado.

Tantas coisas passaram pela minha cabeça quando me virei e vi Michael lá parado, olhando pra mim. Felicidade, primeiro, porque sempre fico feliz de ver Michael. Depois, dor, quando me lembrei do que ele fez comigo, e como agora estamos separados. Depois, surpresa, por não saber que diabos ele estava fazendo em uma escola na qual já havia se formado.

Daí percebi que ele estava lá para *tentar explicar*, como dizia na mensagem dele.

E daí eu vi a expressão dele, e vi o olhar dele ir e voltar do meu rosto para o rosto do J.P. — coitado do J.P., que estava lá parado, imóvel como uma estátua, com a mão que tinha colocado na minha cintura quando eu fiquei na ponta dos pés para dar um beijo nele ainda suspensa, como se tivesse se esquecido de como se mexer ou algo assim!

E eu percebi EXATAMENTE o que ele estava pensando.

Daí, só me senti confusa. Porque Michael só podia pensar... bom, que estava rolando alguma coisa entre mim e J.P.

Mas não era verdade, é claro.

"Michael", falei.

Mas já era tarde demais. Porque ele já estava *dando meia-volta e indo embora.*

Indo embora, como se de repente tivesse percebido que cometeu um erro enorme, gigantesco, de ter se dado o trabalho de vir falar comigo!

Não dava pra acreditar! Parece que eu nem era tão importante a ponto de ele ficar lá pra brigar comigo! Ele nem ficou pra dar um soco na cara do J.P., por ter se aproveitado da garota dele!

Acho que é porque eu não sou mais a garota dele.

Além do mais, acho que eu não devia ter ficado tão surpresa. Quer dizer, quando Michael me viu fazendo aquela dança sensual com J.P. na festa que ele deu no ano passado, ele nem falou nada.

Mas também não tinha me ignorado completamente depois, como está fazendo agora.

Ai, meu Deus, nem posso pensar nisso. Achei que escrever ia me ajudar, mas não ajudou. Meus dedos CONTINUAM tremendo enquanto escrevo.

O que está acontecendo comigo? Meu estômago realmente está revirado. Não pode ser o cheeseburguer... Já faz horas! Além do mais, a enfermeira me deu aqueles antiácidos...

POR QUE ele não DISSE NADA? EU ESTAVA BEIJANDO OUTRO HOMEM. É de pensar que ele pelo menos diria ALGUMA COISA, mesmo que só fosse:

"Tchau, para sempre."

Tchau para sempre. Ai, meu Deus. Ele vai viajar hoje à noite. Para sempre.

E ele estava tão BONITO ali parado, tão alto e forte, com o pescoço recém-barbeado. (Acho. Não tive exatamente oportunidade de ir até lá conferir. Ou dar uma cheirada. Ai, meu Deus! Como eu sinto saudade do cheiro do pescoço do Michael! Se eu desse uma cheiradinha agora, aposto que ia parar de tremer, e meu estômago iria parar de revirar.)

Ele parecia tão chocado... tão magoado...

Ai, meu Deus, acho que vou mesmo vomitar...

Sexta, 10 de setembro, na limusine, a caminho do Four Seasons

Vomitei na enfermaria. Lars conseguiu me levar até lá bem a tempo.

Não sei o que deu em mim. Só estava lá sentada na aula de pré-cálculo, escrevendo no meu diário, e de repente me lembrei da expressão chocada do Michael quando me virei depois de dar um beijo no J.P. e comecei a me sentir toda suada, e o Lars, que estava sentado do meu lado, falou:

"Princesa? Tudo bem?", todo assustado, e eu respondi:

"Não", e, antes que eu me desse conta, Lars já tinha me pegado pelo braço e tínhamos saído pela porta na direção da enfermaria, onde eu vomitei o que parecia ser o cheeseburguer com bacon inteiro que eu havia engolido na hora do almoço.

A enfermeira Lloyd verificou a minha temperatura e disse que estava normal, mas que tinha um rotavírus por aí, e eu provavelmente tinha pegado. Ela disse que eu não podia ficar na escola, senão iria infectar todo mundo.

Ela ligou lá pra casa, mas não tinha ninguém. Eu podia ter dito isso a ela. Neste semestre, o Sr. G só trabalha meio-período às sextas, então tinha ido pra casa mais cedo. Ele e a minha mãe provavelmente tinham ido pra Nova Jersey assistir a qualquer coisa que estivesse passando na matinê de cinco dólares, e depois passariam no Sam's Club pra fazer um estoque de fraldas pro Rocky, que era a tradição dos dias de trabalho de meio-período deles.

Então Lars resolveu me levar para o hotel da Grandmère, já que achou que eu não devia ficar sozinha em casa no meu estado atual.

Parece que estar doente e ficar na companhia da Grandmère é preferível a ficar doente no conforto da minha própria cama. Não consigo enxergar a lógica disto, mas estava fraca demais pra reclamar.

Não tive coragem de dizer à enfermeira Lloyd que o meu problema não é vírus nenhum. O meu problema é a síndrome de "comer carne demais depois de uma vida inteira de abstinência porque o meu namorado deu o dom precioso dele pra outra pessoa e vai se mudar para o Japão hoje à noite".

Mas, assim como acontece com o rotavírus, não existe remédio que possa ser tomado pra fazer passar.

Principalmente quando o problema vem acompanhado de um "acabei de beijar o ex-namorado da minha melhor amiga e o *meu* ex-namorado me viu fazendo isso".

A parte mais triste de tudo é que a primeira pessoa pra quem eu quis ligar quando percebi que estava sendo enxotada da escola por estar doente foi... Michael. Porque só de falar com Michael eu sempre me senti melhor.

Mas não posso ligar pra ele. Nunca mais vou poder ligar pra ele. Porque o que eu vou DIZER pra ele depois do que aconteceu?

Realmente é muito bom o fato de esta limusine ter seus próprios saquinhos pra vômito.

Sexta, 10 de setembro, 15h, no Four Seasons

Grandmère é a pior pessoa para se estar por perto quando você não está se sentindo bem. Por ser uma Cylon, ela, obviamente, nunca fica doente — ou pelo menos nunca se lembra de como era quando ela DE FATO ficava doente — e não tem a menor compaixão por pessoas que não estejam se sentindo bem.

Pior ainda, ela ficou animada DEMAIS ao saber que Michael e eu tínhamos terminado.

"Eu sempre soube que Aquele Rapaz causaria problemas", ela disse, toda alegrinha, quando expliquei por que apareci na suíte dela no meio da tarde, supostamente acometida de uma doença altamente contagiosa. "Não estou doente, Grandmère", falei. "Só estou triste."

Porque o problema é que eu não deixei de amar Michael. Então, em vez de concordar com ela que ele causava problemas, eu só fiquei tipo:

"Você não sabe do que está falando", e fui me sentar no sofá dela e puxei Rommel para o meu colo, para me reconfortar.

É. Esse era o meu estado. Eu estava recorrendo ao ROMMEL, um poodle toy, em busca de conforto.

"Ah, não tem nada de ERRADO em relação ao Michael", Grandmère prosseguiu. "Só que ele é um plebeu. Bom, conte. O que ele fez? Deve ter sido alguma coisa bem horrível para você ter tirado Aquele Colar."

A minha mão foi até o espaço vazio no meu pescoço. Meu colar! Eu nem tinha percebido como estava sentindo falta dele — como era estranho não estar usando — até aquele momento. O colar do Michael tinha sido uma espécie de ponto de discordância entre Grandmère e eu. Ela sempre queria que eu usasse as joias reais genovianas para os bailes e as funções a que eu comparecia, mas eu nunca tirava o colar do Michael, e digamos apenas que Grandmère não era exatamente partidária do visual de colares sobrepostos.

Bom, acho que um floco de neve de prata em uma corrente não vai exatamente muito bem com uma gargantilha de diamantes e safiras.

Achei que não ia adiantar nada esconder a verdade de Grandmère, já que ela daria mesmo um jeito de arrancar tudo. Então despejei:

"Ele foi pra cama com Judith Gershner."

Grandmère parecia felicíssima. Bom, é A CARA DELA.

"Ele traiu você! Bom, não faz mal. Há muitos peixes no mar. Que tal aquele garoto simpático que participou da minha peça, o rapaz Reynolds-Abernathy? Ele seria um consorte adorável para você. Que rapazinho mais simpático. Tão alto, loiro e bonito!"

Simplesmente ignorei o comentário. O que eu poderia ter respondido? Às vezes fico me perguntando se todo mundo nesta família perdeu o juízo.

Na verdade, eu SEI que sim.

Em vez disso, falei:

"Michael não me traiu. Ele foi pra cama com Judith Gershner antes de a gente começar a namorar."

"Ela é aquela menina com cara de mosca-varejeira?", Grandmère perguntou. "Dá para ver por que você se aborreceu com isso. Que tênis pretos horrorosos!"

"Grandmère." Fala sério. Qual é o PROBLEMA dela? "Não tem a ver com a APARÊNCIA dela. É que Michael MENTIU pra mim sobre isso. Eu perguntei a ele se estavam saindo, e ele disse que não. Além do mais, ele nem AMAVA a Judith. Que tipo de pessoa dá o seu dom precioso pra alguém que nem AMA?"

Grandmère só ficou lá olhando pra mim. Parecia confusa.

"O precioso o que dele?"

"DOM." Caramba, como ela consegue ser tapada. "O DOM PRECIOSO DELE. A gente só tem UM. E ele deu o dele pra JUDITH GERSHNER, uma menina de quem nem GOSTAVA. Ele devia ter esperado. Devia ter dado pra MIM."

Não mencionei a parte sobre como ele havia acabado de me pegar beijando outro menino. Porque realmente não parecia ser pertinente ao assunto em questão.

Grandmère só pareceu ainda mais confusa.

"Esse dom era alguma espécie de dote? Porque as regras de etiqueta estabelecem que quando um rapaz lhe dá seu dote, você só pode ficar com ele durante o tempo em que a relação durar, e deve ser devolvido mediante a dissolução do noivado."

"O dom precioso dele não é um ANEL, Grandmère", falei, lutando para manter a paciência. "O dom precioso dele é a VIRGINDADE."

Grandmère ficou só me encarando, atordoada.

"A *virgindade* dele: virgindade não é DOM. Não dá nem para USAR!"

"Grandmère", disse. Não dá pra acreditar que ela é tão antiquada. Bom, não é de surpreender que ela não faça ideia do que estou falando. Eu estava ouvindo "Dance, Dance" no meu iPod outro dia, e ela escutou e disse que era "animado", e perguntou quem cantava e, quando eu respondi Fall Out Boy, ela me acusou de estar mentindo e disse que ninguém colocaria um nome assim tão idiota em uma banda. Tentei explicar a ela que o nome vinha do Bart do desenho animado *Os Simpsons*, e ela só ficou, tipo: "BART QUEM? Você está falando da WALLIS SIMPSON? Ela não tinha nenhum parente chamado Bart. Que eu saiba."

Tá vendo? Ela não tem jeito.

"Sua virgindade é um dom precioso que você só deve dar à pessoa que ama", expliquei lentamente, para que ela entendesse. "Só que Michael deu o dele para Judith Gershner, uma menina que ele não amava e com quem, na verdade, diz que só estava 'se divertindo'. Então agora ele não tem dom para dar pra mim, a menina que ele diz amar, porque DESPERDIÇOU o dele com uma pessoa com quem não estava nem aí."

Grandmère sacudiu a cabeça.

"Aquela senhorita Gershner lhe fez um FAVOR, mocinha. Você devia estar beijando os pés dela. Nenhuma mulher deseja um amante inexperiente. Bom, tirando, aparentemente, todas as professorinhas loiras que eu vivo vendo no noticiário, que vão para a cama com os alunos de 14 anos. Mas, devo dizer, todas elas me parecem ter desequilíbrio mental. Mas que diabos elas CONVERSAM com esses garotinhos? Porque certamente não é por isso que as calças deles caem. Diga, Amelia, por que isso é considerado tão interessante? O que há de tão interessante em um rapazinho cujas calças ficam na altura dos joelhos?"

Eu não consegui encontrar nenhuma resposta pra isso. Por que, afinal, o que se pode DIZER a isso?

"De todo modo", Grandmère prosseguiu, sem nem notar que eu não tinha dito nada. "Aquele Rapaz não vai se mudar para o Japão, de todo modo?"

"Vai", respondi. E, como sempre, meu coração se contorceu à menção da palavra *Japão*. O que só serve para provar que:
- ↳ Eu ainda tenho coração e
- ↳ Eu ainda amo Michael, apesar de todos os meus esforços para não o amar. Quer dizer, como é que podia não o amar?

"Bom, então qual é o problema?", Grandmère perguntou, toda alegre. "Você provavelmente nunca mais vai vê-lo."

Foi aí que eu me desmanchei em lágrimas.

Grandmère ficou bastante assustada com esse desfecho. Quer dizer, eu simplesmente fiquei lá sentada, gemendo. Até Rommel colocou as orelhas pra trás e começou a ganir. Não sei o que teria acontecido se meu pai não tivesse chegado bem naquele momento.

"Mia!", ele disse quando me viu. "O que você está fazendo aqui tão cedo? E qual é o problema? Por que diabos você está chorando?"

Mas eu só sacudi a cabeça. Porque não conseguia parar de chorar.

"Ela terminou com Aquele Rapaz", Grandmère teve que gritar para poder ser ouvida por cima dos meus soluços. "Não sei por que ela está deste jeito. Eu já disse que é melhor assim. Ela vai ficar muito melhor com aquele garoto, Abernathy-Reynolds. Que rapaz tão alto, loiro e bonito! E o pai dele é tão rico!"

Isso só me fez chorar mais, por me lembrar de como eu havia beijado J.P. no corredor, bem na frente do Michael. Claro que essa não era a minha intenção — mas que diferença fazia? O estrago estava feito. Michael nunca mais falaria comigo. Eu simplesmente tinha certeza disto.

O fato de eu estar tão desesperada, querendo que ele falasse, apesar de tudo o que tinha acontecido entre nós, era o que me fazia chorar mais ainda.

"Acho que eu sei do que ela precisa", Grandmère prosseguiu, já que eu não parava de gemer.

"Da mãe dela?", meu pai perguntou, esperançoso.

Grandmère sacudiu a cabeça.

"De uísque. Funciona toda vez."

Meu pai franziu a testa.

"Acho que não. Mas pode pedir para a sua camareira trazer um chá quente. Talvez ajude."

Grandmère não parecia muito esperançosa, mas foi chamar Jeanne para que ela pedisse um chá, enquanto meu pai ficou lá parado, olhando pra mim. Meu pai na verdade não está acostumado a me ver chorando deste jeito. Quer dizer, eu já chorei na frente dele um montão de vezes — a última vez foi durante o verão, quando estávamos em uma função de Estado em um palácio quando eu estava de tiara e bati a cabeça em uma viga baixa de um teto e os pentes se enfiaram no meu couro cabeludo como se fossem facas.

Mas ele não está acostumado a me ver tendo ataques emotivos dramáticos, porque, durante a maior parte dos últimos anos, com algumas poucas exceções notáveis, as coisas têm andado bem boas, e eu tenho conseguido me comportar bem.

Até agora.

Eu não parava de chorar, e de pegar lenços de papel da caixinha na ponta da mesa ao lado do sofá. Entre gemidos, a coisa meio que foi saindo, sobre o dom precioso e Judith Gershner e o colar de floco de neve e como Michael tinha ido até a escola falar comigo e, em vez disto, me viu beijando J.P.

Preciso admitir: meu pai ficou bem transtornado. Eu não costumo realmente falar, sabe como é, sobre sexo com o meu pai, porque, hm, eca.

E dava pra ver que a história do dom precioso o estava deixando apavorado porque ele afundou na ponta do sofá, como se tivesse perdido a capacidade de ficar em pé. E só ficou lá sentado, ouvindo o que eu tinha a dizer, até que eu finalmente me acalmei um pouco e não consegui mais falar, só fiquei lá sentada, assoando o nariz, chorando um pouco menos.

Só quando eu limpei a maior parte do catarro do meu rosto é que meu pai conseguiu pensar em algo pra dizer. E, quando falou, NÃO foi o que eu esperava:

"Mia", meu pai disse, em tom soturno. "Acho que você está cometendo um erro."

Não dava pra acreditar! Basicamente eu tinha acabado de contar pra ele que o Michael é um galinha! Seria de pensar que qualquer pai iria querer que eu ficasse longe de um galinha! Como ASSIM um erro?

"O amor romântico de verdade não acontece assim com tanta frequência", ele prosseguiu. "Quando acontece, é tolice jogar fora por causa de alguma coisa boba que o objeto da sua afeição fez antes mesmo de vocês começarem a namorar."

Só fiquei olhando pra ele. Acho que não foi minha imaginação: ele estava mesmo parecendo o rei dos elfos de *O Senhor dos Anéis*.

Se o rei dos elfos fosse totalmente careca, quer dizer.

"É uma tolice ainda maior você deixar alguém por quem tem sentimentos tão fortes simplesmente ir embora — pelo menos deixar que vá sem lutar. Isso foi algo que eu fiz uma vez", meu pai prosseguiu depois de limpar a garganta. "E eu sempre me arrependi, porque a verdade é que nunca mais encontrei ninguém por quem eu me sentisse assim. Não quero ver você cometendo o mesmo erro, Mia. Então pense, mas *pense* de verdade, sobre o que você está fazendo. Eu gostaria de ter pensado."

Então se levantou para ir à reunião dele na ONU.

Eu só fiquei lá sentada, totalmente abobada. Será que aquele discurso devia ter me AJUDADO? Porque não ajudou mesmo.

O meu pai devia ter simplesmente pedido ao Lars para atirar em mim. Essa seria a única maneira de esta tristeza acabar.

Sexta, 10 de setembro, no Four Seasons

O chá chegou. Grandmère me obrigou a servir. Está falando a respeito de alguma discussão que teve com Elizabeth Taylor sobre terninhos serem ou não vestimentas adequadas para uma mulher comparecer ao chá da tarde. Elizabeth Taylor acha que sim. Grandmère acha que não (ah, mas que surpresa).

Alguma coisa está me incomodando. Quer dizer, alguma coisa além do fato de eu e meu namorado termos terminado porque ele foi pra cama com Judith Gershner, e que há mais ou menos uma hora ele me pegou agarrando (bom, mais ou menos) o ex-namorado da minha melhor amiga.

Não consigo parar de pensar no discurso do meu pai. Sabe, aquele sobre como uma vez ele deixou uma pessoa de que gostava muito ir embora sem lutar. Ele simplesmente parecia tão... triste.

E meu pai realmente não é o tipo de cara que fica triste. Quer dizer, por acaso VOCÊ ficaria triste se fosse príncipe e tivesse o número do celular particular da Gisele Bündchen?

E foi por isso que eu interrompi o papo da Grandmère a respeito dos terninhos para perguntar se ela sabia do que o meu pai estava falando.

"Alguém de quem ele gostava muito e deixou ir embora sem lutar?" Grandmère parecia pensativa. "Hmmm. Pode ter sido aquela dona de casa desesperada..."

"Grandmère", reclamei. "Aquela coisa na US Weekly sobre o papai saindo com Eva Longoria foi só um boato."

"Ah. Bom, então não faço ideia. A única mulher que eu já o vi mencionar mais de uma vez foi sua mãe. E isso, obviamente, porque ela é sua mãe. Se não fosse você, é claro que ele nunca mais teria falado com ela, depois que ela recusou o pedido de casamento dele. O que, é claro, foi o erro mais idiota que ELA já cometeu. Dizer não para um príncipe? *Pfuit!* Claro que, no fim, foi bom. Sua mãe nunca teria se encaixado no palácio. Passe o adoçante, por favor, Amelia."

Meu Deus. Que coisa esquisita. Quem pode ter sido, então? Quer dizer. De quem o meu pai deve ter gostado bastante e deixado ir embora? Quem...

Sexta, 10 de setembro, na escadaria na frente do Four Seasons

Não dá pra acreditar. Em como eu fui idiota, quer dizer.

Meu pai tentou me dizer. Bom, TODO MUNDO tentou me dizer. Mas eu simplesmente fui a maior IDIOTA...

Mas eu posso consertar isso. Eu SEI que posso. Só preciso falar com Michael antes que ele embarque, e vou dizer...

Bom, não sei o que vou dizer, mas vou descobrir quando o vir. Se puder cheirar o pescoço dele mais uma vez, eu sei — EU SEI — que tudo vai ficar bem.

E que vou saber o que dizer a ele quando o vir.

Se conseguir falar com ele antes do embarque. Porque estamos no meio da tarde e meu pai está com a limusine na ONU, e isto significa que Lars e eu vamos ter que pegar um táxi, só que não conseguimos achar um, porque parece que todos eles desapareceram, o que SEMPRE acontece quando realmente se precisa de um, e é por isso que seriados como *Sex and the City* são tão falsos, porque aquelas mulheres SEMPRE conseguem um táxi, e a verdade é que há muito mais pessoas precisando de táxis do que táxis e O QUE EU VOU DIZER PRA ELE????

Meu Deus, não dá pra acreditar em como eu fui idiota. Como fui estúpida e burra e ignorante e apressada no meu julgamento, e QUE DIFERENÇA FAZ???? Fala sério, que DIFERENÇA tudo isso faz se eu o amo, e nunca vou amar nenhuma outra pessoa, e até parece que ele me traiu e POR QUE NÃO TEM NENHUM TÁXI????

Saí correndo da suíte da Grandmère sem nem mesmo dar um tchau. Simplesmente gritei "estamos de saída!" para o Lars e disparei porta afora. Ele saiu correndo atrás de mim, com a expressão confusa. Só quando entramos correndo na recepção foi que eu consegui falar com a Lilly no celular, e fiquei, tipo:

"QUAL É A COMPANHIA AÉREA?"

E Lilly ficou, tipo:

"Do que você está falando?"

"DO VOO DO MICHAEL!!!", berrei.

"Continental", respondeu ela, parecendo confusa. "Espera! Mia, onde você está? A gente tem convocação no auditório... Você tem que fazer o discurso! O discurso para presidente do conselho estudantil!"

"Não posso!", berrei. "Isto é mais importante. Lilly, eu preciso falar com ele..."

Eu estava chorando de novo. Mas não estava nem aí. Eu andava chorando tanto que esse já tinha se transformado no meu estado natural. O que significa que, no fim das contas, talvez eu não seja niilista. Porque niilistas não choram.

"Lilly, eu só quero dizer a ele... só quero..." Só que, é claro, eu ainda não SEI o que quero dizer a ele. "Por favor, só me fala o horário que o voo dele sai."

Alguma coisa na minha voz deve tê-la convencido de que eu estava falando com sinceridade.

"Seis da tarde", Lilly disse, com um tom mais suave. "Mas ele provavelmente já foi para o aeroporto. É preciso fazer o check-in, tipo três horas antes para voos internacionais. Acho que uma pessoa que só viaja com o jato real de Genovia não deve saber disso."

Então ele já estava no aeroporto.

Mas eu não deixaria isso me impedir. Desliguei e corri pra fora, mandar o Lars chamar um táxi.

Daí liguei para o meu pai no número de emergência dele.

"Mia?", ele sussurrou quando atendeu. "O que foi? Qual é o problema?"

"Não tem problema nenhum", respondi. "Foi a mamãe?"

"Não tem nada de errado? Mia, esta linha é de emergência... Estou no meio da Assembleia-Geral... O comitê de desarmamento e de segurança internacional está falando neste momento. Eu sei que você está em uma situação difícil agora, com a perda do seu namorado, mas a menos que você esteja de fato se esvaindo em sangue, vou desligar."

"Pai, não desliga! Eu preciso saber", supliquei. "A pessoa que você disse que amava... A pessoa que você deixou ir embora sem lutar. Foi a mamãe?"

"Do que você está falando?"

"FOI A MAMÃE? Foi a minha mãe a pessoa que você amou e que se arrepende de ter deixado ir embora sem lutar? Foi, não foi? Porque ela disse que nunca queria se casar, e você TINHA que se casar para fornecer um herdeiro ao trono. Você não sabia que acabaria tendo câncer e que eu seria sua única filha. E você não sabia que nunca mais ia encontrar outra pessoa que amasse tanto quanto ela. Então você deixou que ela fosse embora sem lutar, não deixou? Era ela. *Sempre* foi ELA."

Por um instante, fez-se silêncio do outro lado da linha. Daí, ele disse:

"Não conte a ela", bem baixinho.

"Não vou contar, pai", respondi. Por causa das minhas lágrimas, eu mal conseguia enxergar Lars no meio-fio com o porteiro do Four Seasons, os dois agitando os braços freneticamente para táxis que passavam, todos cheios de passageiros. "Eu prometo. Só me diga mais uma coisa."

"Mia, eu realmente preciso desligar..."

"Você costumava cheirar o pescoço dela?"

"O quê?"

"O pescoço da mamãe. Pai, eu preciso saber... Você costumava cheirar o pescoço dela? E achava o cheiro bom demais?"

"Tinha cheiro de flores", meu pai respondeu, distante. "Como é que você sabia? Eu nunca contei isso a ninguém."

O cheiro do pescoço da minha mãe não tem nada a ver com flores. O pescoço da minha mãe cheira a Dove e terebintina. Ah, e café, porque ela toma muito.

Mas não para o meu pai. O meu pai não sente o cheiro de nada disso. Porque, pra ele, a minha mãe era a Mulher Certa.

Assim como o Michael é o meu Homem Certo.

"Pai", falei. "Preciso desligar. Tchau."

Desliguei bem quando Lars gritou:

"Princesa! Aqui!"

Um táxi! Finalmente! Estou salva!

Sexta, 10 de setembro, no táxi, a caminho do Aeroporto Internacional John F. Kennedy

Não acredito nisto. Não parece possível. Mas não há dúvidas: estamos no táxi do Ephrain Kleinschmidt.

É, o mesmo Ephrain Kleinschmidt em cujo táxi eu chorei tantas lágrimas amargas outra noite.

Ephrain deu uma olhada em mim pelo espelho retrovisor e disse assim: "você!"

Então tentou me entregar lencinhos de papel de novo.

"Não quero lencinho de papel!", berrei. "JFK!!! Leva a gente para o JFK o mais rápido possível!"

"JFK?", Ephrain repetiu, mal-humorado. "Já estou encerrando o expediente!"

Foi aí que Lars mostrou pra ele a arma que carregava. Bom, na verdade ele só estava pegando a carteira pra dizer que ia dar vinte dólares extras a ele se Ephrain nos levasse até o aeroporto em menos de vinte minutos.

Mas tenho bastante certeza de que a Glock dele falou mais alto do que a nota de vinte.

Ephrain nem hesitou. Pisou fundo. Bom, pelo menos até pararmos no primeiro sinal de trânsito.

Isso é uma tortura. Não vamos conseguir chegar, de jeito nenhum.

Só que nós TEMOS QUE chegar. Não posso deixar que Michael se vá — não sem lutar. Não posso acabar igual ao meu pai, sem ninguém especial na minha vida, saindo com uma modelo atrás da outra, por permitir que a pessoa que eu realmente amava fugisse por entre os meus dedos!

E, é claro, é possível que, quando eu chegar ao aeroporto, Michael diga algo tipo: "Vai embora." Porque, vamos encarar: eu estraguei tudo. Não que eu não tivesse direito de ficar magoada com o que Michael fez.

Mas acho que eu talvez devesse ter sido um pouquinho mais compreensiva e um pouquinho menos apressada em tirar conclusões.

Todo mundo TENTOU me dizer. Minha mãe. Tina. Lilly. Meu pai.

Mas eu não escutei.

Por que eu não escutei?

E POR QUE eu fui beijar J.P.???? POR QUE POR QUE POR QUÊ??????

A única coisa que posso fazer é tentar explicar. Que aquilo não significou nada... Que J.P. só é meu amigo. Que eu sou uma pessoa horrorosa e pavorosa, e que mereço ser castigada.

Mas meu castigo não pode ser Michael nunca mais falar comigo. QUALQUER coisa, menos isso.

E, mesmo que Michael fique, tipo, "Vai embora", pelo menos talvez assim eu consiga dormir hoje à noite. Porque eu vou ter tentado. Vou ter *tentado* ajeitar as coisas.

E talvez só saber que tentei já seja suficiente.

Lars falou, tipo:

"Princesa, acho que nós não vamos conseguir."

Isso porque, no momento, estamos empacados atrás de uma carreta na ponte.

"Não diga isso, Lars. Nós vamos conseguir. Nós TEMOS QUE conseguir."

"Talvez você deva ligar pra ele, dizer que estamos a caminho. Pra que ele não passe pelo controle de segurança por enquanto."

"Não posso LIGAR pra ele."

"Por que não?"

"Porque ele nunca vai atender se vir que sou eu. Depois do que ele viu na frente da sala de química?"

Lars ergueu as sobrancelhas.

"Ah", respondeu. "Certo. Tinha esquecido disso. Mas e se ele já tiver passado pelo controle de segurança?", Lars perguntou. "Você não vai poder entrar se não tiver uma passagem."

"Então eu compro uma passagem."

"Para o JAPÃO? Princesa, acho que não..."

"Eu não VOU para o Japão de verdade", garanti a ele. "Só vou até o portão de embarque pra falar com ele."

"Você sabe que eu não posso deixá-la ir sozinha."

"Compro uma passagem pra você também." Felizmente, estou com o meu American Express preto real genoviano para casos de emergência. Na verdade, nunca usei antes. Mas foi para ISTO que o meu pai me deu: emergências.

E essa é uma emergência, sem dúvida.

"Acho que você simplesmente devia ligar pra ele", Lars repetiu. "Pode ser que ele atenda. Nunca se sabe."

Olhei pra Lars bem nos olhos.

"Você atenderia?", perguntei. "Se fosse você?"

"Hm", ele respondeu. "Provavelmente não."

"Ei." Ephrain Kleinschmidt ficou olhando para nós pelo espelho retrovisor. Ele tinha saído de trás da carreta e estava avançando pela estrada com uma boa velocidade agora. "Não vou voltar. Estamos quase lá."

"Não vou ligar pra ele, Lars", repeti. "Só se não tiver mais opção. Quer dizer, a Arwen não *ligaria* para o Aragorn."

"Quem?"

"A princesa Arwen. Ela não *ligaria* para Aragorn. Algo assim requer um GESTO GRANDIOSO, Lars. Eu não sou nenhuma Arwen. Eu não salvei nenhum *hobbit* de perigos mortais, nem me sobrepujei a nenhum Espectro do Anel. Eu já tenho muita coisa contra mim: agi como uma idiota teimosa, beijei outro cara e não fiz nenhuma contribuição especialmente importante para a sociedade... bem diferente do que Michael vai fazer quando o braço cirúrgico robotizado dele revolucionar as operações cardíacas como as conhecemos. Eu sou só uma princesa."

"Mas Arwen não era só uma princesa?", Lars perguntou.

"Era, mas o cabelo dela não era tão ridículo quanto o meu está agora."

Lars olhou pra minha cabeça.

"É verdade."

Eu nem consegui ficar ofendida. Porque, quando a gente está no fundo do poço, nada mais nos magoa.

"Além do mais", continuei, "Arwen nunca tentou impedir que Aragorn completasse sua missão da maneira como eu tentei fazer com que Michael não completasse a dele. Arwen teve papel fundamental na destruição do Um Anel. O que eu já fiz de importante?"

"Você construiu casas para os sem-teto", Lars observou.

"É, Michael também."

"Você mandou instalar parquímetros em Genovia."

"Grande coisa."

"Você salvou a baía de Genovia das algas assassinas."

"Ninguém se importa com isso, além dos pescadores."

"Você mandou instalar latas de lixo recicláveis por toda a escola."

"E quebrei o conselho estudantil por causa disso. Encare, Lars: eu não sou nenhuma Melinda Gates: não doei milhões de dólares para ajudar a erradicar a malária, a causa da maior crise de saúde no mundo todo, fazendo com que mais de um milhão de crianças morram todo ano só porque não dispõem de um mosquiteiro que custa três dólares. Realmente vou ter que me esforçar para ser uma pessoa especial se quiser ficar com Michael. Quer dizer, isso se ele me aceitar de volta depois de tudo."

"Acho que Michael gosta de você do jeito que você é", Lars comentou, segurando no apoio de braço da porta do passageiro para não escorregar e me esmagar enquanto Ephrain Kleinschmidt dava uma guinada brusca para entrar na pista de saída.

"Ele GOSTAVA", eu disse. "Antes de eu estragar tudo e dar um fora nele. E por beijar o ex-namorado da irmã dele bem na cara dele."

"É verdade", Lars confirmou.

E essa é uma das razões por que eu adoro tanto o Lars. Não é necessário se preocupar que ele vá dizer algo só para agradar. Ele sempre diz a verdade. Da maneira como ele a enxerga, pelo menos.

"Qual é a companhia aérea?", Ephrain Kleinschmidt perguntou.

"Continental", respondi. Precisei me segurar para não ser lançada de um lado para o outro no banco de trás. "Embarque!"

Ephrain enfiou o pé no acelerador.

Não posso mais escrever. Temo pela minha vida.

Sexta, 10 de setembro, Aeroporto Internacional JFK, estacionamento de limusines

Bom, o negócio realmente não funcionou do jeito que eu queria.

O que eu realmente queria que acontecesse era o seguinte: eu entraria no aeroporto e veria Michael na fila do controle de segurança. Eu chamaria o nome dele e ele se viraria e me veria, e sairia da fila e viria falar comigo, e eu diria a ele como estava arrependida por ter sido tão idiota, e ele me perdoaria instantaneamente e me envolveria em um abraço e me beijaria e eu cheiraria o pescoço dele e ele ficaria tão emocionado que resolveria ficar em Nova York.

Bom, na verdade não estava achando que a última parte aconteceria. Bom, quer dizer, é óbvio que eu ESTAVA. Mas não achava que realmente pudesse ACONTECER. Eu me contentaria se ele só me perdoasse.

Mas acontece que nada disso aconteceu. Porque o voo do Michael estava decolando quando chegamos ao balcão de emissão de passagens.

Chegamos tarde demais.

Eu cheguei tarde demais.

Agora Michael foi embora. Está a caminho de um outro país, de um outro CONTINENTE, de um outro HEMISFÉRIO.

E eu provavelmente nunca mais vou vê-lo.

Claro que eu fiz a única coisa sensata que podia fazer sob aquelas circunstâncias: sentei no chão do aeroporto e chorei.

Lars teve meio que me arrastar, meio que me carregar para o estacionamento de limusines, que é onde estamos esperando Hans e meu pai virem nos buscar. Porque Lars disse que não entra em outro táxi nem morto.

Pelo menos tem um banco aqui para eu poder sentar e chorar, em vez de ficar jogada no chão.

Só não entendo como foi que tudo isso aconteceu. Há uma semana — há cinco dias — eu estava tão cheia de esperança e animação. Eu nem sabia o que era mágoa. Não mágoa de verdade.

E agora parece que meu mundo inteiro desmoronou em volta de mim. E uma parte disso nem tem a ver com... com Michael ir para o Japão.

Mas uma grande parte disso é minha culpa.

E para quê?

Como é que eu vou viver sem ele? Falando sério?

Ah. A limusine chegou.

Vou ver se podemos passar em um drive-thru do McDonald's a caminho de casa. Porque acho que a única coisa que pode fazer com que eu me sinta um pouquinho melhor é um Quarterão.

Com queijo.

Sexta, 10 de setembro, 19h, em casa

Quando eu cheguei em casa, a minha mãe e o Sr. G estavam se preparando para pedir o jantar. Minha mãe deu uma olhada em mim e disse assim: "Para o quarto. *Agora*", porque Rocky havia tirado todas as panelas dos armários da cozinha e batia nelas (coisa que ele sem dúvida puxou do pai, cuja bateria continua ocupando lugar de honra na nossa sala).

Então eu me arrastei para o quarto e me joguei na cama, e assustei Fat Louie, que ficou tão surpreso quando eu caí em cima dele que realmente fez aquele barulho de gato bravo pra mim.

Mas nem liguei. Acho que estou com distimia, ou depressão crônica, já que exibo todos os sintomas:

↳ Torpor emocional
↳ Melancolia perpétua de baixo nível

- ↳ Sensação de simplesmente cumprir as tarefas cotidianas com pouquíssimo entusiasmo ou interesse
- ↳ Pensamentos negativos
- ↳ Anedonia (incapacidade de saborear ou aproveitar qualquer coisa; exceto cheeseburguers)

"Seu pai me contou que você foi mandada pra casa da escola no meio da tarde", minha mãe disse, depois de fechar a porta, para que pelo menos um pouco da batucada ficasse abafada. "E fiquei sabendo pelo Lars que você foi ao aeroporto se despedir do Michael."

"É", respondi. Fala sério, a minha privacidade é zero. Não posso fazer NADA sem que o mundo inteiro fique sabendo. Não sei por que me dou o trabalho de manter qualquer segredo. "Fui sim."

"Acho que foi a coisa certa a se fazer", minha mãe disse. "Estou orgulhosa de você."

Só fiquei lá olhando pra ela.

"Não consegui falar com ele. O voo já tinha decolado."

Minha mãe fez uma careta.

"Ah. Bom. Você pode ligar pra ele."

"Mãe", respondi. "Não posso ligar pra ele."

"Não seja boba. Claro que pode."

"Mãe. Eu não posso ligar pra ele. Eu beijei J.P. e Michael viu."

Agora foi a vez da minha mãe ficar me encarando.

"Você beijou o namorado da sua melhor amiga?"

"Na verdade", expliquei, "Lilly e J.P. terminaram hoje. Então ele é o ex-namorado dela. Mas a resposta é sim."

"E você fez isso na frente do Michael."

"Fiz." Não sei se o Quarterão com queijo realmente foi a melhor das ideias. "Mas não era minha intenção. A coisa meio que só... aconteceu."

"Ah, Mia", minha mãe disse, com um suspiro. "O que eu vou fazer com você?"

"Não sei", respondi, com lágrimas fazendo cócegas no meu nariz. "Eu estraguei tudo, completamente, com ele. Provavelmente está feliz de ter se livrado de mim. Quem quer ter uma namorada louca?"

"Você já era louca quando Michael conheceu você", minha mãe disse. "Até parece que você ficou mais louca de repente."

O negócio é que eu sei que ela estava *tentando* me dar uma força.

"Obrigada", respondi por entre as lágrimas.

"Olha", mamãe continuou. "Frank e eu vamos pedir comida no Number One Noodle Son. Quer alguma coisa?"

Pensei a respeito. O Quarterão com queijo realmente não caiu bem. Talvez eu estivesse precisando de mais um pouco de proteína para ajudar a segurar.

"Acho que quero um pouco de frango General Tso's", respondi. "E carne com molho de laranja. E quem sabe uns bolinhos fritos? E umas costeletas grelhadas? Parece que vocês sempre gostaram disso."

Mas a minha mãe, em vez de ficar feliz por não precisar pedir um prato vegetariano que ninguém além de mim ia comer, só ficou com cara de preocupada.

"Mia", ela disse. "Tem mesmo certeza de que você quer..."

Mas acho que alguma coisa no meu rosto fez com que ela mudasse de ideia e não terminasse a frase, porque só deu de ombros e disse:

"Tudo bem. Como quiser. Ah, e a Lilly ligou. E pediu para você ligar de volta. Disse que era importante.

"Certo", respondi. "Obrigada."

Minha mãe abriu a porta do quarto — BANG! *Sacode.* BANG! BANG! — e saiu. Fiquei olhando para o teto durante um tempo. No teto do quarto do Michael, no apartamento dos Moscovitz, há constelações daquelas estrelinhas que brilham no escuro. Fiquei imaginando se ele ia colocar constelações que brilham no escuro no teto do quarto novo dele. No Japão.

Eu me inclinei, peguei o telefone e disquei o número da Lilly. A Dra. Moscovitz atendeu. Ela disse:

"Ah, oi, Mia", com uma voz não muito calorosa.

É. Agora a mãe do meu namorado me odeia.

Bom, ela tem todo o direito de me odiar.

"Dra. Moscovitz", falei, "desculpa por... bom, por tudo. Eu sou uma grande idiota. Entendo a senhora me odiar."

A voz da Dra. Moscovitz ficou um pouco mais simpática:

"Ah, Mia", respondeu. "Eu seria incapaz de odiar você. Olha, essas coisas acontecem. Eu... bom, você e a Lilly vão resolver."

"Certo", respondi, sentindo-me uma fração melhor. Talvez eu não tenha distimia, no fim das contas. Quer dizer, se eu for capaz de sentir alguma coisa. Que não seja me sentir mal. "Obrigada."

Só que... por acaso ela disse "você e *Lilly*"? Acho que ela quis dizer "você e Michael".

"Hm", disse. "A Lilly está, Dra. Moscovitz? Ela me pediu pra ligar de volta."

"Claro que sim, Mia", a Dra. Moscovitz disse. E ela chamou a Lilly, que pegou o telefone e falou, sem introdução: "VOCÊ BEIJOU O MEU NAMORADO????"

Fiquei olhando para o telefone, totalmente confusa.

"O quê?"

"Kenny Showalter disse que viu você beijando o J.P. na frente da sala de química hoje", Lilly rosnou.

Ai, meu Deus. Ai. Meu. Deus.

O Quarterão com queijo subiu mais um pouco na minha garganta quando o pânico total tomou conta de mim.

"Lilly", comecei. "Não foi... Olha, não foi o que Kenny pensou..."

"Então você está dizendo que NÃO beijou o meu namorado na frente da sala de química?", Lilly perguntou.

"N-não", gaguejei. "Não estou. Eu beijei sim. Mas só como amigo. E, além do mais, o J.P. é, tecnicamente, o seu *ex*-namorado."

"Quer dizer como você é *tecnicamente* minha ex-melhor amiga?"

Engoli em seco.

"Lilly! Fala sério! Eu já disse! J.P. e eu somos só amigos!"

"Que tipo de amigos se BEIJAM?", Lilly disparou. "Na boca?"

Ai, meu Deus.

"Lilly", tentei. "Olha. Nós duas tivemos um dia realmente horrível. Não vamos piorar as coisas uma para a outra..."

"Meu dia não foi assim tão ruim", Lilly retrucou. "Quer dizer, claro, meu namorado me deu um fora. Mas eu também fui eleita a nova presidente do conselho estudantil da Escola Albert Einstein."

Eu precisei me sentar, literalmente, ao ouvir isso.

"FOI?"

"É isso aí", ela respondeu, parecendo muito satisfeita consigo mesma. "Quando você fugiu da escola por causa da sua dorzinha de estômago, a diretora Gupta disse que você se desqualificou da eleição."

"Ah, Lilly", soltei. "Sinto muito."

"Não sinta", Lilly disse. Eu perguntei à diretora Gupta o que aconteceria se ninguém concorresse — sabe como é, ao conselho estudantil. E ela disse que a Sra. Hill simplesmente teria que presidi-lo. Bom, você sabe o que aconteceria ENTÃO: a gente ficaria vendendo vela de agora até quase o fim do ano letivo. Então eu perguntei à diretora Gupta se eu podia concorrer no seu lugar, e ela disse que, como não havia outros candidatos, ela não via por que não. Então eu fiz o discurso por você. Sabe, aquele sobre o que as pessoas deviam fazer caso acontecesse alguma catástrofe? Acho que eu enfeitei um pouquinho. Nada EXCESSIVO. Só, sabe como é, alguns trechos sobre supervulcões e asteroides... nada de mais.

"As pessoas ficaram com medo demais de NÃO votar em mim. A votação foi no último tempo. E eu venci. Bom, com mais de cinquenta por cento, pelo menos. Eu SABIA que o pessoal que está na nona série reagiria ao medo, e só ao medo. Afinal de contas, essa é a única coisa que eles conhecem."

"Uau. Que maravilha, Lilly."

"Obrigada", ela respondeu. "Mas não sei por que estou contando isso para VOCÊ, já que não ajudou de maneira nenhuma. Aliás, você não é minha vice-presidente. É a Perin. Não preciso de uma ladra de namorado como vice-presidente, NEM como amiga."

"Lilly", eu disse. "Eu NÃO roubei o seu namorado. Eu já disse, eu só o beijei porque... Bom, eu não sei por que eu o beijei. Só beijei. Mas..."

"Quer saber, Mia?", ela explodiu. "Não quero nem saber. Por que você não guarda para contar para alguém que realmente se importe? Como J.P., por exemplo?"

"J.P. não gosta de mim desse jeito, Lilly". Não pude deixar de explodir em resposta. "E você sabe muito bem disso!"

"Sei?", ela perguntou, com uma risada maligna. "Bom, então talvez eu saiba de alguma coisa que você não sabe."

"Do que é que você está *falando*?", perguntei. "Fala sério, Lilly, isso é a maior estupidez. Nós somos amigas há tempo demais para permitir que um CARA fique entre nós..."

"Ah, é?", Lilly disse. "Bom, então talvez nós tenhamos sido amigas por tempo suficiente. Adeus, PDG."

Então ouvi um clique. Lilly bateu o telefone na minha cara.

Não dava pra acreditar. Lilly *bateu o telefone* na minha cara.

Fiquei lá sentada, sem ter a menor ideia do que fazer. A verdade é que eu não conseguia acreditar em nada daquilo que estava acontecendo. Eu tinha perdido o namorado e a melhor amiga na mesma semana. Será que uma coisa dessa era mesmo possível?

Eu continuava sentada lá, segurando o telefone, quando ele tocou de novo. Eu tinha tanta certeza de que era Lilly ligando para pedir desculpa por ter desligado na minha cara que atendi no primeiro toque e disse:

"Olha, Lilly, sinto muito, muito mesmo. O que eu posso fazer pra compensar? Eu faço QUALQUER COISA."

Mas não era a Lilly. Uma voz masculina e profunda disse:

"Mia?"

E o meu coração entrou em êxtase. Era Michael. MICHAEL ESTAVA LIGANDO PRA MIM! Eu não sabia como, já que supostamente estava no avião. Mas e daí? Era o MICHAEL!

"Sou eu", respondi e os meus ossos viraram gelatina de tanto alívio. Era o MICHAEL! Eu praticamente me derreti em lágrimas — mas desta vez de alegria, não de tristeza.

"Sou eu", a voz disse. "J.P."

Meus ossos passaram de gelatina para pedra. Meu coração voltou a se despedaçar no chão.

"Ah", falei, desesperada para esconder a minha decepção, para que não parecesse tão óbvia. Porque uma princesa sempre tem que fazer as pessoas que ligam pra ela acharem que o telefonema é bem-vindo, mesmo que a pessoa não seja quem ela estava esperando. Ou torcendo para que fosse. "Oi."

"Acho que você já falou com a Lilly", J.P. disse.

"Uhum", respondi. Como eu pude ter achado que era Michael? Michael estava em um avião, voando para o outro lado do mundo, para longe de mim. E por que Michael se daria o trabalho de voltar a me ligar depois de tudo o que eu fiz? "É. Sim, falei sim."

"Acho que correu tudo tão bem quanto quando eu tentei falar com ela, agorinha mesmo", ele continuou.

"É", respondi. Eu me sentia atordoada. Será que o atordoamento era um sintoma da distimia? Não apenas o atordoamento emocional, mas o verdadeiro atordoamento FÍSICO? "Ela basicamente me odeia completamente. E acho que ela tem esse direito. Não sei o que eu estava pensando lá na porta da sala de química, J.P. Sinto muito, mas muito mesmo."

J.P. deu risada.

"Você não precisa pedir desculpa pra mim", ele disse. "Eu gostei muito, completamente."

Foi legal da parte dele ser assim tão cavalheiro a respeito de tudo. Mas, de certo modo, isso só serviu para piorar as coisas.

"Eu sou a maior idiota que existe", resmunguei, toda triste.

"Não acho que você seja uma idiota", ele continuou. "Só acho que a sua semana foi péssima. Foi por isso que eu liguei. Achei que você estava precisando se animar, e acho que tenho o que você precisa."

"Não sei, J.P.", falei, sem emoção. "Acho que tenho distimia."

"Não faço a menor ideia do que é isso", J.P. respondeu. "Mas o que sei é que tenho nas mãos duas entradas de camarote para a apresentação de hoje à noite de *A Bela e a Fera* na Broadway. Quer ir comigo?"

Não pude deixar de engolir em seco. Lugares de camarote para o meu musical preferido de todos os tempos?

"C-como...", gaguejei. "Como você..."

"Foi fácil", J.P. respondeu. "Meu pai é produtor, lembra? Então. Está a fim? A apresentação começa daqui a uma hora.

Ele estava de *brincadeira*? Como é que ele *sabia*? Como é que ele sabia que era EXATAMENTE disso que eu precisava para afastar minha mente do fato de eu ter sido a maior idiota com as duas pessoas mais importantes do mundo pra mim (sem contar o Fat Louie e o Rocky, é claro)?

"Estou a fim", eu disse. "Estou totalmente a fim!"

"A gente se encontra na frente do teatro daqui a 45 minutos", J.P. disse. "E, Mia..."

"O que foi?"

"Só nesta noite, não vamos mencionar nenhum dos Moscovitz, combinado?"

"Combinado", respondi, sorrindo pelo que pareceu ter sido a primeira vez neste dia. "A gente se vê daqui a pouco."

Desliguei o telefone.

Então, antes de ir tirar o uniforme da escola e vestir alguma coisa legal para ir ao teatro, levantei e liguei o computador.

Abri meu e-mail. Nenhuma mensagem nova.

Mas tudo bem. Eu não estava esperando nada. Na verdade, eu não *merecia* nenhum e-mail.

Cliquei no último e-mail que o Michael mandou pra mim — aquele que eu não havia respondido. Depois cliquei em RESPONDER.

Então, pensei um pouco.

Daí, finalmente, no espaço em branco, escrevi:

                    Michael. Sinto muito.

E então cliquei em ENVIAR.

Este livro foi composto na tipografia Minion Pro,
em corpo 10,5/15, e impresso em
papel off-white na Gráfica Corprint.